Biografía de un machete

Colección FRAGUA
(Narrativa)

Ramón Amaya Amador

Biografía de un machete

863.HO Amaya Amador, Ramón
A15 *Biografía de un machete* /Ramón Amaya Amador/
—1a. ed— (Tegucigalpa): Guaymuras, 1999
270pp.: (fragua)

ISBN: 99926-15-38-9

1.-NARRATIVA HONDUREÑA

ISBN: 99926-15-38-9

Primera edición: diciembre de 1999
Primera reimpresión: agosto de 2003

Diseño e impresión:
Editorial Guaymuras

Portada:
Fotografía tomada de *El Semanario,*
Diario *La Prensa,* San Pedro Sula
1 de mayo de 1999.

Diseño de portada:
Marianela González A.

Índice

Machetes siervos

Primera Parte

1

El sol puya directo sobre el quebrado lomo del Cerro de Las Lajas. En los pinares altivos hay una quietud doliente que no interrumpen ni los pájaros. Hora bochornosa en que los reptiles buscan abrigo bajo las piedras y la propia tierra, dura y retadora, iracunda para los pies tozudos y *encaitados* de los hombres. En el abra *socolada* donde sembraron la milpa, se oyen los tris-trás de los machetes al cortar los tallos semisecos del maizal devorado por la sequía, *cipeado al jilotear*. Los tres hombres, inclinándose hacia la tierra, van haciendo el corte al ras del suelo pedregoso y con el gancho de madera amontonan el *guate* que dos mujeres, descalzas y sudorosas, van trasladando en brazadas hasta un sitio cercano del magro rancho que se levanta a mitad del cerro entre arbustos de guayabo y altos pinos hieráticos. Se ha perdido en este año la milpa por la rabiosa sequía y por la tierra ingrata del cerro; solamente pueden utilizar los tallos y las hojas, el *guate*, para pasto de las bestias de La Hacienda. El tirabuzón de un rebuzno abre estrepitosamente el silencio embotellado del cerro.

—¡Mediodía, tata Quiel!

—Ya es mediodía, m'hijo.

El padre ha contestado sin detener su faena. Planta firmes sus pies calzados de *caites* rudos en la tierra arisca y calcinante. Viste sólo calzón de manta, igual que sus hijos, y lleva un sombrero de palma viejo y raído. Su tórax oscuro está sucio y húmedo de sudor copioso. La pelucilla del *guate* se adhiere a su epidermis de cobre. Es hombre musculoso, mediano, de color barroso. Pende de su cuello un escapulario renegrido. Quien le ha anunciado la hora, es un muchacho, Floriano, el menor de sus hijos varones que, con dieciséis años, tiene estatura de hombre aún más alto que su padre. El otro hijo tampoco detiene su labor.

—Tenemos que llevar este *guate* a La Hacienda —dice el padre con palabra pausada, ensordecida.— Siquiera esto para mi compadre.

Todos saben lo que significan esas palabras y el tris-trás de los machetes continúa en el corte de la última *mancha* del maizal perdido. Más arriba las dos mujeres descalzas trasladan en brazadas el *guate* que los hombres van cortando y amontonando. Mujer madura una, ágil doncella la otra. Justina y Genara. Madre e hija en la común labor, ayudando a los hombres en pleno mediodía del campo. Una tras otra van y vienen transpirando agitadas. La madre lleva un viejo sombrero de hombre y la hija se ata la cabeza con un trapo gris. Físicamente se parecen, pero la madre es de carnes más duras, curvas pronunciadas, formas sensuales. Trigueñas ambas, por el sol bruto de los cerros. Campesinas acostumbradas a los trabajos rudos, a las caminatas por los despeñaderos y riscos, cargando sobre sus cabezas fardos y tinajas mientras bajo sus plantas encallecidas se hunden guijarros y quiebran espinas.

—Óyeme, Genara —dice la voz fuerte de la madre— ándate para la casa y te vas calentando los frijoles y los *butucos*. Ya ellos —y señala con la cabeza a los hombres— van a terminar y ahorita mismo irán a dejar el *guate* a La Hacienda.

—Ahorita, mama. No más este otro viajecito y me quedo allá.

Justina aprueba con su silencio y ayuda a cargar una nueva brazada de pasto a su hija, cuyo rostro juvenil mantiene cierta alegría bajo la fatiga y el sol. La madre la ve alejarse ligera y piensa quizás en sus lejanos catorce años, cuando ella era una muchacha y trabajaba al lado de sus padres en Texíguat. Algo grato piensa de su hija porque sus labios musitan palabras ininteligibles y hay un brillo de gozo en sus pupilas, viéndola marchar precipitadamente con la carga de *guate* sobre la cabeza.

—¡Justinaaa!

—¿Quéeeee?

—¡Ya mero acabamos la tarea!

—¡Bendito sea Dios, Ezequiel! La hora está bruta como para darnos un *tabardillo*.

—Es la hora en que caparon a Judas —agrega el hijo mayor cortando las últimas matas verdeamarillentas.— ¡El mismo diablo con ser demonio aquí sudaría hasta las verijas!

—¡Eeeyyyooouuuu..!

El grito de Floriano es como el rugido del león cuando ha cazado la presa. Han terminado de cortar el maizal perdido y el muchacho grita la victoria del trabajo. Entre todos terminan de llevar el *guate* hasta la vereda. Gotea el sudor como si salieran del baño. La sangre corre acelerada por el potente bombeo de los corazones campesinos. En el rostro del padre hay una sombra de preocupación y sus ojos negros, acerados, clavan miradas rencorosas en el *guatal* amontonado. Piensa que esos tallos pudieron cubrir el gran hueco del hambre y las necesidades de la familia, si la sequía no los hubiera *cipeado*. De allí hubieran salido las cargas de maíz suficientes para pagar al dueño de la tierra y atar para todos un fardo, aunque pequeño, de tranquilidad, de ventura. Si hubiera habido cosecha de maíz, ahora podrían ver el futuro con cierto desenfado. Pero así, todas las esperanzas están rotas, hechas cadáveres en ese montón de hojas y tallos muertos que servirán para las bestias del patrón.

—Vamos a la casa. Ya hace hambre.

Detrás de Justina, van los hombres con los machetes en las manos. El de Floriano es un pedazo de machete, una *tunca* como la llaman ellos. Resuellan fuerte y los *caites* protestan por la agresividad de las piedras del cerro. Un perro les sale al encuentro meneando la cola y husmeando las piernas. Por la desnutrición, ese perro enflaquecido, tiene mucha semejanza con los hombres que carecen de pan.

La casa es una choza. Paredes de bahareque y tierra roja, techo de paja y piso de tierra dura. Una habitación grande, dividida en dos por un tabique de cañas bravas. Un tabanco de varas de pino con escalera de una sola pieza con cortes de hacha para poner los pies. Camas rústicas llamadas tarimas, taburetes, bancos, dos hamacas de *cabuya* colgadas de una pared a otra e infinidad de enseres viejos tirados por los rincones, debajo de los baúles puestos en artesones. La cocina está aparte ocupando un extremo de la galería; en ella hay limpieza y orden. Un fogón de tierra; una artesa para lavar; sobre ella una piedra de moler; un pilón de madera para quebrar maíz o despulpar arroz. *Guacales* y *jícaras,* tinajas y ollas de arcilla. Calabazos y canoas. En la hornilla tilosa está una olla con frijoles colorados en caldo, y en un envase de latón se calienta el agua para el café. Genara está atendiendo el almuerzo de la familia. El padre se sienta en un poyo y tira el sombrero al suelo.

—Dame una *cumba* de agua, m'hija.

Genara salta al instante y le lleva el agua. El hombre bebe a grandes sorbos. Es agua fresca, agradable, clara. Pide más. Todos beben suavizando el ardor de las gargantas ásperas e irritadas. La muchacha va sirviéndoles el almuerzo: un *guacal* de frijoles en caldo con hojas de cebolla y de oloroso orégano, *butucos* asados y una *jícara* llena de café. Eso es todo, pero es bastante para mermar el hambre después del trabajo bruto en el cerro soleado. La voz de la madre es la que predomina sobre todos; es autoritaria, convincente, dominante.

Esta es la familia Jocotán. Los Jocotán del Cerro de Las Lajas en el oriente del país, cerca de la frontera con Nicaragua, en tierras del latifundista Don Crisóstomo Pedrozo, propietario de La Hacienda Las Marías, que nadie la llama por su nombre solamente por La Hacienda a secas. ¿Quién no conoce o no ha oído mencionar en la zona a Ezequiel Jocotán, para los amigos Don Quiel, que vive en el Cerro de Las Lajas?

Ezequiel Jocotán es padre de tres hijos: Esmeregildo, conocido por Merejo, mayor de veinte años; Floriano, que ya va a cumplir los dieciséis, y la hembra, que es la última, Genara, que mucho se parece con su madre en lo físico y en el carácter. Porque Justina Jocotán, que aún no ha llegado a los cuarenta, es una mujer todavía con rasgos hermosos, agradables, sensuales como vestigios de una florida juventud. Campesina fuerte que ha resistido los tres partos, los muchos trabajos y no menos privaciones. Cierto que anda descalza como toda la familia, que su hablar es rudo, como sus modales, que viste pobremente, pero también es muy cierto que su cuerpo encierra una extraordinaria atracción a pesar del hábito a los trabajos viriles. Sus senos son duros, macizos y despiertan en los hombres de La Hacienda no pocos apetitos de voluptuosidad. Y Genara se parece mucho a su madre. De tal rama, tal astilla, dicen los campesinos al verla crecer esbelta, inquieta y ruda.

Para Ezequiel Jocotán y su mujer, levantar esa familia ha sido una batalla permanente, sin cuartel, sin tregua alguna y, sobre todo, porque cuando aún estaban chicos, muy chicos, perdió sus tierras en el bajo, en la parte fértil, así como la perdieron los demás condueños de la hermandad comunal. Fue en un pleito judicial que les entabló Don Crisóstomo Pedrozo y que perdieron por carecer de medios para pagar a un abogado defensor. Don Crisóstomo era compadre de Ezequiel y de Justina. De no haber mediado esa fortuna, pensaban los campesinos con resignación, sabe Dios cómo hubieran logrado resolver sus problemas, pues quedaron al garete sin un lugar donde plantarse; pero por el compadrazgo, siendo el hacendado padrino de pila bautismal de sus tres vástagos, tuvo a bien ayudarlos, permitiendo levantar su rancho en el Cerro de Las Lajas, que era parte de sus enormes propiedades, y que trabajasen en él mediante el pago del arrendamiento en especie. Eso aminoró o encubrió en Ezequiel todo su legítimo rencor por el desalojo de su tierra, aunque el verdadero motivo para recibir la injusticia con cierta pasividad, fue más que todo, por el grado de compadre espiritual que le unía al dueño de La Hacienda. Pero esas cosas estaban lejos y recordarlas daba tristeza. Además, ya los hijos grandes son ayuda efectiva en el pobre hogar Jocotán.

Ezequiel nunca había asistido a una escuela. Su escuela fue la vida de labores y penurias. Y así como él, también su mujer y sus hijos desconocen el alfabeto. Regados por esos otros cerros circundantes, viven muchos otros campesinos que son como ellos y les une el mismo lazo trenzado por tres cuerdas irrompibles: el poder del amo de las tierra que tiene su centro de operaciones en La Hacienda, en el erial fertilísimo del bajo y que es el rector de sus destinos; la segunda es el antiguo y sordo rencor que se escuda en sus corazones sencillos porque saben que las tierras que les fueron expropiadas en una gran injusticia, eran legítimamente de ellos; y la tercera, es la cuerda del hambre endémica. Esa es la maldita trinidad que deteriora sus vidas impotentes ante la fatalidad.

Para todos los campesinos La Hacienda es el núcleo vital, el centro de abastecimiento y lugar a donde convergen todos los productos que logran sacar a las tierras alquiladas. Y a La Hacienda, odiada, temida y respetada, es donde, en ese día de ardor y fatiga, tiene Ezequiel que llevar todo el *guate* de la milpa que perdió por falta de las lluvias y por la mezquindad de la tierra lajosa del cerro. Por algo se le denomina el Cerro de Las Lajas y por algo su compadre le ha permitido vivir en él.

2

No. No ha sido fácil para Ezequiel y Justina arrancar al Cerro de Las Lajas pequeñas dádivas agrícolas para la subsistencia. No obstante, la tenacidad, la constancia, el volver a empezar con renovados bríos después de cada fracaso, han doblegado un tanto la terquedad estéril del cerro, quebrándole sus cuernos de enemistad salvaje, su agresividad antihumana. El agua es subida en botas por el burro Chingo desde el pie del cerro donde corre una fuente de diáfanas y cristalinas aguas, pero que en el verano se extingue y tienen entonces que abrir ojos-de-agua en la arena y el limo. A veces las mujeres o los hombres tienen que llevar el líquido en tinajas y *cumbos* hechos de calabazas, esto cuando el asno es llevado a otros lares en misiones especiales. Porque el asno, al que llaman Chingo por tener la cola cortada, es para la familia Jocotán un sirviente inestimable, insustituible y querido. Es muy manso y sirve para todo en las escabrosidades de los cerros o en los planos del bajo.

En esta tarde, es el Chingo al primero que cargan de *guate* que, para su fortuna, constituye un peso suave aunque voluminoso. Detrás del pollino sigue Ezequiel y sus dos hijos con prominentes haces a la espalda. Aún tendrán que hacer un segundo viaje porque de una vez no pueden transportar todas las mieses del maizal perdido.

—Y tratá de que Don Amindo afloje un poco la conciencia —recomienda Justina— para que te fíe un poco de sal, un carretel de hilo y unas cuatro varas de manta para hacerles unas camisetas. Mirá cómo andás vos, Quiel, con todo el pellejo al aire. Suplicale a Don Amindo. No tengás pena de suplicar, hombre. Acordate que la pobreza tiene cara de piedra.

—Es que ya debemos mucho, Justina...

—Más debe el gobierno y no tiene vergüenza para endeudarse más. Nosotros siempre hemos pagado al compadre y hasta más de la cuenta. Agarrá valor y suplicale a Don Amindo. Si este año no tuvimos cosecha, pero se le pagará a La Hacienda con trabajo. Y el trabajo también es *pisto*.

—Así será, Justina.

La señora siempre repetía que su marido no tenía valor para suplicar, para pedir crédito en la trucha de La Hacienda. Es verdad: Ezequiel siente mucha humillación en pedir mercancías fiadas y cuando lo hace y desgraciadamente le contestan con una negativa, ya no insiste y se retira avergonzado. En cambio, su obstinada mujer para eso es diferente, usa labia y obtiene, por lo regular, todo lo que se ha propuesto con Don Amindo, que es el administrador y mayordomo de La Hacienda y el que tiene a su cargo la trucha. Una vez Ezequiel había permanecido más de un mes sin bajar al *Hato*, debido a que los únicos calzones que tenía eran sólo jirones y no se atrevía a pedir fiados unos nuevos para obtenerlos. Y sin embargo, para cumplir sus compromisos Ezequiel Jocotán es el más exacto y puntual de los campesinos, pero su timidez en todo la zona es notoria.

—Primero es la honra y después lo demás —decía con certidumbre y arraigo de principios.— Cuando un cristiano pierde la honra, jamás la recupera. La honra es para el hombre como la virginidad para una muchacha. Una honra desgarrada no se remienda con parches.

Así aconsejaba a sus hijos y por eso no ocultaba su preocupación y sentimiento ante las tendencias de Merejo al ir torciendo el buen camino de los Jocotán. No es que su hijo mayor sea un pícaro que haya perdido la honra y se tire por los vericuetos de la desvergüenza y la maldad, sino que, debido a ciertas amistades en el *Hato* de La Hacienda, viene inclinándose a la bebida de *cususa* y hasta dicen algunos que Merejo es uno de los fabricantes de aguardiente clandestino. El muchacho siempre niega, pero con debilidad y evasivas y Ezequiel sufre ante la perspectiva de que su hijo, por causa del alcoholismo, llegue a deshonrar un día su apellido. Cierto que los Jocotán son muy pobres y, precisamente por eso, considera Ezequiel, deben mantener en alto y muy limpio su nombre. Los ricos pueden hacer muchas cosas indignas, incluso revolcarse en el fango como los cerdos, pero tienen dinero y el dinero brilla mucho y encubre las manchas que lleva por dentro su dueño. Para los pobres no hay ningún enmascaramiento brillante más que el legítimo de su honra y dignidad. Estos son los principios que sustenta Ezequiel Jocotán.

—¡Chingo mañoso, andá!

El asno es mañoso, todos lo saben, pero sucede que bajar por esos riscos del Cerro de Las Lajas, hasta para el Chingo conocedor de ese sendero de cabras, resulta dificultoso. Es un camino quebrado, rocoso y empinado. Así son los caminos de todos esos cerros orientales hondureños, difíciles para el tránsito, peligrosos para bestias y hombres inexpertos en las serranías. Se necesita experiencia para vencer sus vericuetos, sus saltos, sus derrumbaderos. Ezequiel y sus hijos habían nacido y crecido en esa zona serrana trajinando por sus laderas y picachos aprendiendo a ser saltamontes, ya en los soleados días de los veranos tostadores de los *chirribitales*, ya en los días nebulosos de las lluvias pertinaces, aceleradoras de la erosión de los cerros, o bien en los días peligrosos de las tormentas tropicales, de huracanes y rayerías, cuando el mundo parece llegar a su fin fulminado por las descargas eléctricas que incendian con el flagelo de los relámpagos y contritan el espíritu con el cañoneo monstruoso de sus truenos.

Por esa geografía quebrada, tan semejante al carácter huraño y agresivo de sus hombres, los Jocotán trotan cargados del *guate* siguiendo y apremiando al pollino. El sol ya se inclina cuando llegan a las tierras bajas donde el camino es más transitable. La vegetación en las alturas es raquítica: cactus, tunas, guayabos enanos, chaparros, tacualtuztes y laderas pedregosas donde están los pinares. Abajo, en la planicie es tupido el monte y hay algunos plantíos porque la tierra es más dócil y menos enemiga. Son bellos los paisajes que se presentan en aquella geografía rebelde, más propia para nidos de cóndores que para residencia de hombres. Los aislados ranchos de *manaca* en las laderas o en el filo de los cerros parecen estar haciendo equilibrios en el plano inclinado de los revenideros o retando intencionalmente los vientos. Se ve alguna *mancha* de platanal o de maicillo; algún sembrado de tabaco o de ayotes; alguna cabra sin pastor rasguñando espinos entre los pedregales; zopilotes haciendo dibujos geométricos en el cielo que parece limitado de cimas. Y los muros de piedra como diminutas murallas chinas siguiendo el capricho surrealista o cubista de la topografía y que son las fronteras construidas por el individualismo campestre de algún minifundio, aún no atrapado por el señor Pedrozo.

De manera que se aproximan al *Hato* van encontrando mozos campesinos en labores o que vienen de ellas con los aperos de labranza al hombro. Hombres y mujeres descalzos y machete al cinto, de ropas sucias y raídas, con sombreros empalmados y rostros oscuros por las bofetadas patronales del sol. Por allá una mula con aparejo. Por acá una carreta de bueyes seguida de un chico esgrimiendo larga puya. Ya se ven plantíos de cafetos, de caña de azúcar y potreros con zacateras donde pastan las vacadas y yeguadas de Don Crisóstomo. Se ven algunos *campistos* jineteando potros en albardas y sin frenos. Gente brava, de músculos férreos, de gestos altivos, de mirar esquivo para los extraños; pero de humildad increíble para los patrones.

—¡Adiós, Jocotanes!

—¡Adiós, hombreee!

Les saludan como a antiguos conocidos, o bien, desde un patio pelado una mujer de rasgos indígenas sostiene un corto diálogo:

—¿Qué tal están por su casa, compa Quiel?

—Paraditos. ¿Y qué tal por la suya?

—Medios-medios. Sólo los cipotes que no se curan del lombricero y de la diarrea.

—Sea por el amor de Dios, niña. Deles ajos machacados en ayunas.

—Uuuu, si ya les he dado, pero más les nacen. No hallo qué hacer.

—Mala suerte, niña. Bueno, gusto de verla. Hasta la vuelta.

—Vayan con Dios, Jocotanes.

Son gentes amigas, sencillas familias campesinas como brotadas de la misma tierra, apegadas a ella para siempre y sin más horizontes que los estrechos de La Hacienda y los cerros.

Por los plantíos y trabajaderos del hacendado Pedrozo no se ve la presencia de una máquina moderna. Todo es tradicional, desde los arados antiguos hasta las *güizutas*, desde las carretas de ruedas de madera hasta la casona colonial de largos corredores, arcadas, paredes de adobe, techos de teja y una vieja cruz en el caballete. Pero La Hacienda de Don Crisóstomo prospera y se engrandece aun utilizando los instrumentos y métodos de producción de la colonia. Hay centenares de mozos para sacarle el jugo a la tierra.

El *Hato* de La Hacienda es el caserío donde residen las familias de los mozos que tienen trabajo fijo y permanente en las fincas y en la ganadería. *Campistos*, lecheros, ordeñadores, fabricantes de queso y mantequilla, molenderos, cortadores de café, arrieros. Muchas personas que laboran en La Hacienda y que dependen directamente de Don Amindo Carranza y de sus caporales, que andan todos armados de revólveres y acatan todas las órdenes del mayordomo o mayoral.

Las casas del *Hato* son de bahareque, algunas con techo de tejas y otras con techo de *manaca*. Distan unos quinientos metros de la casona colonial y sus distintas dependencias como las instalaciones de la lechería, las bodegas que sirven de graneros, los corrales de ordeño y la trucha. El mayordomo y su familia residen en una parte de la residencia, mientras numerosas habitaciones grandes y oscuras permanecen deshabitadas hasta cuando viene Don Crisóstomo y su familia que residen en Tegucigalpa desde hace un par de años.

Los Jocotán con su cargamento de *guate* arriban a La Hacienda siendo aún temprano de la tarde, precisamente cuando los *campistos* están encerrando los terneros en los corrales y hay bulla en los patios del *Hato*. En los árboles frutales se oyen cantos de pájaros; los mugidos se confunden con los relinchos y los gritos. Los hijos de Ezequiel se sienten alegres siempre que bajan a La Hacienda. La convivencia con los mozos amigos les es grata y despierta en ellos el sentido de sociabilidad. Están jóvenes y sienten la necesidad de relacionarse con los demás. Entre los muchachos adolescentes, Floriano es muy querido. El es el que sabe hacer los mejores trompos de guayacán, el más diestro en el juego de esgrima con machetes de madera, el que sabe hacer las mejores flautas y pitos de carrizo, el que encuentra más mañas para cazar conejos y ardillas en *manteca,* el que aguanta las bromas más pesadas sin enojarse. Por eso y más, le quieren.

—¡Hola, compita! ¿Se va a quedar esta noche en el *Hato*?

—Ahorita mismo regreso con mi papa. Sólo vinimos a dejar un *guate* a Don Amindo.

—¡Qué lastima, compita Floro!

—Otro día será.

—Sí, cuando sea la época de la molienda de caña.

En los patios del *Hato,* los muchachos descalzos y semidesnudos juegan mientras los adultos, frente a las hogueras, hablan de sus cosas masticando tabaco y sacándose garrapatas adheridas a la piel.

3

Todo el producto del maizal de Ezequiel Jocotán se ha reducido al *guate*, a las matas marchitas que utilizarán como forraje en La Hacienda de Don Crisóstomo Pedrozo. Y eso casi no tiene ningún valor. Con sus hijos descargan el burro y acumulan las cargas en una troje. Luego van a conversar con el mayordomo que está sentado en una hamaca en la galería cerca de la trucha. Se oye la música de una vitrola de manivela que atiende detrás del mostrador Chabelita, la hija de Don Amindo, muchacha adolescente de agradable presencia y modales urbanos. Don Amindo es casi de la misma edad de Ezequiel pero robusto, con gordura de hombre que no trabaja. Tiene amplia frente, de una amplitud que anuncia próxima calvicie. El se siente orgulloso de ella porque dice que es manifestación de intelectualidad. No hay calvo tonto, repite a menudo, y los seres primitivos no tienen dos dedos de frente.

—¿Así que dejaste perder tu milpa, hombre?

La voz de Don Amindo Carranza es fina, suave, llena de matices que le restan virilidad, pero que él sabe aprovechar para la adulación planificada, para repartir elogios hipócritamente.

—La voluntad de Dios no se contradice, Don Amindo.

—En eso tienes razón, Ezequiel; pero debiste salvar tu maizal.

—Voluntad y necesidad no me faltaron, pero la sequía es bruta. Ahí le traigo el *guatecito* siquiera —se ha quitado el sombrero y se rasca la cabeza pensando en los encargos de su mujer. Al fin se atreve— Don Amindo, voy a necesitar unas cositas de su trucha. Yo sé que le debo una cuentecita.

—Sí, debes unos cuantos reales o pesos. Quizá con tu milpa hubieras pagado. El que paga lo que debe, sabe lo que tiene.

—Así es Don Amindo, así es... pero mi mala suerte... y la Justina me recomendó le llevara unos *cativaches*.

—¿Y cómo está la Justina? —en los ojos grises del mayordomo hay cierta fogosidad que Ezequiel confunde con amistad.

—Esta buena. Saludes le mandó, como también la Genara.

—Ajá, ya días que no bajan. Debieras sacarlas de cuando en cuando. El monte embrutece, Ezequiel. Hay que tener relaciones. Hay que salir a ver gente, de otro modo van a quedarse como los animales: ariscos y brutos.

—Así es, Don Amindo, así es. Pero salir necesita al menos, buenos trapos y... pues, siempre la pobreza...

—Tonterías. Todos nos conocemos aquí y todos somos amigos. La gente no vale por lo que lleva puesto, Ezequiel.

Mientras conversan los dos hombres, Merejo se aleja de la trucha hacia el *Hato* y Floriano, después de atar al asno en un naranjo, va a la trucha arrastrado por la música de la vitrola. Varias personas se encuentran allí, unas comprando o fiando y otras escuchando música. A Floriano le gusta mucho la música; sabe tocar un poco la guitarra y la dulzaina, pero nunca ha tenido una de su propiedad. Allá en el cerro ha fabricado varias flautas de carrizo y una *zambumbia*.

—Buenas tardes, niña Chabelita.

—Buenas tardes, Floro. Qué poco se te sabe ver por aquí. ¿Todavía haces machetes de palo para jugar?

—Pues ya días que no. Tiempo falta ahora para esas diviertas.

—Es que ya eres un hombre completo.

La muchacha le queda viendo como percatándose de que, efectivamente, ya Floriano no es un muchacho de juegos sino un hombre, un mozo de trabajo y muy formal. Piensa que ella tampoco es una niña para jugar con muñecas o irse a buscar nidos y flores como lo hacía antes, sino una señorita que irá al colegio «María Auxiliadora» de Tegucigalpa. Sonríe amigable y atiende la vitrola para cambiar un disco.

—¿Te acuerdas, Floro, de aquel disco de las carcajadas del diablo?

—Me acuerdo. Nos gustaba mucho para reír.

—Pues hace unos días se quebró. Ese día me acordé de ti.

—¡Ah! —Sin saber por qué Floriano se siente raramente halagado, importante y mira a la muchacha con sincera simpatía.

Don Amindo entra a la tienda por la puerta de otra habitación y Ezequiel viene al mostrador junto a los demás. Está contento por haber encontrado al mayordomo de buen humor y le va a fiar los encargos de Justina. Don Amindo abre un libro grueso y humedeciéndose de saliva el índice, comienza a hojear en silencio. Floriano conversa ahora con un mozo sobre la calidad de los machetes que, metidos en un barril, exponen en la trucha. Son machetes de hojas anchas, unos con mango de madera y otros, más delgados con mango de cuerno y agujero con atadura. También hay de los que no tienen cabo y el comprador tiene que ponérselo.

—¿Ves, Floro? —El mozo es mayor que el hijo de Ezequiel y conoce mejor la calidad de los machetes desmonteros.— Este de hoja ancha es propio para el corte de caña, pero para *chapiar* y *socolar* no hay como éste de tres clavos.

—¡Ja! ¡Este sí es machete y no *papada* como mi *tunca*! —Y Floriano saca de su cinto el viejo machete, desgastado por el uso, que había sido de su padre y que él venía usando con orgullo aunque sólo fuera del tamaño de un puñal. Lo blande en su diestra y luego lo compara con los machetes nuevos.

—¡Ni hablar! —dice despectivamente el mozo— ¡No sé cómo puedes trabajar con esa *cutachita*! Mercate uno de éstos, hombre, si ya no sos un cipote.

Floriano envaina su pedazo de machete. Toma uno de los del barril. Lo esgrime con fuerza, con virilidad y da varios tajos en el aire. Le pega golpecitos con una uña y el fierro vibra sonoro como una *zambumbia*. ¡Qué machete más hermoso! Exactamente es como el machete que él venía soñando desde niño cuando hacía cuchillos de madera para jugar esgrima con los muchachos del *Hato*. Sus manos duras acarician la hoja acerada, el filo aún no terminado de sacar, la punta, el lomo, la cacha de hueso verdoso con aquellos clavos como ojos vivos. Floriano está enamorado del machete nuevo. ¡Las cosas que él sería capaz de hacer con un desmontero como ese! El mango calza armoniosamente con su mano grande. ¡No habría monte bravo que le aguantara si él lo acometiera con ese instrumento precioso!

—¡Lindo! ¡Lindo para sacar cualquier tarea!

—Compralo, hombre. Sólo cuesta cinco pesos.

—Cinco pesos... —suspiró Floriano pensando que nunca en su vida ha tenido esa cantidad, ni la décima parte siquiera.— Cinco pesos...

Ezequiel mira a su hijo con el machete y comprende sus anhelos. Piensa también que su hijo ya es un hombre y necesita tener un machete para los trabajos. Montuno sin machete es inconcebible. Pero oyó decir que son cinco pesos su valor. El muchacho ha salido sin pereza y realiza cualquier tarea de hombre. Lo saca de sus meditaciones la palabra melosa de Don Amindo.

—Aquí está. Tu cuenta, restando el *guate*, son ocho pesos, cinco reales y medio centavo. Ahora quieres llevar cuatro varas de manta, un carretel de hilo y una libra de sal. Total: dos pesos con cuatro reales o sea once pesos, un real y medio centavo. ¿Estamos?

Estaba caro. Lo sabe muy bien Ezequiel, pero no protesta porque es de fiado y al fin y al cabo, no hay otro palo en que ahorcarse. La muchacha le mide la manta y entrega las otras mercancías. Las toma y da las gracias. Queda vacilando. Le viene ronroneando una idea rara, un pensamiento insólito que está en contradicción con su timidez para pedir créditos. Se acuerda de Justina y de sus recomendaciones. El mayordomo al verlo pensativo, le pregunta:

—¿Algotra cosita, mi querido Ezequiel?

Ninguna oportunidad como esa. El campesino hace un esfuerzo. Le están sonando las palabras de su mujer: «el trabajo también es *pisto*».

—Pues sí: quisiera otro favorcito...

Don Amindo levanta la cabeza sorprendido. El dijo esas palabras como siempre, por costumbre. Ezequiel casi se arrepiente de su audacia pero vuelve a ver a Floriano que está poniendo el machete en el barril y, se vuelca. Ya no debe detener lo comenzado y encomendándose a Dios, dice:

—Ya Floriano es todo un hombre, Don Amindo, sabe trabajar como el mejor y yo como padre debo ayudarlo a comenzar.

—Muy bien, muy bien, amigo Ezequiel, eso te honra.

—Pues quiero que, por favorcito, me dé fiado un machete para él. —Y queda asustado como si hubiera cometido un delito.

Don Amindo frunce el ceño y tamborilea con el lápiz sobre el libro. Sabe que Ezequiel ha debido a La Hacienda mucho más que eso y siempre ha pagado puntual y con creces, pero su espíritu usurero y amoldado a la extorsión de los mozos se opone a ceder el crédito. Floriano se ha vuelto con la sorpresa en los ojos y el corazón palpitándole como si hubiera subido corriendo la cuesta del Cerro de Las Lajas. El ni siquiera ha insinuado tal cosa a su padre, y, en ese momento, como si por primera vez lo viera, queda admirado ante su firme gesto pidiendo el machete fiado. ¡Qué buen hombre, qué comprensivo es su padre! Lo ve con una admiración jamás sentida.

—Yo sé —continúa audazmente el montuno— que si estuviera mi compadre Crisóstomo aquí, no me negaría este favor para su ahijado.

Don Amindo sabe eso también, pero sigue callado sacando la cuenta de la deuda mentalmente: serían dieciséis pesos, un real y un centavo. ¿Cuándo podría pagarlos si ha perdido la milpa?

—Don Quiel tiene razón, papá —intercede Chabelita saliendo en apoyo del solicitante— Si estuviera Don Crisóstomo no le negaría ese favor: es su compadre espiritual.

El mayordomo cambia el gesto adusto y se rinde, contestando:

—Muy bien, mi querido Ezequiel Jocotán, lleva el machete para tu hijo. De acuerdo. Sé que eres un hombre honrado. —Abre el libro y apunta— Ajá. Ahora tu cuenta subirá a... diecinueve pesos exactos sin el centavito. Y esto, aparte de la cuentecita de la tierra, ¿eh?

Ezequiel no protesta. Ha sacado la cuenta con los dedos y no le sale igual. También sabe que ya ha trabajado en La Hacienda por cuenta del alquiler del cerro. Pero tampoco protesta. Floriano está jubiloso y toma el machete que antes empuñara haciéndose ilusiones. Ha sido como un milagro. Ya con el machete en las manos, riendo, ve a la muchacha que también le está sonriendo con amistad. Es el día más feliz de su vida: ¡tiene su primer machete!

Don Amindo ha salido de nuevo al corredor a sentarse en la hamaca mientras una sirvienta indígena enciende un quinqué pues ya la noche se está posesionando de La Hacienda a las chitas callando. Ezequiel se aproxima al mayordomo a una señal de llamado que le hace.

—Ordene, Don Amindo...

—Yo sé que tú quieres mucho a tu compadre; que serías capaz de cualquier sacrificio por él. ¿No es así, Jocotán?

—Ni me lo pregunte, Don. Por mi compadre espiritual no tengo vuelta de hoja. Usted lo sabe a cabalidad.

—Muy bien, muy bien. Te decía eso porque es bueno que sepás, y esto es en secreto sólo para ti, que Don Crisóstomo está en dificultades políticas. En las elecciones pasadas los *colorados* hicieron mil y un chanchullos. Así ganaron, haciendo perder la diputación a tu compadre. Debés de acordarte de eso. Bien, tal proceder es contra la honradez política, contra el patriotismo. Por eso, ahora nos preparamos los *azules* a reparar esa injusticia y baldón a la patria. Y —bajando la voz hasta el susurro— vamos a hacerle la guerra a los pícaros *colorados* para recobrar la constitucionalidad. Tu compadre es uno de los jefes. Por eso yo te cuento, pues quizá un día te necesite a ti y a tus hijos. ¿Me comprendes, querido Ezequiel?

—Comprendo, Don Amindo. Y mi compadre, como siempre, debe contar conmigo y con sus ahijados. Nosotros estamos siempre con mi compadre; aunque a decir verdad, no entendemos ni jota de la tal política.

—¡Así me gusta oírte hablar! ¡Eso es ser leal a Don Crisóstomo! Yo sabía que contestarías con un presente.

—Así es. Yo siempre he estado con mi compadre para todas las votaciones y en la otra guerra que hubo, también me fui con él. Usted debe acordarse. Yo lo tengo presente porque nos pegaron una derrota madre. ¡Ja, qué cosa fea es una huida con el enemigo atrás!

—Esta vez no habrá derrota sino una gran victoria. ¡Ah, y con Don Crisóstomo en el gobierno, todos nosotros nos iremos arriba como la nata!

Don Amindo continuó conversando con el campesino en voz baja y con un misterio de conspirador, amigablemente, íntimamente, como nunca antes lo hiciera y hasta le regaló un puro de buen tabaco para que echara en su cachimba. La noche estaba ahí como una conquistadora de sombras y la palabra afeminada del mayordomo siguió halagando los oídos ingenuos de Ezequiel Jocotán.

4

Esmeregildo Jocotán al dejar a su padre en la trucha de La Hacienda, marchó al *Hato* en busca de su amigo Cirilo Cirilón, caporal de la finca de caña de Don Crisóstomo, hombre de popular renombre por sus modales insolentes y hasta crueles para con los mozos molenderos en los días en que funciona el trapiche y hacen las hornadas de melaza para la fabricación de *panelas*.

Cirilo es, además de caporal endemoniado, un excelente jinete y experto tirador con el revólver. De este hombre se contaban historias raras y sorprendentes, ocurridas en la costa norte del país, en esa vorágine de las plantaciones de bananos de las empresas extranjeras; pero nadie podía, concretamente, constatarlas; acaso el único que sabía algo era Don Amindo Carranza, pues él lo había traído a La Hacienda especialmente a trabajar bajo sus órdenes.

El físico de Cirilo tiene gran atracción por su virilidad y su asombroso desarrollo como de verdadero atleta. El explota esa gallardía con el sexo femenino. Cada medio año cambia de concubina. Hoy es una del sur; mañana de la capital; pasado mañana de cualquier parte. Ahora una blanca, después una morena, y así, de todos los rumbos y condiciones, arrastra queridas que al poco tiempo regresan a sus hogares con los ojos amoratados por los puñetazos de Cirilo o huyendo a sus amenazas de truhán. Y lo increíble es que, casi todas, después han regresado a suplicarle clemencia y amor. Pero Cirilo es orgulloso y mujer que tira no la vuelve a recoger.

Merejo se había hecho muy amigo de Cirilo desde la última época de molienda cuando bajara al *Hato* para trabajar en el trapiche bajo las órdenes del temido caporal. Y mientras los otros mozos se quejaban de los malos tratos de Cirilo, Merejo en cambio proclamaba alabanzas en su honor. ¿Por qué con él había sido distinto; tratándolo como amigo, utilizándole en otros menesteres a veces ajenos a La Hacienda? Por esa amistad es que ahora va en su busca, complacido.

—¡Merejo Jocotán a la vista!

—¿Qué tal Cirilo, cómo te va? —Merejo se da el lujo de tutearlo, cosa que no permite a ningún otro mozo.

—Siempre bien, hombre. ¿Cuándo le va mal a Cirilo Cirilón? —El caporal le estrecha la mano efusivamente con demostración de alegría— Si no hubieras venido, te hubiera mandado llamar.

—¿Allá al Cerro de Las Lajas?

—¿Y a dónde, pues? ¿No vives clavado allá, como una piedra?

Merejo se ríe mientras Cirilo, dándole palmadas en la espalda lo invita a pasar a la sala de la barraca que habita en compañía de una mujer de buena presencia, calzada y de ojos azules traída de quién sabe dónde. Cirilo está desnudo de cintura arriba mostrando su tórax musculoso y bien formado. Al cinto un *talín* con revólver mango de nácar. Sus botas a media pierna están con los cordones sueltos como le es frecuente cuando está en casa. Indudablemente Cirilo tenía una gran atracción que pasmaba a los campesinos y embobaba a las mujeres.

—¿Y para qué me quieres?

—Ya lo sabrás; pero ahora, ¡celebremos tu buena llegada, hombre!

E incontinente bajó de una solera de la casa una vejiga de res. Tomó un vaso de una mesa y echó en él del contenido de la vejiga. El olfato de Merejo percibió el olor peculiar de la *cususa*. Quiso protestar pensando en que andaba con su padre, pero no pasó de un débil gesto pues se le abrió el apetito por el licor.

—¿De la nuestra? —pregunta Merejo tomando el vaso lleno.

—¿Y de cuál quieres que sea? Está saliendo ahora mejor que el *guaro* legítimo del gobierno. ¡Tomemos a tu salud!

Merejo toma saboreando con deleite como si fuera un catador. El licor, verdaderamente, se podría confundir con el legítimo. Cirilo va a la cocina y trae un pedazo de queso en trocitos para *boca*. La mujer que está en la cocina asoma la cabeza y guiñándole un ojo picarescamente, dice:

—¿Beben solos? Como si yo no tuviera gusto...

Con sorpresa Merejo observa y presencia que la mujer de ojos azules bebe aguardiente como cualquier hombre. Eso es nuevo para el hijo de Ezequiel, pero no dice una palabra y continúan tomando sendos tragos de la *cususa* que contiene la vejiga. Más tarde Merejo, reparando en el revólver del caporal, le pregunta:

—¿Lo compraste?

—No. Lo cambié por la otra a un paceño que pasó por aquí. ¿Te gusta?

Cirilo saca el revólver pavón reluciente por lo nuevo. Le quita los proyectiles y se lo muestra a Merejo. Este lo toma con emoción. Jamás ha tenido un arma de fuego y si ha disparado alguna, sólo ha sido porque Cirilo se la prestó allá en el cañaveral para que probara su puntería con unas *guaras*.

—¡Qué *pijuda* es tu pistola!

—Tú puedes tener una como ésta o mejor. Lo que pasa es que eres un buen *papo*. Le estás poniendo atención a tu tata como si todavía fueras un cipote de mandados.

—Es que me duele dejar a mi mama...

—¿No te digo que eres un buen *papo*? ¿Qué ganas con estar en el Cerro de Las Lajas hambreando, desnudo, sin un centavo? Vente conmigo, Merejo. Haremos grandes negocios en la frontera. Saldrás de *penco* y podrás, si quieres, ayudar a tus padres. Yo te aseguro que en poco tiempo serás otro hombre. Tú tienes todo para triunfar en la vida. Vente conmigo y ya verás cómo cambiará todo. ¿O es que no quieres salir de montaraz?

—No es eso, Cirilo... es que...

—No hay tal, hombre. Estás perdiendo por majadero. Anda, toma otro *riendazo*. ¿Vendrás?

—Bueno, ya que insistes tanto... vendré, sí... yo no quiero más esta vida. ¿Sabes que hoy hemos traído el *guate* de la milpa que se nos *cipeó* por el verano? Esto quiere decir que comeremos estiércol durante muchos meses. De nada sirve trabajar como buey en ese maldito cerro.

Cirilo sabe que el mozo ha roto sus amarras a la tierra y al trabajo honrado. El nunca se ha equivocado. Desde el primer día en que conoció a Merejo comprendió que era un individuo de mucha ambición y de coraje, capaz de muchas cosas por hacer dinero. Por eso le trató bien y lo hizo partícipe de su negocio clandestino, estimulándole los anhelos de romper con su pobreza campesina. Cirilo era psicólogo y en este anochecer está orgulloso de su visión para escoger a los hombres. Hoy sabe que no tardará mucho para que Merejo deje los cerros y se torne miembro de su banda de contrabandistas que operan en la frontera, porque Cirilo Cirilón es eso: un contrabandista de aguardiente, de ganado y de cualquier artículo que deje buenas ganancias.

—Contá conmigo, Cirilo. A mí me gustan los hombres como vos. Yo quisiera ser como vos: ¡un hombre de pelo en pecho!

—Lo serás, compa Merejo, yo te lo aseguro. ¡Tomá otro trago!

La mujer de los ojos azules deja la cocina y se viene a participar de las libaciones con los dos hombres. Es una mujer desenfadada como Merejo nunca había visto y por eso, ante ella, se siente timorato. A pesar de la borrachera denota su aspecto de mozo descalzo, de calzón de manta y sombrero de petate. Se siente humillado ante la mujer y le dan deseos de patentizar con hechos sus capacidades para poder ser otro hombre parecido a Cirilo. Bien podría pelear con cualquiera. Allí tiene su machete envainado. Nunca se ha visto en un lance personal con nadie, pero está seguro de que puede dividir en dos al más hombrón que le salga al paso.

—¡Yo soy hombre, Cirilo, muy hombre!

—Lo sé y por eso quiero que vengas conmigo. Si no supiera que eres valiente nunca te hubiera invitado a venir con los míos. No, viejo, yo conozco a los meros machos con sólo verles el ojo.

—Me gusta cómo hablás. Ya vas a ver de lo que soy capaz.

—¿Te vuelves ahora con tu padre?

—No. Me quedo aquí. —Pero luego recapacita— En fin, me voy esta noche para el cerro, pero la próxima vez que venga será para quedarme. Te lo juro por estas cruces. Soy hombre de palabra. Cuando digo: ¡estoy! es que estoy sea que llueva, truene o relampaguee!

—¡Así me gustan los hombres de una sola pieza!

Era ya de noche cuando Ezequiel en compañía de Floriano localizó a Merejo en casa de Cirilo. Estaba completamente borracho y casi no podía permanecer de pie. El padre se disgustó, pero nada dijo al llevarlo y montarlo con dificultad en el burro Chingo pues por sus propios pies sería imposible que caminara. Allá por el camino, bajo las sombras nocturnas, Ezequiel va regañando a Merejo por su acción. Este nada le contesta. De cuando en cuando dice palabras enredadas y se golpea el pecho.

—Mira, Floriano: mírate en ese espejo. ¿Crees que eso es ser un hombre? ¡Bah! Eso es ser una ñoña, hijo. Yo espero que no vayas a seguir el camino de tu hermano —y pensando en el caporal— Cuídate de las malas compañías, como cuidarte de la peste.

—Si, tata, me cuidaré.

—El hombre, hijo, debe ser como pino: siempre recto. El hombre que se dobla una vez volverá hacerlo cuantas veces lo quieran los demás. Hay que tener carácter, hijo. El que vive sin *pisto* es un desgraciado como nosotros; pero el que vive sin regla, es un monigote.

Y Floriano ponía atención a los consejos de su padre, pero su pensamiento central en esa noche estaba en el machete nuevo que en sus manos apretaba, haciéndolo sonar en los ramajes que aparecían a la vera del camino.

—Yo no sé que irá a ser de este Merejo siguiendo por ese camino, guiado por el tal Cirilo Cirilón. Porque: ¿quién es ese individuo? ¿De dónde ha salido? ¿Cuáles son sus antecedentes? Nadie sabe la verdad y lo que se cuenta por ahí, nada tiene de bueno.

—Dicen que es el que hace la mejor *cususa*...

—Te lo creo, hijo. Para eso está como pintado el tal Cirilo y este majadero de Merejo, por allí se va a tirar. A una cárcel lo va a mandar el tal Cirilo. No, hijo, hay que tener cabeza.

Ezequiel iba sumamente disgustado por la borrachera de Merejo y hasta había olvidado su conversación tan interesante con el mayordomo Don Amindo.

El Chingo avanzaba sin perder el camino que tan bien conocía, aun bajo las sombras de la noche.

5

Justina y Genara han pasado la tarde laborando en la casa. No pueden permanecer ociosas un solo momento, desde el alba hasta el anochecer, cuando se tiran a las tarimas después de rezar sus oraciones.

Al salir los hombres para La Hacienda, las dos mujeres, después de lavar y limpiar la cocina, se han sentado en el patio donde cae la sombra de la choza. Están picando una piedra de moler maíz que ya está demasiado lisa por el uso. Se oyen los golpes como de pájaro carpintero y, de cuando en cuando, palabras suaves. El viento sopla tibio. Una serenidad impresionante se apodera del Cerro de Las Lajas con el dorado de los crepúsculos, tiñendo el verdor de los pinos y el gris de la tierra y de las piedras. De cuando en cuando se oye el grito de las *guaras* que pasan en parejas hacia sus querencias. De manera que la noche se aproxima, va escuchándose más potente el silbido de los cerros y de los montes con el agudo chirrido de los grillos que es como el temblor de la soledad de las cimas y de las hondonadas. Ya en éstas van apareciendo los puntos luminosos de los *cucuyos*.

En el Cerro de Las Lajas las noches son muy cortas porque donde está ubicado el rancho de Ezequiel Jocotán llega tempranísimo el alba y se pierde tarde el incendio de los crepúsculos. Por eso las mujeres saben que cuando el sol se oculta deben preparar la comida de la cena y cuando muere el crepúsculo, buscar el descanso para poder estar al día siguiente listas a saltar con la aurora.

Madre e hija conversan mientras pican la piedra de moler que ha de servir para cuando haya cosecha de maíz. Por ahora la utilizarán solamente cuando encuentren por los montes alguna *cabeza de teocinte* o para moler el café. El perro tirado en su *cama* en el patio pelea con las moscas y con las pulgas. En el ciruelo del patio se acomodan las tres gallinas y el gallo que cojea porque una vez lo quiso cazar un gato montés y se lo hubiera comido de no estar presta Justina a quitárselo de una certera pedrada.

—Estos meses van a ser muy duros, m'hija. Cuando falta el maíz, falta todo. El maíz es una bendición de Dios para los pobres. ¡Las tantas comidas que se pueden hacer de ese grano! Tortillas, *pinol, montucas, pozol,* en fin: el maíz es la vida.

—Ayuda más que los frijoles.

—Mucho más. Me contaba mi papa en Texíguat, que antes, mucho antes de mi amo, el rey de España, los indios de estas tierras celebraban fiestas en honor del maíz cuando venían las cosechas. También decía mi papa que los indios creían que el primer hombre y la primera mujer habían sido hechos de maíz y no de barro.

—Los indios no creían en Dios y la Virgen, ¿verdad, nana?

—Creían. Pero sus dioses eran otros y sus santos eran de piedra o de barro, y los respetaban como nosotros respetamos los nuestros.

—Qué tontos, ¿verdad?

—Ni tan tontos, hija. Cada quien cree en Dios a su manera. Después que fueron conquistados, les metieron en la cabeza otro dios. Este Dios nuestro que da el pan de cada día.

—Pero, fíjese mama —y la muchacha deja de picar la piedra— con nosotros Dios es muy *agarrado,* piensa mucho para darnos qué comer, en cambio, con mi padrino Pedrozo...

—¡Chitón! Esas cosas no se dicen, Genara. Ni siquiera se piensan. Hay que respetar a Dios. El sabe lo que hace y nosotras no tenemos por qué chismear: ¿Acaso no tenemos vida? ¿Quién nos da la salud? No vuelvas a decir una sola palabra en contra de la voluntad divina. Eso es pecado mortal.

Genara calló prosiguiendo su trabajo. Involuntariamente había dicho aquellas palabras sacrílegas y en su pensamiento hizo firme promesa de no volver a lanzar expresiones pecaminosas. Cuando el sol se había escondido en la lejanía, dejaron el trabajo de picar la piedra y fueron a la cocina a preparar los frijoles y los *butucos* para la cena. Los hombres no tardarían en llegar del *Hato*.

Al anochecer hervía el caldo de los frijoles en el fogón de tierra y una hochonada de resinosa madera de pino daba lumbre rojiza a la cocina y al corredor. Allá en los aislados ranchos aparecían también luces. Arriba muchas estrellas que por su fulgor daban la impresión de estar muy próximas a la tierra. Allá estaba el Camino de Santiago, las Siete Cabritas, las Tres Marías, la Cruz del Sur.

—Come, hija: aquí está tu cena.

—¿Y usté, mama?

—Todavía no tengo hambre. Esperaré que regresen ellos.

Genara comió y después lavó los *guacales*. Se hacía tarde, ya era tiempo para que los hombres estuvieran de regreso de La Hacienda y aún no se oían sus gritos a la distancia como acostumbraban en el retorno de sus viajes. Justina comenzó a preocuparse cuando una hora más tarde aún no llegaban los hombres. Salía al patio y atisbaba hacia las hondonadas en sombras. ¿Qué les sucedería para retrasarse tanto? Justina se sentó en el poyo de la puerta. Genara trataba de que no se apagara la hoguera.

—¿Qué les habrá pasado en La Hacienda?

—¿Y qué les va a pasar? Nada, mama. ¿Acaso no andan con mi papa?

—No es por eso, hija. Es que Esmeregildo me preocupa. Ya sabes que apenas baja al *Hato* y se rejunta con ese tal Cirilo, es para amarrarse una *juma* y el *guaro* es malo. Lo que hacen los hombres cuando están borrachos es cosa del diablo.

—Pero mi papa no bebe ni *chicha*.

—Gracias a Dios, hija. Es una gracia que me ha dado que mi marido no sea bebedor. Por ese lado he vivida tranquila. Ezequiel es hombre bueno, quizá demasiado bueno para vivir en un mundo de léperos como Don Amindo.

Genara escudriñó el semblante de su madre. Justina jamás se expresaba mal de nadie y llamar lépero a Don Amindo Carranza resultaba muy raro para la muchacha. Ingenuamente preguntó:

—¿Es lépero Don Amindo? Y yo que creía que era hombre honrado como mi padrino Pedrozo.

Justina reparó en sus palabras inconvenientes. Quizá había pensado en voz alta. Como madre cristiana aconsejaba a sus hijos para que no usaran la murmuración ni los malos calificativos para nadie y esta vez, inconscientemente, se había expresado mal de otra persona. No contestó a Genara y disimulando su contrariedad se puso de pie yendo al patio para atisbar hacia el camino del bajo. ¿Que si Don Amindo Carranza era un lépero? Si lo sabría ella... Justina tenía sobrados motivos para calificarle así, pero esos motivos eran un secreto en su existencia. Nadie sabía de ello, ni siquiera Ezequiel. Desde que Don Amindo entrara como mayordomo en La Hacienda, la había visto con ojos de macho y a espaldas de Ezequiel la enamoraba ofreciéndole el cielo y la tierra si accedía a sus pretensiones transformándose en mujer adúltera. Ella amenazó con decirle todo a Ezequiel, pero aún así Don Amindo no ponía fin a su asedio. Pasaban los años y aún ahora cuando ella bajaba a La Hacienda, la insistencia del mayordomo se hacía más impertinente y tenaz con una locura de jovenzuelo. Debido a eso había dicho aquellas palabras.

—¡Eeeyyyooouuuuuuu..! ¡Eeeyyyooouuuuuuu..!

—¡Allá vienen por fin, gracias a Dios!

—Parece como si viniera sólo mano Floro...

Los gritos de Floriano repercutían en el cerro por los pinares e iban a perderse a las hondonadas oscuras. El perro ladró con alegría como contestando a los gritos. Unos pájaros chillaron asustados en el árbol donde dormían las gallinas. Las dos mujeres bajaron con teas en las manos al encuentro de los hombres. Venía adelante el burro Chingo. Desde el primer momento, Justina al ver a Merejo reclinado sobre el cuello del animal, comprendió lo sucedido: venía borracho. Eso explicaba la tardanza. Sintió disgusto, pero no explotó como lo hubiera deseado.

—¿Qué tal por La Hacienda?

—Como siempre —contestó Ezequiel malhumorado y refiriéndose a su hijo:— Allí lo tenés hecho una bestia otra vez.

—¡Sea por Dios! ¿Con el tal Cirilo..?

—Con ése. Allá se fue a meter a donde ese gandul mujeriego mientras nosotros estábamos en la trucha. Tuvimos que montarlo en el Chingo porque no podía caminar el bausán.

Floriano era el único jubiloso y al llegar al patio lanzó un par de gritos dando cintarazos en el suelo con el machete nuevo que relucía a la luz de la hoguera de pino. La madre con la preocupación del hijo beodo no puso atención, pero Genara inmediatamente lo notó y fue al lado de su hermano para ver y tentar el machete y enterarse de su procedencia. Mientras tanto Ezequiel, con la ayuda de Justina, bajaba del asno a Merejo que ya mejoraba de la borrachera y se daba cuenta de su situación.

—Mama... papa... yo...

—¡Desvergonzado! —tronó Justina— ¡Me dan ganas de pegarte una apaleada por animal! ¡Anda y echate! ¡No quiero verte aquí como un chancho! ¡Esto es lo que estás aprendiendo con el tal Cirilo!

Merejo, dando traspiés entró al rancho sin decir palabras. Allá en el fondo de su conciencia enturbiada se sentía culpable. Se tiró a la tarima y pronto estuvo roncando. Ezequiel desensilló el Chingo y lo soltó para que fuera a buscarse algunas hojas que comer en el cerro pedregoso. Luego sacó de las alforjas los encargos de Justina.

—¡Vaya, hombre, Quiel, al fin te resolviste a pedir fiado!

—Y eso es nada, mama —dijo Floriano con una sonrisa ancha y mostrándole el machete.— ¡Pidió este machete para mí! ¿Lo ve, mama?

—¡Jesús, Quiel Jocotán: te veo y no te conozco! Así deben ser las personas. Hay que hablar. ¡Fiar no es pecado ni delito y nosotros jamás hemos negado ni dejado de pagar nuestras deudas!

El regocijo por la actitud de Ezequiel marginó por un momento la colérica pena causada por la borrachera de Esmeregildo. Cenaron comentando sobre las impresiones del viaje. Floriano era el que más hablaba entusiasmado por la adquisición del instrumento de trabajo y apenas concluyó de comer, se puso a sacarle filo en una piedra que servía de mollejón y que estaba en el patio. Genara, que compartía el gozo de su hermano, le alumbraba con un *ocote*.

En la cocina quedaron los dos viejos. Justina observó la preocupación de su marido y creyó que solamente se trataba de la conducta de Merejo, pero más tarde el mismo le explicó:

—Las cosas andan mal, Justina. Parece que el compadre Pedrozo se prepara para la *revancha*.

—¿Otra vez más guerra? Sólo eso nos faltaba. Dios nos guarde de una revuelta armada. ¡Y con esta hambruna! —Luego muy pensativa— Francamente yo no comprendo a los hombres de allá arriba. Política y pelea. Pelea y política. Y la gente naciendo sólo para ir a morir a cualquier cerro, pues ahora, hasta a los muchachos se los llevan a las guerras.

—Que sea lo que Dios quiera, Justina.

—Yo no creo que esas guerras sean cosa de Dios. Son cosas de los hombres malos que se dejan tentar de satanás. ¿Qué puede haber entre nuestro Señor Dios tan bondadoso y esas guerras bárbaras?

—Y me lo preguntás a mí...

—Es hablar por hablar, Quiel —dijo con voz cariñosa la mujer y agregó:— De todas maneras, en caso de guerra nos iremos a huir al monte. Esta vez no te vayas a comprometer con el compadre; acordate que vida sólo tenemos una.

Ezequiel prefirió no decir a su mujer que ya lo había hecho con el mayordomo que era como si lo hiciera con el compadre Pedrozo, para no darle mayor preocupación. El mismo, ante aquella sombría perspectiva de guerra sentía una honda preocupación. Sabía por experiencia lo que significaba una guerra civil en su país pues había participado ya en ellas.

Floriano seguía sacando filo a su machete nuevo mientras le decía a Genara la forma en que le iba a fabricar una hermosa vaina y poder prendérsela al cinturón.

—Y vas a ver, manita: este machete nos va a dar mucha plata. Este año sacaré tareas por mi propia cuenta.

6

La cuadrilla de peones va en línea de combate avanzando monte adentro. Cada mozo encorvado lanza su machete reluciente en certeros tajos que cortan los tallos de los arbustos y los tupidos yerbales inmisericordemente. Se oye el tris-trás peculiar del instrumento *chapiador* con su monorritmo pausado. La vegetación cortada va cayendo en la tierra húmeda y sobre ella pasan los pies macizos, anchos y duros de los hombres que transpiran, realizando la agotadora labor. A veces un machete choca en una piedra; sale una chispa y se oye, al par del timbrazo metálico, la voz ruda de protesta del mozo que, instintivamente, como si recibiera en su cuerpo un aguijonazo, levanta el machete hasta sus ojos y observa la amelladura que dejó la piedra. Es un hecho lamentable. Luego prosigue *chapiando* pero más atento, no sea que haya por ahí otro pedrusco. El mozo protege su machete como protege sus manos. Cada amelladura es un dolor y un reniego contra las piedras. Quiere a su machete como a las niñas de sus ojos. Es una parte de su vida. Es el instrumento que le da el sustento diario, la tortilla y el *pinol*, el sombrero y el calzón. Todo lo que necesita proviene de su trabajo con el machete.

—¡Tris-trás... tris-trás... tris-trás..!

Es como una vieja canción que de tanto escucharla, el mozo la ha aprendido con fidelidad y ha descubierto que en su fondo hay todo un mundo que sólo él puede comprender. Y es que mientras sus oídos perciben el tris-trás, su mente se va tejiendo ¡cuántos proyectos, cuántas ilusiones, cuánto anhelar para su montuna vida tan necesitada de todo lo que es bueno, útil y bello para el hombre! Detrás del canto isócrono del machete desmontero van en vuelo fantástico las imágenes de una novia, de un hijo, de los padres, de la próxima fiesta campesina, de todas sus necesidades materiales y espirituales. Por eso el simple y sencillo tris-trás es misteriosa canción que estimula el mundo imaginativo del *chapiador*.

Floriano Jocotán escucha esa subyugante canción monorrítmica de su machete nuevo. Trabaja con vigor, con entusiasmo, con inusitada alegría porque está estrenando su instrumento de labor, su primer instrumento. Su brazo musculoso se complexiona casi jugando en la ruda labor del desmonte. Floriano está muy orgulloso de poder demostrar ante la cuadrilla de peones, en la cual él es el más joven, su capacidad de trabajo y el orgullo de tener machete nuevo. Es un sentimiento de adolescente campesino y que, efectivamente, es merecido porque le va dando prestigio, real fama de infatigable *chapiador*.

Ezequiel varias veces ha parado la roza para contemplar con ojos gozosos el desplazamiento viril de su hijo emulando con todos en el desmonte. Está contento. Piensa que Floriano será un gran hombre por su honradez y por su afición al trabajo. Floriano será el reverso de Merejo y ojalá que al ir creciendo, no vaya a torcer su ruta por el alcohol o por la holgazanería. Ezequiel sonríe cuando los otros mozos le señalan a su hijo que se adentra en el desmonte con un empuje incontrastable que causa envidia.

—¡Muchacho más tozudo el que tiene usté, compa Quiel!

Esas expresiones le dan mayor felicidad que los reales que La Hacienda le reconocerá por su trabajo. Ezequiel y Floriano están descontando su deuda al propietario de las tierras. Les pagan a cada uno dos reales diarios, nominalmente. Todos los mozos están descontando deudas, pues todos las tienen en la trucha y por las tierras que ocupan en algún sitio de La Hacienda.

El trabajo es vigilado por Cirilo Cirilón pues se trata de ampliar el cañaveral hacia el poniente. Sembrarán más caña de azúcar en unas veinte manzanas de tierra adicionales. La *pa-*

nela tiene excelente demanda en los mercados de los pueblos y de la capital. Don Crisóstomo ha ordenado la ampliación del cañaveral y allí están los mozos aldeanos desmontando para después hachar los árboles y preparar la tierra. No utilizan el arado; únicamente quemarán como es costumbre; si hay algunas partes muy malas del terreno, removerán la tierra con las antiguas *güizutas*. Luego sembrarán la caña. En La Hacienda no se sabe de nuevos métodos de labor. Se hace como lo hacían los bisabuelos. Lo tradicional no debe romperse. Allí lo único que se rompe es la vida de los campesinos siervos, pero eso no importa: así ha sido antes y así será siempre. Tales los pensamientos predominantes.

Cirilo permanece bajo la sombra de un árbol donde ató al caballo. Desde ese lugar vigila el trabajo de los peones. En las alforjas que tiene prendidas de los jinetillos de la montura, lleva una botella de *cususa* y de cuando en cuando la saca y toma de su contenido. A Cirilo le importa muy poco su trabajo de caporal. El tiene su propio negocio sacado del cañaveral del patrón: la fabricación de aguardiente clandestino y su contrabando en la frontera. A ratos gusta de molestar a los mozos acelerándoles en la labor para divertirse, para verles agotados y sudorosos sin lanzar una protesta.

—¿Por qué no trajiste a Merejo al trabajo?

—Está medio enfermo, Don Cirilo —contesta respetuosamente Ezequiel.— Pero en cambio, traje a Floriano. Véalo usted.

—Ese cipote no saca una tarea.

—Ya lo veremos, Don Cirilo, eso ya lo veremos.

Cirilo se aproxima al lugar donde está Floriano trabajando. Es el que va más adentro del monte. Lo observa un rato y regresa donde Ezequiel.

—Es verdad: el cipote tiene agallas para la *chapia*.

—¡Es mi hijo, señor!

Cirilo se regresa a su atalaya y se acuesta sobre una manta que quita de la montura. Hace calor y puede echar su siesta mientras laboran los mozos. Cierra los ojos y sonríe pensando en Ezequiel.

—«¡*Penco* bruto! —murmura— Y el Floriano va a ser igual».

Ezequiel Jocotán es un gran observador. A manera que avanza en el desmonte se va fijando en la vegetación y en la tierra. A ratos se inclina más para recoger un trozo de esa tierra en sus manos oscuras y la resquebraja. Esa sí es tierra buena. Esa no defrauda a ninguna mano que le tire la semilla o siembre el tubérculo. ¡Si fuesen así las tierras del Cerro de Las Lajas...! Esta tierra es de la misma clase de aquella amada tierra que en un pleito injusto le ganó su compadre. Sí, fue injusto, pero al fin y al cabo, fue su compadre Crisóstomo, el padrino de sus tres hijos. Tal vez si ellos, todos los condueños, hubieran podido pagar un abogado en la capital, aún fueran dueños de aquellas caballerías de tierra, pero la pobreza de todos fue una gran desgracia.

—¿En qué piensa, papa?

Ezequiel retorna de su viaje de reminiscencias y sonríe a su hijo que está frente a él limpiándose el sudor de la cara quemada.

—Miraba la tierra, Floro —le muestra el puñado en la mano abierta.— Esta sí es buena tierra para cualquier siembra.

—Algún día vamos a tener tierrita propia. ¡Dios no ha muerto!

—¡Bah, sueños, hijo! Las buenas tierras nunca serán de nosotros.

La voz de Cirilo se oye amenazante desde largo al verles conversando sin trabajar, pero Floriano le contesta con un grito alegre:

—¡Ya terminé mi tarea y ahora acabaremos la de mi tata!

Es una contestación concreta que hace levantar la cabeza a todos los mozos de la cuadrilla y mirar hacia el sitio donde Cirilo midió la tarea del muchacho. Hay un túnel de luz por el monte. Es que por ahí pasó el machete indómito de Floriano Jocotán. Es asombroso aun para los peones desmonteros acostumbrados a tal faena.

—¡Puta: el compa Floro ha salido *macanudo*!

Más tarde, cuando los mozos van llegando al final en sus correspondientes abras, también llegan Ezequiel y Floriano a su meta. El hijo ha ayudado eficazmente a su padre. Aún no se ha puesto el sol y Cirilo Cirilón piensa que para el siguiente día debe aumentar la dimensión de las tareas.

Así sucede al día siguiente. Las tareas del desmonte son mucho más grandes a las del día anterior y los mozos tienen que trabajar hasta cuando ya viene la noche, incluyendo al fogoso Floriano. Los Jocotán se quedan durmiendo en el *Hato* para poder estar temprano en el desmonte del nuevo cañaveral. Todos los mozos están sumamente fatigados, hasta los más duchos en el manejo de los machetes *chapiadores*. La Hacienda les proporciona una barraca para todos. Algunos tienen hamacas y las han colgado de pared a pared. Otros utilizan cueros de res. No todos tienen mantas para cubrirse. Ezequiel y Floriano están entre éstos últimos.

Esa noche todos están callados. Se han dado cuenta de la exageración de las tareas marcadas por el tiránico caporal. Floriano observa a su padre y a sus compañeros y siente pena. De pronto se incorpora en el cuero y queda pensativo en la semioscuridad, pues solamente tienen hoguera en el corredor. A lo lejos se oye la música de la vitrola en la trucha.

—¿Qué te pasa, Floro?

—Nada, tata. Es que estoy pensando. —Se aproxima a su padre susurrándole al oído.— Pienso que esta trabada que nos ha dado hoy Cirilo es por causa mía...

—¿Tuya? Estás loco, hijo. El caporal siempre es así: ¡brutal!

—No, tata. Yo he sido el culpable porque al sacar la tarea ayer antes de la hora, Cirilo vio la oportunidad de acogotarnos más. He sido un tonto, tata, pero le juro que yo creí que eso era ser honrado en el trabajo y que gustaría al patrón.

—No pienses así, hijo. De cualquier manera hubiera sido igual. El caporal Cirilón goza maltratando a los mozos. —Y con conformidad fatalista concluye:— Es nuestro destino.

—Tata —dice el muchacho con rebeldía— no me gusta este destino.

—Cállate mejor. Dios es el que manda nuestra suerte. Te guste o no, será igual. Aprende a conformarte así como has aprendido a manejar el machete.

Floriano se levanta del cuero y sale al patio de la choza. Unos muchachos corretean jugando al escondido por el *Hato*. La música sigue escuchándose y el joven recuerda a la hija del mayoral. Toda su pesadumbre se disipa y guiado por una extraña atracción se dirige a la trucha. Unos viajeros están comprando mercancías. Los caballos están atados en los postes del cercado de alambre de púas que circunda a la vivienda colonial. Isabel Carranza está detrás del mostrador en compañía de su padre ayudándole a vender. Ella lo saluda amigable y con alegría. Siente grata esa simpatía que les une y el muchacho piensa que, al fin y al cabo, la vida es más interesante cuando se vive con otras gentes, además de la familia y se recibe de ellas un saludo, una sonrisa, como en este caso de Chabelita.

—¿Te viste con tu hermano Merejo? —le pregunta la muchacha.

—No, Chabelita. ¿Cuándo estuvo por aquí?

—Hoy al mediodía. Como que iba de viaje.

—Es raro. El se había quedado en el Cerro de Las Lajas acompañando a mi mama y a mi hermana. ¿Para dónde podía ir sin avisarnos?

—Pues quién sabe, Floro; pero él pasó por aquí, compró unas hojas de tabaco y luego siguió hacia el *Hato*. Llevaba una maleta. Antes de continuar su viaje lo vi conversando con Cirilón.

—Entonces, fue cuando el caporal vino a almorzar. ¡Pero, qué raro!

La noticia preocupa a Floriano. Pronto regresa a la choza del *Hato* para informarle a su padre que ya duerme sobre el cuero. Este se despierta y al saber la noticia, duda. Merejo nada tenía que venir a buscar a La Hacienda, y de venir, los hubiera ido a buscar a los trabajaderos del cañaveral. Y más con maleta de viaje.

—¿Habrá sucedido algo en la casa?

Ambos están preocupados. ¿Qué hacer? La noche está comenzando. Tienen tiempo suficiente para ir al Cerro de Las Lajas y enterarse de lo que pasa y regresar en la madrugada antes de salir la cuadrilla para los trabajos.

—Vamos, hijo, quién sabe lo que haya pasado en el cerro.

7

Ezequiel y su hijo avanzan apresuradamente por los tortuosos caminos que llevan al Cerro de Las Lajas. La noche es apacible pero oscura y hay que tener mucho cuidado con los corales y *barba-amarillas* que, aprovechando la tibieza de la noche salen a los caminos y son un peligro para los incautos caminantes que no saben descubrirlos en la tierra tilosa, ni esquivarlos a tiempo.

Los pies descalzos de los dos hombres casi no hacen ruido al posarse en el suelo, solamente cuando tropiezan en algún pedrusco se oye el ruido de su marcha y de su protesta. Llevan los machetes en las manos, uno tras otro son carbones móviles en la penumbra nocturna. En el rancho no se ve ninguna luz, debe estar durmiendo. El perro los avizora y ladra furibundo; pero al llegar los hombres al patio, cambia sus ladridos por gruñidos cariñosos. En el rancho encienden luz de *ocote* y cuando Ezequiel habla, responde y abre Justina.

—¿Qué ha pasado, mujer? ¿Qué se hizo Esmeregildo?

La madre suspira arrebujándose en una sábana vieja y sin contestar va hasta su tarima y se sienta. Con voz lenta dice:

—Se marchó. Hoy al mediodía preparó su maleta y sin decirnos ni adiós se fue maldiciendo.

—¿Pero, cómo es eso? ¿Se palabrearon con vos o con Genara?

—No. Esmeregildo ha tomado su propio camino. Desde ayer lo noté intranquilo, enfurruñado. Casi no hablaba con nadie, y hoy, cuando me di cuenta, tenía ya lista su maleta, sus *caites* nuevos y su machete. Le pregunté que para dónde iba y sólo contestó con malcriadezas: «¡Esta vida es una ñoña! ¡Me largo a buscar otra!» Y cuando le dije que debía avisarte a vos que eres su tata, casi me gritó: «¡Yo no tengo por qué pedirle permiso a nadie, no soy un cipote de mandados!» Y así, sin escucharme, tomó el camino de La Hacienda. Eso es todo.

Justina estaba muy apesadumbrada por el extraño suceso. Esa marcha inesperada y con disgusto de su hijo mayor le causaba natural sentimiento de pena. Nunca se habían separado por muchos días y ahora pensar que se iba definitivamente y sin saber hacia dónde, era doloroso hasta el llanto silente. Pero la mayor angustia de Justina se daba ante la sospecha de que su hijo fuera a juntarse con Cirilo Cirilón, de cuya malsana influencia estaba convencida.

—Pasó por La Hacienda; compró tabaco. ¿Y con qué *pisto*? ¿De dónde pudo sacarlo? Dice Chabelita que estuvo en la casa de Cirilo y después tomó el camino real.

—¿Para dónde?

—Eso no le pregunté a Chabelita —contestó Floriano.

Genara lloraba limpiándose las lágrimas con su sábana rasgada. Para ella la marcha de su hermano causaba una herida profunda en sus sentimientos. Se habían criado juntos, unidos por esos lazos tan íntimos de la hermandad campesina. Era inconcebible en su mente cómo Merejo abandonara el hogar para ir en busca de nueva vida y con disgusto como si la familia le hubiese provocado algún mal.

—Bien —dijo Ezequiel con voz firme— ya Esmeregildo es un hombre. Si la vida de penurias de la casa le ha desesperado al grado de largarse como vagabundo, pues que así sea. Para bien o para mal, él lo ha querido. Lo malo es que lo haya hecho como a escondidas y renegando. Luego, pensativo: —Quizá sea mejor así, porque de continuar con esas borracheras, le hubiera tenido que poner la mano como debe ponerla un padre a los hijos descarriados.

Callaron. Había sentimiento a pesar de las palabras resueltas del padre y del gesto de resignación de la madre. Floriano rompió el silencio dirigiéndose a sus progenitores.

—Está bueno, tatas. Si ya se fue, pues ya se fue. Allá él con su suerte. No se apenen ustedes. Si Esmeregildo ha sido un desagradecido, pagará algún día. Pero sepan que yo, Floriano Jocotán, no seguiré los pasos de mi hermano. Yo no los abandonaré nunca. De eso deben estar seguros.

—Ni digas, m'hijo —refutó dolida Justina— Es la ley de la vida. Se paren los hijos con dolor, se van criando con dificultades y ya cuando grandes, se marchan. Son como los pájaros que, cuando les fortalecen las alas, buscan otros montes para hacer sus nidos. Así, los tatas, poco a poco, van quedando solos y viejos, ya sin esperanza.

—Así es, Justina, así es la vida, —ratificó Ezequiel atizando el *ocote* para disimular su emoción.— Lo que uno hace con sus tatas, lo viene a pagar con sus hijos.

—Por eso yo no me opongo a que él se marche. Ya es hombre. A lo mejor va en busca de mujer para sembrarse en su propio rancho. Lo malo ha sido esa huida como si le hubiéramos echado al perro.

Ezequiel se encontraba emocionado. Sentía un nudo en la garganta como si se le hubiera atragantado una semilla de mango. Ahora estaba comprendiendo lo que sufrieron sus padres cuando él los dejó para levantar su propio rancho. No había sido como el caso de Merejo, pues incluso su choza la había levantado próxima a la paterna para no andar muy largo de ellos. Pero, claro, los tiempos cambian y también el modo de ser de las gentes.

—Bueno —dijo Justina sin agravio— que Dios y la Santa Virgen me lo protejan a donde quiera que vaya.

—Regresemos al *Hato* —sugirió Ezequiel un rato más tarde—. Debemos pagar con trabajo nuestras deudas.

—¿Y mama y Genara se quedarán solas?

—Anda, m'hijo. No es la primera vez. Antes de venir ustedes al mundo, yo permanecía sola cuando le tocaba ir a trabajar a La Hacienda o al pueblo a tu padre. Ahora somos dos en casa. Lo primero es cumplir la palabra. Hay que trabajar al compadre para ir saliendo de las deudas.

Los dos hombres dejaron la choza bajando al trote por el sendero del empinado cerro. Floriano tuvo que amenazar al perro para que se quedara en la casa, pues iba siguiéndoles los pasos. Debían estar antes del alba en el *Hato* para salir con la cuadrilla de desmonteros. Así iban pagando la deuda al patrón, ya que no habiendo tenido cosecha de maíz por la sequía y la esterilidad del cerro aumentada cada año, no podrían pagar en especie. Quién sabe cuántos días tendrían que laborar en diferentes faenas para cubrir la cuenta y cuando lograran eso, ya las necesidades les habrían empujado a sacar más crédito en la trucha. Así era la vida de los campesinos.

Al día siguiente, padre e hijo estaban en su trabajo sacando las nuevas tareas del desmonte en las tierras vírgenes que, para escarnio a los mozos, eran parte de aquellas tierras comunales que Don Crisóstomo les quitara en un enredo judicial dejando a tantas familias campesinas en la miseria y dependientes de La Hacienda.

Un día Nicanor Faroles, compañero de Ezequiel, estando a la hora del almuerzo a la sombra de un alto tempisque, le recordó:

—Mano Quiel: ¿se acuerda usté de lo que íbamos a sembrar en estas tierras cuando eran de la comunidá?

—Me acuerdo de mal modo —contestó— Aquí iba a ser el cafetal.

—Y ya ve —Nicanor se encogió de hombros— todo lo pensado acabó como por obra del diablo.

—Todo —intercedió otro de nombre Santiago Paletón que era el más viejo y ya tenía muchos nietos— hasta la comunidá. —Y haciendo recuerdos prosiguió:— Las tierras las había dado el gobierno de Soto; mi tata contaba que las habían dado con escritura en propiedá y para siempre. Pero vino el diablo y tentó al compadre Pedrozo a fijarse en ellas y aquí estamos ahora trabajando en las mismas tierras pero no para nosotros. Es lo que hacen las leyes.

—Unas leyes le pueden a otras —dijo Ezequiel— a lo mejor no tuvo culpa el compadre...

—¿Y quién, pues? —preguntó malhumorado Nicanor— ¿Seríamos nosotros acaso?

—No hay que juzgar así no más —prosiguió con debilidad Ezequiel.— Para mí que el más culpable es Don Amindo. Hasta que él vino y vio las tierras, comenzó con la cantaleta de que eran propiedad de La Hacienda. Antes nadie decía nada.

—Eso es verdad —secundó Santiago—. Que sí que es verdad. Y debe haber sido el que empujó al compadre Crisóstomo a la maldad. Porque maldad es, si no que baje Dios y lo diga.

—De cualquier manera —concluyó Nicanor levantándose del suelo donde estaba sentado— el responsable es el patrón. Si él sabía que las tierras no eran suyas y puso oídos a Don Amindo, es que tiene mala conciencia también.

—No hay que decir...

—¡Yo digo porque se me hierve la sangre de cólera!

—¿Y a quién no? —dijo otra voz con expresión de encono—. Lo que pasa es que estamos como amarrados con mi compadre. Yo no sé cómo, pero es la purita verdad y no podemos zafarnos.

Esa conversación de los mayores ha dejado latente impresión en Floriano. Piensa y repiensa mientras, reanudado el trabajo, sigue siendo el avanzadilla de toda la cuadrilla *chapiadora*. Si los mayores no comprenden dónde está ese amarre, esas ataduras con La Hacienda, menos puede comprenderlas él que apenas va saliendo de la adolescencia y que tiene más cuerpo que años de experiencia. Sin embargo sabe que es una pena de todos aquellos que formaban la comunidad y que en silencio suspiran por la heredad perdida. El también es partícipe de esa pena y sin conocerla a fondo, siente la injusticia de su padrino.

Ahora salen tarde del trabajo pero ya el desmonte está para terminar; después seguirán con el descombro. Tendrán que derribar todos los árboles a filo de hacha. Floriano sabe hachar también, pero no le gusta tanto como laborar con el machete. Además Floriano siente pena al derribar los árboles porque para él son como buenos amigos, como otras personas que sienten. Algunas veces conversaba con ellos y una vez lo encontró Ezequiel monologando frente a un pino y lo había regañado. Esa vez su padre le había dicho: «Estás *alcantariado*, muchacho bruto. ¿No ves que los árboles no son gente sino que puros palos?» Pero Floriano comprendía de otro modo y contaba historias de otros árboles que habían sido gente y que habían sido transformados en vegetales por brujos y magos de mala entraña. Esos cuentos los había aprendido en el *Hato* y otros se los había inventado, pues tenía muy ágil la imaginación.

Por la noches Floriano va a la trucha a conversar con su amiga Isabel Carranza. Le simpatiza mucho. Dos conejos y dos ardillas que Chabelita tiene en el patio de la residencia y que ya están domesticados y se han reproducido, fueron regalo de Floriano. El hizo las trampas y las fue a poner en los lugares convenientes para atrapar a los huidizos animales sin causarles daño. Primero había cazado un conejo macho regalándoselo a la muchacha, pero ésta dijo que lo mejor sería tener la pareja pues sería una maldad tener a uno solo cautivo. Mucho le había costado a Floriano cazar la coneja. En las trampas solamente caían los machos, quizá por más tontos. Para atrapar a una hembra tuvo que utilizar la honda y dejarla media muerta de una pedrada. Gran alegría la de Chabelita al recibir el regalo de la coneja para compañera o esposa del conejo. También había sucedido igual con las ardillas. Tanto éstas como los conejos, eran ya padres de numerosa familia que alimentaba Chabelita con mucho cariño.

Por su parte, la muchacha había regalado a Floriano confites, tabletas, dulces del extranjero, mascaduras criollas y un pañuelo azul que Floriano ya había gastado por el continuo uso. Pero esas cosas estaban ya largo y ambos se miraban con mayor respeto, como personas mayores. Mas siempre recordaban su antigua amistad de cipotes. Y ahora, Floriano, está allí en la trucha todas las noches, no para comprar ni fiar, sino para saludar y conversar con Chabelita y oír la música de la vitrola, y por añadidura saludar a Don Amindo.

En esta trucha se reúnen los *hateros* para conversar en las primeras horas de las noches y para escuchar a Don Amindo que siempre tiene noticias. El sabe leer en los periódicos que le envían de Tegucigalpa donde reside el patrón, y está enterado de muchas cosas que los campesinos comprenden mal. Sabía de las gentes que morían, de las bodas, de los crímenes en la Costa Norte y, sobre todo, de la guerra en Europa —las *uropas* como decían los montunos, entre los alemanes del Kaiser bigotudo contra los aliados ingleses, franceses y yanquis. Don Amindo era germanófilo y contaba maravillas de los teutones que eran tan emprendedores como los que residían en Choluteca y que tenían las mejores haciendas del sur de Honduras. Afirmaba que iban a ganar la guerra por ser los mejores militares del mundo. La gente oía complacida, imaginándose a su manera la guerra de las *uropas*, que quedaba largo, muy largo y que no se podía más que ir en *cayuco* muy grande por las olas de la mar, como decía Don Amindo.

Este señor sí que era magnífico para contar cosas nuevas y raras. Una vez les había dicho que se pusieran con Dios, que pagaran sus deudas y perdonaran a los enemigos porque el fin del mundo estaba ya decretado para fecha impostergable. Que ya el Santo Papa había dicho la última palabra sobre ello. Con esto Don Amindo había puesto de correr a los campesinos para trabajar hasta de noche pues nadie quería irse de este mundo con deudas ya que eso les impediría entrar al paraíso y vivir la vida eterna.al lado del Señor. Esto fue en el año en que apareció el cometa Halley.

—¡Se acaba el mundo, señores! —gritaba desde el patio de la casa colonial—. ¡Los signos de los tiempos se están cumpliendo. Hay que ponerse en comunión con Dios porque el mundo se acaba. Pronto se oirán las trompetas de San Gabriel y aquellos rebeldes y réprobos irán a hacerse chicharrón en las calderas del diablo!

Así ayudaba Don Amindo con sus lecturas y su sabiduría a los campesino de La Hacienda. Y todos lo respetaban y temían.

8

Las cuadrillas de *chapiadores* ha terminado su labor entre gritos de júbilo mientras Cirilo Cirilón ya está planificándoles el descombro para después quemar y sembrar la caña de azúcar. Este día han regresado a La Hacienda más temprano para hacer el reajuste de cuentas con Don Amindo. Han rebajado mucho de sus deudas, pero es la desgracia que nunca pueden verse totalmente libres, debido a que las necesidades son cotidianas y aún no han pagado unas cuando se van acumulando otras.

Los Jocotán han pagado con su trabajo, pero al mismo tiempo se han visto forzados a sacar provisiones y otras mercancías vitales para la familia. Don Amindo no se ha negado a darles. Además, la fama que ha levantado el brazo formidable de Floriano es una garantía más, pues no solamente tiene La Hacienda un nuevo peón sino que la oportunidad de explotar a voluntad su bisoñería, su inexperiencia de muchacho que está enamorado del trabajo rudo.

Don Amindo, con su palabra afable, sabe engatusar a los campesinos. Esta tarde, en la trucha hay mucha alegría y movimiento. Cirilo ha fiado aguardiente clandestino a varios peones y él mismo bebe con ellos mientras toca su guitarra en el amplio patio de La Hacienda donde, prácticamente se encuentra reunido casi todo el vecindario del *Hato*. Claro que nadie recibe un centavo aunque Don Amindo repite que es día de pago para los mozos. No obstante, por lo menos, saben cuánto han descontado en los días de trabajo y cómo queda su nueva cuenta. Pero lo principal es que hoy pueden sacar mercancías al crédito para sus familias. Por eso hay alegría. Se oyen risas, grandes carcajadas, gritos, chanzas, canciones en el patio y en la vitrola que controla Chabelita.

—Ven, Floriano. —Llama Cirilo amigable.

—Mande, Don.

—Tómate un buen trago. Tú eres el mejor machetero de La Hacienda.

—Muchas gracias, Don Cirilo, pero yo no sé beber *guaro*.

Cirilo insiste con tenacidad, pero el muchacho no acepta de ninguna manera y aunque algunos amigos lo estimulan a probar pues «el *guaro* se ha hecho para los hombres machos», él declina los ofrecimientos. Se acuerda de su hermano Esmeregildo, de sus borracheras y de los disgustos de sus padres. El ha prometido no seguir el mismo camino. Podrá llegar a ser cualquier cosa en la vida, pero jamás tendrá su progenitor que llevarlo montado en el Chingo y tener que bajarlo ayudado por su madre para ir a tirarlo en la tarima como costal de guano.

Muchos mozos aceptan los tragos del caporal y pronto el efecto del licor se refleja en las altas conversaciones, en la inusitada soltura de las lenguas, en la euforia artificial. Un *campisto* descalzo y atlético suelta una tonada acompañado por Cirilón. Su voz se oye varonil sobreponiéndose a la bulla y a los mugidos de las vacas que están recluidas en el potrero cercano, aparte de los terneros amontonados en los corrales fangosos con olor a estiércol.

Montado en el potro bayo
vadié la anchura del río
y a las aguas preguntaba
dónde estará el amor mío.
Triste yo, triste el caballo,
triste hasta el sol de la tarde,
triste venía la luna
con su lucero de guardia.

Aplausos y gritos saludan a la canción del *campisto* y Cirilo en premio le obsequia *cususa*. Un grupo de chicos se quiere llevar a Floriano para que jueguen al tigre y el venado como en otros tiempos, pero se disculpa porque tiene que llevar unas cuantas cosas de la trucha con su padre. Pero el verdadero motivo es que no quiere retirarse del establecimiento por estar viendo a Chabelita con ojos cariñosos, mientras la muchacha pesa mercancías en la balanza. El viento vespertino tiene olores de monte, de estiércol, de leche, de flores, de sudor de hombres sucios. Apenas anochece y por el oriente salta una luna llena que pone sobre los montes una claridad poética.

Más tarde Ezequiel y Floriano dejan La Hacienda. Llevan provisiones de boca: queso, frijoles, manteca de cerdo, arroz y carne en tasajo. Además han fiado *caites* nuevos y una vaina para el machete de Floriano, unas telas para vestidos de las mujeres y unos sombreros empalmados de los de a tres reales. Esta noche es sumamente maravillosa con el resplandor de esa luna llena tan placentera. Van por el camino hacia el Cerro de Las Lajas conversando con entusiasmo. El que más habla es el muchacho, que lleva orgulloso prendido del cinto el machete envainado.

Ezequiel aprueba con una especie de mugido. Le gustan las ideas de su hijo, pero en el fondo siente la necesidad y el anhelo de tener tierras, no alquiladas, sino propias como las tenían antes y buenas para cualquier cultivo y sin ningún compromiso.

—Lo malo —dice al rato— es que mi compadre Crisóstomo ya no se acerca a La Hacienda, sólo está metido en la capital. Y con Don Amindo no es igual. Mi compadre es mi compadre y yo puedo explicarle y obtener tierras mejores que las del cerro.

—¿Y por qué no vendrá mi padrino?

—Por la política, hijo. Mi compadre desde hace algunos años se ha metido a político y no suelta el hilo.

—¿Y qué gana con eso? ¿No es mejor atender personalmente su hacienda? Yo no la dejaría por ninguna política.

—Así es, hijo, pero cada cabeza es un mundo.

—Ni siquiera los hijos de mi padrino vienen por aquí.

—Y qué van a venir si se encuentran lejos en los tales Estados Unidos de los *grenchos* y hasta mi comadre, tu madrina Salvia, dicen que sólo allá le gusta vivir.

—Yo no me acuerdo de mi madrina, tata.

—Estabas muy *chigüin* cuando ella se fue. Era una mujer muy hacendosa, pero desde que se trasladaron a *La Culta* dicen que cambió mucho, que para todo necesitaba criados. —Y como justificando la actitud de su comadre Salvia, concluyó: —Es que en la ciudad tiene que darse el puesto que merece como esposa de mi compadre.

—Tata: me gustaría conocer la capital.

—Es bonita, pero hay mucha gente *gorguera*.

Desde antes de comenzar el ascenso al Cerro de Las Lajas, los gritos de Floriano van anunciando la llegada. Justina y Genara, seguidas del perro, vienen a encontrarlos a la mitad de la falda. Se ven desde largo debido a la luz de la luna. Se saludan con cariño y alegría. Es noche de fiesta en el rancho. Las mujeres hacen preguntas y más preguntas y los hombres contestando y contestando. Y luego a la inversa. Hacen café y lo toman en el patio sentados en la tierra conversando de todos sus asuntos.

Se acostaron tarde y todavía antes de caer en las tarimas los padres dialogaban.

—¿Supiste algo de Merejo?

—Nada. Como si se lo hubieran tragado los caminos.

—Bueno, él lo quiso, que así sea.

—Quien mal anda mal acaba, mujer.

—Dios lo proteja, Quiel, es nuestro hijo.

Las puertas del rancho quedaron abiertas para que el vientecillo nocturno les ayudara a soñar.

Machetes fratricidas
Segunda Parte

1

—¡¡Penglen!! ¡¡Penglen!! ¡¡Penglen!!

—¡Viva el Partido Liberal, hijos de cien putas!

—¡Viva el Partido Nacional, cabrones!

—¡Mueran los *cachurecos* bandidos!

—¡Mueran los *colorados* asesinos!

—¡Tatariiii! ¡Tarariii, tarariii, tararaaaa..!

—¡Adelante, patriotas! ¡A vencer o morir!

—¡Ni un paso atrás: a descabezar *azules*!

—¡Ay, mi madrecita: ya me jodieron!

—¡Esa columna machetera: al asalto! ¡Viva el General!

—¡Listos valientes: resistir cuerpo a cuerpo! ¡Tirad los fusiles! ¡Sacad los machetes vengadores! ¡Viva el Doctor!

—¡Tatariiitati, tatariiitati, tarariiiinnnn..!

—¡Adentro hijos de la patria! ¡Muerte, muerte!

—¡Acorraladlos: que no haya prisioneros!

El estruendo de las ametralladoras y de la fusilería ha disminuido casi en su totalidad y el campo de batalla se ha reducido a las faldas del Cerro Pita, donde las tropas irregulares de ambos bandos en pelea se han encontrado en un choque cuerpo a cuerpo después de dos horas de combate. Los clarines lanzan el tétrico toque a degüello cuyos ecos van flagelando los riscos y los montes del mediodía trágico. Los fieros combatientes humosos de pólvora y tintos en sangre lanzan los fusiles y sacan los machetes filosos. Se oye un ulular pletórico de odio y hay en cada hombre la sed del exterminio y de la muerte. Flotan banderas azules y rojas en medio del humo por entre el verdor de los pinares mudos y estáticos. Y ahí sobre la tierra hondureña donde un día floreció el maizal, chocan como dos huracanes las dos tropas enemigas. Ayes, gritos, blasfemias, insultos, plegarias. Muy pocos disparos de armas cortas porque son los machetes los que tienen la palabra fúnebre con parábolas de sangre. Es el clímax del combate brutal de hombre a hombre, de metro a metro de la tierra, machete contra machete, odio contra odio.

Unos caen con las cabezas destrozadas, macabramente partidas saltando los sesos al sol. Otros se ven con los brazos cortados y la sangre saliendo con presión de muerte implacable. Por aquí uno tira el machete para poder sostener con sus manos trémulas los intestinos que brotan de una herida horizontal del abdomen. Por allá una pareja de hombres cae mutuamente ensartada en las hojas de sus cuchillos y aún en agonía se lanzan el último insulto. Un grupo choca contra otro grupo y cada hombre escoge a su contrincante en el minuto preciso. Algunos no sienten la facilidad con que se orinan y llenan de excremento sus pantalones. Estos son muy pocos porque ante la muerte no queda tiempo para el miedo.

No hay cuartel. Nadie quiere entregarse ni rendirse porque en esos momentos nadie tiene piedad. Es preferible huir y más si ya se encuentra herido. Así muchos se van por los montes a esconderse en alguna parte. Ya las órdenes de los jefes no se oyen ni se obedecen. Es una vorágine de selva. Se llaman a gritos. Se buscan los compañeros por el color de las divisas partidarias. Tratan de salvar y de salvarse dando muerte a los enemigos a quienes reconocen por el color de sus divisas contrarias. Roncos gritos. Sonoros tintineos de los tajos mortales de los machetes fatídicos escribiendo en la carne de los hombres la flor roja de la herida y abriendo los canales de la vida. Sangre y odio en el ayer apacible Cerro Pita.

—¡Tataritati, tataritati, tataraaannn!

—¡Viva el General Pedrozo!

—¡Qué muera ese bandido! ¡Viva el Doctor!

—¡Nos llevó el diablo! ¿Coronel, perdimos?

—¡Y quién lo sabe, General!

—¡Retrocedamos sin huir!

—¡No me dejen, por Dios, que estoy quebrado!

Ha pasado la hora de los hombres. Es ahora la de las fieras. Fulguran al sol las hojas de los machetes tintos en sangre. Gestos fieros, de locura en los rostros patéticos de los hombres que ayer no más empuñaban esos mismos machetes en las sementeras con un tris-trás de esperanza y de ilusión, de amor y vida. El viejo instrumento de labor es ahora el arma del exterminio, del crimen, de muerte. El machete *desmontero*, el de la *chapia* y la recolección, el que sirve para crear y producir el pan bueno del pueblo, es ahora el fiero y despiadado instrumento cegador de vida y de creación.

Machetazo va, machetazo viene en busca de las arterias y del corazón. Chocan y entrechocan las hojas afiladas y esta vez los hombres no reparan en las abolladuras como cuando en las rozas pegan en piedras. Los filazos no son una canción sino estridencias anunciadoras de la muerte. Los odios han explotado en la violencia salvaje de las pasiones partidistas y lo que pudo ser valentía es crueldad, lo que pudo ser patriotismo es barbarie, lo que fue dignidad es traición, lo que llaman patria es la miserable ambición de los organizadores de esta matanza fratricida.

En el Cerro Pita los minutos parecen horas y las fuerzas diezmadas se repliegan ya sin toque de clarines. Van a la retaguardia sin levantar sus heridos y sus muertos. Los estados mayores de ambos ejércitos se consideran derrotados, tanta es la sangre y la muerte. En desorden se alejan los grupos de aquellos parajes de pesadilla temiendo ser perseguidos. Es la retirada o mejor dicho la huida de los jefes y de los agraciados supervivientes, por veredas o rompiendo montes, ahitos de la gran fatiga, sedientos y sudorosos. No hay bando victorioso porque ambos han perdido tanto elemento humano que se consideran derrotados y ninguno se preocupa por conocer cuáles son las condiciones en que ha quedado su adversario.

Los cerros cubiertos de pinares quedan dueños de los centenares de cadáveres. No hay una bandera enhiesta. La tierra cálida ha bebido sangre como si hubiera caído un aguacero de mayo. Las piedras, los árboles, los yerbales, todo está salpicado de sangre. Quietos, en posiciones extrañas, a veces ridículas, los cadáveres van endureciendo junto a los fusiles y los machetes, junto a las mochilas y los sombreros empalmados que son distintivos de los sencillos hombres de los campos hondureños. Es una escena de horror, de pesadilla la que ya atisban los zopilotes desde el cielo donde realizan maniobras circulares para caer a darse el festín macabro.

Y éste, sólo es el comienzo de la guerra civil. Es uno de los primeros encuentros de los partidos tradicionales que disputan el poder político con las armas en la mano, en el verdor de los cerros que son bastiones estratégicos. Es la montonera brutal que han desatado de nuevo los intereses bastardos de las camarillas rivales en la tradicional oligarquía hondureña. *Colorados* y *azules* se disputan el poder de la nación.

2

A cinco leguas del Cerro Pita, lugar del combate a degüello, se han ido a reunir por el sur los supervivientes partidarios de Don Crisóstomo Pedrozo, a quien en el combate han dado vivas al General. De aquí en adelante usará ese título militar con orgullo, puesto que lo ha ganado presenciando de largo la trágica hecatombe. Están en un plueblecito de casas blancas que tiene una iglesia católica colonial y un cabildo antiguo. La mayoría de los habitantes del lugar han huido a los montes o a las ciudades para salvarse y salvar sus haberes, pues cuando pasan las tropas, de cualquier color que sean, no falta el pillaje y los asesinatos de contrarios. Lo más suave que le puede pasar a un ciudadano es una apaleada o que le quiten dinero.

Van llegando los guerreros en pequeños grupos o solos, todavía con la expresión amarga en los rostros empalidecidos. Han tenido fortuna de no quedar en el lugar del combate. Muchos se habían quitado las insignias temerosos de caer en manos enemigas y ser reconocidos por su divisa. Llegan descalzos con sus calzones y camisas de manta raídas, sucias, ensangrentadas; algunos han perdido sus sombreros, otros sus *caites*. Tienen pocos fusiles y todos llevan sus machetes también ensangrentados. Aparecen muchos con heridas leves o graves, pero que les han permitido huir. Son campesinos, en su mayoría.

Entre estos afortunados están Ezequiel y Floriano Jocotán. El primero salió con un tajo en la paletilla derecha, de poca importancia; el segundo apenas con rasguños en los brazos. En cambio, sus machetes parecen de carniceros. Para Floriano ese ha sido su bautismo de fuego y se encuentra bajo la enorme impresión que su juventud puede captar. Ezequiel ya con anterioridad había conocido la ruda emoción de la guerra civil.

El cabildo municipal sirve de cuartel. Está frente a la plaza. Allá van padre e hijo con visible cansancio. Les reciben con alegría algunos paisanos y conocidos y Don Crisóstomo, el General Crisóstomo Pedrozo, en persona sale a recibirles al patio con un abrazo.

—¡Mi querido compadrito Ezequiel! ¡Mi querido ahijado Floriano! ¡Cuánta satisfacción verles llegar sanos y salvos!

—Muchas gracias, compadre. Logramos salvar el pellejo.

—Bendición, padrino.

—¡Dios te bendiga, hijo mío! ¡Se han comportado como verdaderos héroes! ¡Los vi peleando como meros machos! ¡Jamás olvidaré su valor y el gran aporte para la gran causa de nuestro partido! ¡Pero pasen adentro! ¡Que les den de comer algo! ¡No desmayen porque esta guerra la ganaremos! —Y dirigiéndose a otro jefe: — ¡Coronel Maldonado: que atiendan como se debe a este par de valientes!

—¡Muy bien, General!

El padrino de Floriano es hombre robusto, fuerte, macizo. Hijo de mestizos hondureños pero que por su condición de terrateniente se le considera casi de noble abolengo; al menos así decían en la propaganda eleccionaria recién pasada cuando disputó una diputación congresal. Tiene un grueso bigote. Ancha cara con papada más gorda en el lado derecho. Nariz y boca grandes y los ojos grises parecen rehuir las miradas directas. Usa un sombrero de fieltro de alas anchas con una cinta azul y blanco rodeando la copa. Lleva botas coloradas y un traje kaki. La guerrera abotonada hasta el cuello en donde luce un pañuelo azul de pura seda y con sus iniciales bordadas. Un grueso revólver al cinto y una daga *cabeza de gallo* al otro lado. Se muestra amable con su gente y las anima a cada instante. Habla hasta por los codos. Don Crisóstomo se siente halagado cuando oye que sus parciales le dan el trato de General y, aunque nunca ha estado en una escuela militar, ni siquiera hizo servicio obligatorio, sabe que el generalato ganado en este día en el Cerro Pita, es muy prestigioso y lo realza ante las masas populares.

El coronel Maldonado introduce al cuartel a los Jocotán. Ellos pasan hasta el patio interior en donde están destazando una vaca y allí mismo han improvisado cocinas con piedras para hornillas. Se siente olor a carne asada y los dos hombres que vienen hambrientos, caen sobre unos tasajos casi crudos con voracidad canina. La carne no tiene sal, pero aún así la sienten muy sabrosa. Desde la noche anterior no han probado bocado y después del tremendo combate están con capacidad para devorar cualquier cosa que les llene el estómago. Y así como ellos están los otros que vienen llegando.

Unos hombres están tirados bajo la sombra de unos naranjos y lanzan gemidos. Son los heridos que lograron salir del infierno del degüello. Un hombre de botas altas y traje de equitación, de arremangada camisa, que lleva anteojos, es el que atiende a estos heridos con la colaboración de dos jóvenes y una mujer. Ezequiel está con la paletilla herida, pero le apremia más el hambre y espera su ración de carne asada sentado en una piedra. Junto a él está Floriano, que ve con insistencia a los heridos y al médico que los atiende.

—¡Doctor, doctor, me muero!

—¡Doctor, sálveme por el amor de Dios!

—¡*Hagan güevos,* hombres! ¡Pronto estarán de correr!

El doctor es alto y muy delgado y a través de los lentes se ven sus ojos enrojecidos y fulgurantes. Las mejillas hundidas y el pelo revuelto. Tiene un bisturí en una mano y con la otra tienta los bordes de las heridas de bala o de machete. Los ayudantes atan los miembros heridos para cortar las hemorragias. La mujer limpia las heridas con un trapo que ahora es rojo. Floriano se ha quedado viendo a uno de los que están tirados en la sombra y que tiene el rostro muy pálido. Una pierna está ensangrentada. Lo reconoce: es de La Hacienda.

—Papa, allí está Juancho Morel. ¡Véalo!

Ezequiel lo observa. Ambos se ponen de pie y se aproximan al herido. Tiene un balazo cerca del tobillo y se denota que hay una quebradura de huesos. La sangre oscura se ha coagulado. En la tierra hay un charco de sangre y las moscas rondan impertinentes. Todavía tiene atado el caite en el pie herido. A este infortunado lo evacuaron antes del choque a machete. Juancho Morel es campesino de La Hacienda, excondueño de la comunidad desorganizada. Reconoce a sus paisanos y con voz enronquecida les pide agua. Floriano corre a buscar el líquido. Por allí encuentra un *cumbo-ceñido* que contiene agua y se la lleva al herido que, con sed nerviosa, bebe mientras Ezequiel le levanta la cabeza. Hay en sus pupilas un resplandor de agradecimiento. La presencia de los amigos le da valor. El médico ahora se aproxima.

—Veamos este otro —dice arremangándose más la camisa.

Los oriundos del Cerro de Las Lajas se apartan dejando que los ayudantes presten su colaboración atendiendo a Morel. Después de revisarlo encuentran que sólo tiene una herida, pero que su estado es grave por la pérdida de sangre. El médico se agacha y le toma el pie con rudeza haciendo gemir a Juancho.

—Casi está cortado todo el hueso —dice el doctor palpándole el tobillo destrozado y provocando de nuevo la hemorragia—. Hay que operar, muchachos.

Los ayudantes callan observando al hombre a quien dicen doctor. La tierra ensucia la herida. El médico dice a la mujer que apreste agua caliente de la que hay en el fuego cercano. Con esta agua lava la herida. El hueso está a la vista. La mano del médico mete sus dedos entre la carne cortada y rebusca astillas, saca tendones y va cortando en rededor del cuello del pie.

—Doctor —dice uno de los ayudantes— el hueso está totalmente astillado, no hay necesidad de cortar. Si amputa, ese hombre se puede morir, ha perdido mucha sangre.

El doctor levanta la cabeza y lanza una mirada de reproche y disgusto al joven. El es quien dirige el hospital de campaña y no permite advertencias inoportunas. Tiene el médico un aspecto extraño ante la sangre y pareciera que siente íntimo gozo, placer patológico, al utilizar el bisturí en la carne humana.

—Trae un cuchillo —pide el doctor viendo el de Floriano y

al entregárselo éste, toca el filo y ordena: — Echame ese otro también.

Ezequiel obedece entregándole el suyo. El médico lo pone inmediatamente al fuego. Luego pide una piedra que es llevada por la mujer. Acomoda esta piedra bajo la pierna herida.

—Agárrenlo fuerte —dice a los ayudantes cuando ve el machete de Ezequiel al rojo.

Juancho Morel es sujetado. Ezequiel vuelve la cabeza con un gesto de horror al ver cómo el doctor, preso de delirio, va cortando el pie como si estuviera cortando carne de res en una carnicería. Floriano abre desmesuradamente los ojos cuando el médico da el primer machetazo en el hueso astillado y Juancho lanza un grito espantoso que hace volver la cabeza a muchos hombres que están en el patio del cabildo. Es un machetazo bárbaro y no obstante, el médico se ve forzado a repetirlo para quedar con el pie aún encaitado en la siniestra. Hay en el semblante de la mujer y de los jóvenes una mueca de espanto. Juancho ha quedado sin conocimiento, casi muerto.

—Trae el machete del fuego —ordena el médico patilargo tirando a una lata el miembro cercenado de Juancho.

El muñón de la pierna emana sangre y muestra el blancor del hueso. El médico, sin vacilar, aplica la hoja enrojecida del machete en el muñón de la pierna. Se levanta humo blanquecino y el olor peculiar de la carne quemada. El herido ha dado un nuevo alarido cayendo en otro desmayo. La cauterización de la herida ha sido con un método bárbaro, primitivo. En la boca del cirujano hay una mueca de triunfo.

—Para grandes males, grandes remedios. En estos casos de emergencia no se puede hacer de otra manera. Allí tienen arreglado el asunto. Dentro de pocos días este hombre estará tan bueno como cualquiera de nosotros y —reprochando a sus ayudantes— ¡No me vengan con chiquitas y *nenequerías*! ¡Este asunto es de hombres!

Ezequiel y Floriano recobran sus machetes, mientras el doctor va en busca de otro herido. Juancho queda sin sentido bajo la sombra del naranjo y despide olor a caca atrayendo más moscas. Ezequiel ha recibido un corte en la paletilla, pero se aparta presuroso del lugar seguido de su hijo.

—¡Puta, papa: no se ponga en manos de ese doctor porque es capaz de sacarle los bofes!

—¡Ni quiera Dios, hijo! ¡Ese tal médico más parece destazador! ¡Pobre Juancho, ir a caer en esas manos!

—Lo ha desgraciado para siempre.

Padre e hijo abandonan el cabildo, pasando entre los numerosos soldados que descansan en el piso. Han llegado más gentes. En los árboles de la plaza están atadas las cabalgaduras. Van a la vecindad y se introducen a una barraca abandonada haciendo ellos el fuego. Ezequiel se quita la camiseta de manta. La herida no es muy grande ni profunda y Floriano se la lava con manos cariñosas. Ha derramado alguna sangre, pero no será de gravedad.

—Buscate por allí una tela de araña, m'hijo. Eso es bueno para las heridas, corta la hemorragia.

Floriano busca en las paredes. Hay muchas en la barraca de tierra. Le cubre la herida con esa materia y sobre ella pone una venda sacada de un trozo de camisa vieja que encontró en un rincón.

—Papa —dice Floriano cuando abandonan la casa y vuelven al cuartel— mejor debiéramos irnos a la juidera. Esto de la guerra es una *papada*.

—No podemos irnos, Floro. Acuérdate que es compromiso con tu padrino. La suerte de él será la de nosotros. Debemos seguir hasta ganar la guerra para bien de la patria.

—Papa: ¿y la patria nos dará algo después?

—Pues sí... —contesta el padre con vacilación porque efectivamente no sabe qué dará la patria al terminar la guerra. La otra vez que él anduvo, no recibió nada, pero entonces habían perdido.— Dará... yo creo... mi compadre dice... y también que es un deber ciudadano salvar la patria pues hoy los *colorados* la han entregado a los extranjeros... mi compadre dice, y mi compadre sabe.

—¡Jumm, pues así será..!

Floriano ya no insiste en preguntar, aunque no comprende mucho lo que su padrino ha dicho a su padre. Por otra parte, estando comprometidos con el ahora General, deben cumplir. Floriano tiene un concepto definido y concreto de la palabra empeñada y por ello irá hasta el final de la guerra si es que no lo quiebran en algún encuentro o lo dejan como al pobre Juancho Morel. Sin embargo, para Floriano, la dura y bárbara experiencia de este día le ha causado tan profunda y repulsiva impresión que bien deseara no haber venido con las tropas revolucionarias de su padrino. ¿Cómo olvidar el gesto y el grito de aquel hombre desconocido que fue el primero con quién chocó en la matanza? ¿Cómo se llamaría? ¿Tendría mujer e hijos? ¿De qué parte de Honduras sería? Nunca se habían visto; ningún mal le había hecho, pero era el enemigo y tuvo que matarlo antes de que él le metiera el machete.

No. Eso ha estado mal, muy mal, pero así es la guerra. Al muchacho Jocotán se le subleva algo muy adentro al hacer los recuerdos de ese combate en el que su machete, que aún es nuevo, se ha puesto oscuro de sangre. Ha oído a muchos compañeros de revancha contar con jactancia sus hazañas en el combate, las muertes que provocaron con sus manos y considera que eso no es honrado, que no es de gente buena y que ni siquiera deben contarse como historias bravas. Pero, como ha dicho su padre, es compromiso con su padrino Don Crisóstomo y tienen que cumplirlo a carta cabal.

3

—¡Compadre Quiel, compadre Quiel!

—Mande, compadrito, a sus órdenes.

Ha salido del cabildo el General Pedrozo con los brazos en alto y lanzando gritos de júbilo a todo el que encuentra a su paso, entre ellos Ezequiel y a su hijo que estaban en el suelo enladrillado del corredor. Adentro del cabildo se oyen gritos gozosos y voces de órdenes. Un clarín deja oír en la plaza sus sonoros toques. ¿Qué está sucediendo para tanto júbilo?

—¡Viva el General Pedrozo! ¡Hemos triunfado en la batalla del Cerro Pita!

Por la plaza, por los contornos, los hombres se preguntan qué ha sucedido y es el propio Crisóstomo Pedrozo quien da la contestación explicando:

—¡Correligionarios! ¡Jefes y soldados! ¡Participo a todos que en el gran combate sostenido en este día, somos nosotros, nuestras armas constitucionalistas, las que han tenido el triunfo! ¡Nosotros lo supimos desde el primer momento, pero dispusimos retirarnos a este pueblo para poder curar a nuestros gloriosos heridos y reorganizar las fuerzas! ¡El enemigo huyó abandonando sus muertos y heridos, su mejor armamento, muchas municiones, banderas, provisiones de boca y hasta un cañón! ¡Nuestra causa ha tenido una gran victoria y estamos seguros de que de aquí nadie nos detendrá hasta tomar la propia capital! ¡Viva nuestro invicto Partido!

—¡Viiiivaaaa!

Repercutió por la plaza y por todo el poblado en el atardecer el viva estruendoso de los guerrilleros que tiraban sus sombreros al aire. Los informes que había recibido por los correos especiales que enviaran al abandonado campo de batalla habían traído la noticia de la verdad de los hechos posteriores al encuentro. En efecto, después del bárbaro combate cuerpo a cuerpo, los jefes y los supervivientes de ambas tropas se habían retirado del campo en precipitada huida. Era tal el desastre para las dos fuerzas adversarias que cada uno creyó ser el derrotado. Pedrozo y sus lugartenientes, todo su estado mayor integrado por terratenientes y profesionales partidarios, eso habían creído, huyendo hasta el pueblo vecino. Y lo mismo sucedió con las fuerzas *coloradas* del gobierno que se retiraron en huida buscando la ruta de la capital. Esto hizo recobrar bríos a los jefes *azules* y cobrar la victoria para sí.

—¡Ahora —dice el máximo caudillo— vamos a fortalecernos en este pueblo! ¡Vendrán fuerzas de refresco a engrosar nuestras filas! ¡Yo prometo que el triunfo final, como el de hoy, será nuestro y entonces todos, desde el más humilde de nuestros aguateros hasta el más alto jefe revolucionario, obtendrán los frutos de la victoria que habremos ganado con el más puro patriotismo! ¡En nombre del Partido, abrazo a todos los que han participado en esta gran batalla y gran victoria nacionalista!

El delirio se había apoderado de los jefes revoltosos. Ver transformada una derrota en triunfo inesperado, era como un milagro o un acto de pura hechicería. Los correos salieron para los pueblos vecinos llevando la buena nueva. Sin embargo, para los Jocotán la alegría apenas llegaba a una débil sonrisa. Ambos se sentían atolondrados, entristecidos, como grandes pecadores prontos al arrepentimiento. Ezequiel que ya tenía experiencias de la guerra, si hubiera podido rehuir el compromiso con el compadre, de buena voluntad lo hubiera hecho. Floriano, hombre muy joven, por primera vez sabía de esa realidad tremenda y estaba asustado ante la vorágine en que se encontraba metido. Recordaba que su machete había truncado vidas de hombres a quienes ni siquiera conocía, sin embargo, de no haberlo hecho, a esas horas sería él quien estuviera cara al cielo en cualquier risco del Cerro Pita endemoniado.

—Tata, no me gusta nadita esta guerra. ¿Qué será de mi mama y de mi manita? ¿Cómo harán para conseguir la comida?

A Ezequiel tampoco le gusta la guerra; ellos no son hombres de pelea, son gentes de bien y de paz y no desean el mal para nadie. Ha sido la influencia de don Crisóstomo la que les ha llevado a participar. Ezequiel está recordando como un mozo fue temprano de la mañana a llamarlo en nombre de su compadre espiritual. Con Floriano bajaron de su cerro hasta La Hacienda. Allí con numerosas personas estaba el dueño de las tierras, al que debían tantos pesos y favores, el compadre que fuera el padrino de todos sus hijos. Ya estaban reunidos los mozos jóvenes y viejos del *Hato* y de las cercanías. Algunos estaban armados de escopetas y de fusiles, pero la mayoría solamente con sus machetes desmonteros. El compadre les había llevado hasta su propio cuarto y hablado con entera confianza pidiéndoles acompañarlo en la cruzada redentora. Había dicho que las libertades y la República estaban en peligro a causa de los enemigos políticos y que era deber ciudadano partir para restituir el derecho y la justicia antes que fuera tarde.

Muy pocos hombres querían ir a la guerra, pero ante las palabras de Don Crisóstomo que les recordara todas sus bondades, fueron cediendo y aceptaron al fin cuando el terrateniente les habló de que en caso de una victoria, como era de esperarse, quizá hasta podrían rehacer su comunidad en las antiguas tierras. También puso su contribución para impulsar a los campesinos a la guerra el mayordomo, quien no anduvo con muchas perífrasis, recordando a los mozos sus muchas deudas contraídas con La Hacienda.

Para Ezequiel esos factores no tenían la fuerza convincente, para él fue más poderoso factor de convicción el vínculo que le unía a don Crisóstomo: el compadrazgo. Por cualquier otra razón se hubiera podido excusar, pero ante el deber de esas relaciones espirituales selladas en una iglesia, no cabía ninguna excusa. Tampoco le podía llevar la política. A decir verdad, si él era *azul* se debía asimismo a la influencia de su compadre, porque no tenía conciencia exacta de la cuestión de los partidos, de esas cosas tan hermosas como las describía su compadre y don Amindo y los amigos que llegaban de la capital acompañando al terrateniente, y que sonaban tan sonoramente a sus oídos, como decir, patria, república, constitucionalidad, libertad, justicia, derecho. Su concepto sobre ellos era muy vago, pero escuchados en los labios de su compadre adquirían vida y daban un entusiasmo nacido quién sabe de dónde.

Pero tampoco eso hubiera sido motivo para venirse a la guerra. Lo fuerte, lo incontrastable, lo supremo, era el compadrazgo espiritual. Y por eso, con su hijo, marcharon con las tropas heterogéneas del compadre, ahora ya gritando General. En La Hacienda había quedado don Amindo con una docena de mozos. Mientras durara la guerra reivindicadora sustituirían a las decenas de peones en los trabajos del patrón, las mujeres y los niños campesinos que, acostumbrados a las duras faenas del campo, resultaban eficientes para el mantenimiento de las labores. Justina y Genara seguramente estarían en La Hacienda trabajando, pues don Amindo había ofrecido enviar por ellas para que se trasladaran al bajo junto a las demás mujeres.

Ezequiel piensa en esas cosas tan íntimas y que le parecen tan lejanas mientras le rodean las tropas irregulares. Todos llevan sus divisas azules en los sombreros o bien pañuelos del mismo color en el cuello. El Coronel Maldonado ha regalado a todos los guerreros un retrato en *botón* del General Pedrozo y que fueron mandados a hacer con tiempo anticipado al exterior. Esas fotografías los soldados se las prenden en el pecho del lado del corazón. Nada importan los cerros y los valles, las jornadas brutales, las caminatas y marchas forzadas, las batallas a machete. Son hombres prendidos de un destino, de un fatalismo y han de seguir tras él así como marcha Ezequiel Jocotán y su hijo sin pensar acaso que se van jugando lo único que poseen: su vida.

Ezequiel, ahora, con la herida en la paletilla, se siente adolorido, pero da gracias a Dios porque solamente fue una cortadura de refilón y no un buen tajo que le sacara los bofes y le dejara tendido para festín de zopilotes como quedaron tantos otros en el cerro.

—¡Floriano Jocotán!

—¡Presente, mi Coronel!

—¡Ezequiel Jocotán!

—¡Aquí, mi Coronel!

—¡Pedro Pastor!

—¡Aquí no más!

—¡Santiago Paletón!

—¡También aquí, Coronel!

—¡Nicanor Faroles!

—¡El mismo, Coronelito!

—¡Luis Luperón!

—¡Aquí cerquita, Coronel!

—¡Síganme porque el General Pedrozo quiere hablarles!

Los seis campesinos son todos mozos de La Hacienda y casi todos compadres con don Crisóstomo o ahijados como Floriano. Recostado en una hamaca se encuentra el jefe revolucionario fumando un grueso puro rodeado de los miembros de su Estado Mayor.

—Los he escogido a ustedes —dice auscultándoles con su mirada y dando gravedad a sus palabras— porque necesito de gente de entera confianza para una comisión especial. Irán bajo las órdenes del Coronel Picapiedra y otros valientes más. Es una misión de mucha importancia para la revolución pues de ella depende mucho el triunfo o la derrota de nuestra sagrada causa. ¿Puedo confiar en ustedes?

—Pues padrino —contesta Floriano con cierto embarazo— como confiar en nosotros, ni preguntar, ya usté sabe que estamos para lo que diga. ¿Verdá, compas?

—¡Ni hablar, compa! ¡Mande no más, compadrito!

Ezequiel recuerda que se encuentra herido y hubiera deseado decirlo a su compadre, pero ya es demasiado tarde y, además, el deber es el deber, de esa misión dependerá el resultado de la guerra.

El Coronel Picapiedra es hombre bajo pero musculoso; usa *caites* como los demás, pero no es del hato de La Hacienda. Tiene fama de ser muy valiente y muestra orgulloso como seis cicatrices en su cuerpo, originadas en guerras pasadas y que son un testimonio irrefutable de su hombría. Tiene cara de pocos amigos y mastica constantemente hojas de tabaco. Su piel es rojiza, se denota su ascendencia indígena en sus rasgos faciales, en el cabello duro cual hojas de pino secas y en la hurañez de su carácter. Lleva un revólver al cinto, una escopeta a la bandolera, dos cananas cruzadas en el pecho sobre la camisa azul ensangrentada, un machete, un puñal, un pañuelo grande, azul, anudado al cuello, pantalones caqui arremangados y sucios y su sombrero empalmado también con divisa azul. Además, un morral voluminoso.

El Coronel Picapiedra pasa revista a la gente que han puesto bajo sus órdenes. Los examina individualmente como para enterarse de sus condiciones físicas. Parece contento con el examen.

—Vos, Floriano —dice con voz enronquecida y dura— y vos Luperón, van a ser mis ayudantes. Tienen buena cara y han de tener *güevos*. Yo conozco a los hombres-machos por el ojo. Si me salen flojos, los fusilo. ¿Ya lo oyen? Cualquiera que se me *raje* lo mando al hoyo en un tantito.

Floriano y Luis que son los más jóvenes, desde ese momento son los ayudantes del jefe expedicionario. Algunos sienten envidia por el ascenso, pero otros se alegran de no haber sido designados a ir bajo las órdenes del Coronel Picapiedra.

—¿Quién de ustedes sabe leer? —pregunta el Coronel.

Entre los quince hombres que van bajo sus órdenes no hay uno que sea alfabeto, son campesinos bajo el dominio de los tantos compadres dueños de las tierras y de los hombres. El Coronel que tampoco sabe, se encoge de hombros y se guarda en el morral un sobre cerrado que envía el General.

El grupo de la comisión va armado de machetes desmonteros, solamente el jefe lleva revólver y escopeta de dos cañones, también es el único que va montado en una mula mora en cuya silla lleva atadas las angarillas. Esta escolta sale ya cuando ha comenzado la noche, una noche muy oscura y con amenazas de lluvia. Hacia el occidente se ven algunos relámpagos como machetazos en la oscuridad y de cuando en cuando llegan retumbos lejanos.

—¡Mucho ojo al monte! —ordena el Coronel Picapiedra ya cuando salen del poblado y comienza la vegetación.— Debemos evitar caer en una *tapada*. Cinco de avanzadilla con Floriano, cinco de retaguardia con Luperón y los otros en medio conmigo. Hay que aventar ojo por si encontramos alguna mula, caballo o burro para la *montada* y buscar también albardas, monturas y frenos. También hay que echar ojo por si aparece algún *pisto* en alguna casa por allá. Todo pueden hacer, menos una cosa: violar mujeres. ¡El que se pase con una mujer, lo cuelgo de un pino! Y hay que tener cuidado con las gentes no sea que hagamos algún daño a algún correligionario. Métanse bien estas cosas en la cabeza no sea que tenga que cortársela a algún desmemoriado. Y otra cosa: nadie trate de huir porque lo cazo como a un venado y le arranco el pellejo. ¡Y no quiero soldados maricones!

Los tres grupos toman sus puestos designados y comienza el avance bajo las sombras de la noche en la campiña. Todos van silenciosos y con ojos y oídos atentos a los mil ruidos del monte que ellos conocen tan perfectamente.

—Andando, muchachos, porque es larguito el viaje, es hasta La Hacienda de nuestro General.

4

Según repetía el Coronel Picapiedra a los hombres de su escolta, las partes más peligrosas en el trayecto a recorrer eran, la pasada de Sabanagrande y la carretera del Sur donde se sabía que dominaba el enemigo y que era una zona donde había muchos *colorados*. La mejor vía para ir hacia la frontera con Nicaragua, era la carretera aun cuando se tenía que dar prolongada vuelta por San Lorenzo, pero resultaba menos aconsejable seguirla, tanto por el tiempo como porque seguramente encontrarían fuerzas del Gobierno. La otra vía era por Armenia y Texíguat, directo a la propiedad de don Crisóstomo, aun cuando resultaba más penosa por los malos caminos y las estribaciones de montañas, presentaba mayor seguridad a los guerrilleros.

Al amanecer Picapiedra y sus hombres estaban frente a Sabanagrande por el cerro de La Trinidad, lugar célebre por haber librado victoriosamente una de las primeras batallas, el Paladín de la unión centroamericana General Francisco Morazán, contra las fuerzas reaccionarias en el siglo pasado.

El Coronel tenía mucha experiencia en las guerras civiles hondureñas y no quiso aventurarse a traspasar la carretera por allí, llevó a su escolta más hacia el sur y decidió esperar escondido. Tuvo razón por cuanto, poco después, la avanzadilla comandada por Floriano Jocotán avisaba de la presencia de tropas *coloradas* patrullando por la carretera.

En medio de un bosquecillo de pinos olorosos, humedecidos por el rocío, se tendieron los guerrilleros campesinos y asaron carne de res que llevaban como provisión con *totoposte*. La prolongada caminata nocturna había fatigado a Ezequiel debido a su herida que, si bien no sangraba, le producía dolor, marchando con mucho malestar. El tiempo que permanecieron allí le ayudó a recobrar fuerzas. Después del mediodía el Coronel se había tirado sobre su capote de hule a dormir la siesta, pero poco más tarde Floriano lo despertó no sin timidez para no molestarle. El Coronel dio un salto felino cayendo parado con las armas prestas.

—¿Qué pasa?

—Hay novedades, Coronel —y mientras el Coronel guardaba su revólver Floriano le explicó:— están pasando cargamentos de armas del enemigo. Vienen del sur.

El Coronel siguió a su ayudante por entre la arboleda hasta el puesto de observación de la avanzadilla. Los cinco hombres de Floriano estaban tirados en la tierra y uno de ellos subido a la copa de un árbol como atalaya. Eso gustó al Coronel porque era iniciativa de Floriano. Por la carretera, despaciosamente iba un destacamento a caballo. Se veían las divisas rojiblancas de los soldados, los fusiles y los machetes colgados de las pretinas. Muy pintorescos, sin uniforme, montaban en caballos, mulas y hasta en dos burros. Iba un abanderado y un corneta. El Coronel los contó con los dedos: cinco manos, veinticinco jinetes. Luego, inmediatamente detrás un *patacho* de mulas cargadas con aparejos y sobre ellos, fusiles y cajas de municiones.

—Si no fuera porque urge llegar —dijo Picapiedra con una sonrisa picaresca a Floriano— ya verían esos cabrones cómo les quitábamos todas esas armas.

—¿Sería capaz de hacerlo con quince hombres?

—¡Ja, vos no sabés quién soy yo, muchacho! En la guerra no es sólo cuestión de *güevos*, también se quiere idear buenas patrañas.

—¡Pero, vea usted Coronel, son más..!

En efecto, detrás del cargamento que custodiaban soldados de infantería, iba otro pelotón montado, más numeroso y con dos ametralladoras de gran calibre. Cuando hubieron pasado y la carretera quedó libre, el Coronel ordenó:

—Alístense, vamos a pasar ya. Si nos atacan, pelearemos. ¿Verdá, muchachos?

—Usté manda, Coronel.

Picapiedra mandó a llamar al resto de la gente y poniéndose al frente de la avanzadilla ordenó emprender la marcha. No era cobarde el Coronel, pues él enfrentaba primero el peligro. Dejó la mula a los últimos y con la escopeta lista avanzó hacia el cruce de la carretera. Si encontraban un retén seguramente los recibirían a balazos y fuera del Coronel, todos solamente llevaban sus machetes. Los ojos inquietos de Floriano se posaron en la carretera e inmediatamente descubrió, sentados en el suelo, de espaldas al monte, a dos hombres armados de fusiles que conversaban despreocupadamente. Tenían divisas rojas en los sombreros empalmados. Floriano se los señaló al Coronel quien con los ojos brillantes avanzó agazapándose sin provocar el menor ruido haciendo señales a sus hombres para que le siguieran de igual manera. Se detuvo, cuchicheó con Floriano y éste retransmitió las órdenes a los soldados. El Coronel con la escopeta en las manos dio un salto largo detrás de los dos hombres intimidándoles:

—¡No se muevan, cabrones! ¡El que se mueva lo quiebro!

Floriano también saltó seguido de los demás hombres, rodeando a los dos enemigos que estaban de centinelas y quienes, debido a la sorpresa, ni siquiera intentaron ponerse de pie ni defenderse. Rápidamente los desarmaron y con pasos precipitados, llevándose a los dos prisioneros, cruzaron la carretera internándose nuevamente en los espesos montes.

—Que nos sirvan de *chanes* —dijo el Coronel— así nos llevarán por donde no halla enemigos. Amárrenlos para que no traten de escaparse —y dirigiéndose a ellos:— El que trate de hacerme una mala jugada ¡pobre de él! porque lo mando al otro potrero.

Los dos hombres descalzos, asustados callaban y humildemente se dejaron conducir señalando el sendero que debían seguir para no toparse con algún retén gobiernista en los alrededores. Una vez que se alejaron de la carretera, el Coronel Picapiedra volvió a montar. Iba con una sonrisa de triunfo. Habían pasado la línea de peligro a pleno día y sin dificultad, capturando a dos enemigos y obteniendo dos fusiles con su dotación de municiones.

Una legua más allá por el camino hacia Armenia el jefe hizo detener a la gente. Los prisioneros iban fuertemente atados de los brazos. Eran campesinos quien sabe de qué aldea. En sus rostros oscuros se notaba el temor y les temblaban los labios palidecidos.

—Bueno, pues —comenzó el Coronel bajando de la mula y masticando maliciosamente tabaco— tenemos dos fusiles que son para mis ayudantes Luperón y Jocotán. Y ahora, tráiganme a esos dos pajaritos para escucharles su canto.

Los reos se aproximaron al jefe expedicionario con visible miedo. Una sonrisa cínica se burlaba de ellos desde el rostro rojizo del Coronel que los observaba de pies a cabeza. Luego dijo:

—¿Conque peleando contra nosotros los *azules*? Muy bien. Ahora me van a contar algunas cositas. —Y con rudeza:— A ver par de *pendejos*: ¿cuánta gente hay en Sabanagrande?

Los dos hombres vacilaron. Pestañeaban nerviosamente. Se volvían a ver interrogativos. ¿Qué contestar? En verdad, ellos no podrían decir cuantos hombres habían porque no sabían contar.

—Pues, Coronel, por Dios que no sabemos...

El puño brutal del Coronel cayó como maza en la boca del hombre que contestó, dio un traspié y cayó en tierra con tres dientes menos. El otro prisionero se encogió esperando el castigo.

—¡Hablá vos! —le ordenó Picapiedra.

—Pues vea, Coronel, hay su gentecilla y bien armada.

—¡Pero, cuántos, animal! —gritó el Coronel dándole un puntapié que hizo tambalearse al hombre— ¿Cuántos?

—Unos cientos bastantes —dijo sin sentido— bajo las órdenes del Coronel Terrero.

—¡Ajá! ¿Ya ven? —dijo a los soldados que estaban callados viendo la escena— ¿Ya ven cómo sí saben contestar? ¡Ajá! ¿Y esas armas que traían del sur, de dónde son?

Los dos prisioneros ante la perspectiva de la brutalidad del Coronel se tornaron locuaces.

—Las traían de la frontera. Yo oí decir que de Nicaragua...

—Sí, de la frontera en donde las entregó *El Chulo*.

—¿Y quién es *El Chulo*?

—Pues eso... quién sabe... los soldados dijeron...

—... que era negocio de *El Chulo*... y de un gringo...

—Pero, ¿quién es *El Chulo*?

—Pues sólo así decían...

—¿Conque no saben quién es *El Chulo*..? ¡Bien! Amárrenlos de los dedos gordos —ordenó a sus hombres—, vamos a tener que abrirles el *caletre* un poquito para que se acuerden. ¡Guíndenlos de las ramas de ese guapinol!

Fueron atados ahora de los dedos pulgares con finas cuerdas y éstas de lazos fuertes. Comenzaron a izarlos. Ambos suplicaban ya derramando lágrimas.

—¡Perdón, Coronelito, no sabemos quién es *El Chulo*!

—¡No lo sabemos! ¡Piedad por el amor de Dios, Coronelito!

—¡Más arriba! —ordenó con una sonrisa cruel y cínica el Coronel.

Prosiguió el tormento. Los ayes de las dos víctimas se elevaban en aquel atardecer sombrío como una queja de los montes y de los pájaros. Los cuerpos izados se retorcían por momentos para luego estirarse hacia tierra. Los guerrilleros tenían los rostros inmóviles como de madera y se notaba en ellos la sorpresa y el temor. El espectáculo que les ofrecía el jefe era demasiado fuerte para su sencillez campesina. Ninguno conocía a los dos *colorados*. Solamente el Coronel gozaba del espectáculo bárbaro.

—¡No sabemos! ¡No sabemos nada! ¡No conocemos a *El Chulo*!

Y era cierto. Ellos solamente habían escuchado contar a varios soldados que transportaban el cargamento. Los brazos estaban ya dislocados pues el subir y bajar les inutilizó las coyunturas.

—Por última vez —les gritó el Coronel— ¿hablan o no?

—¡No sabemos! ¡Por mi santa madrecita, Coronel, no sabemos..!

—¡Ajá! ¡Bájenlos! ¡Aquí van a quedar para que se los harten los zopilotes!

Al bajarlos cayeron casi desmayados en la tierra pedregosa. La noche venía como huyendo sobre los montes entristecidos. Unas *guaras* gritaron y siguieron su vuelo indiferentes. Floriano comprendió que algo trágico se avecinaba para los sencillos hombres prisioneros y se aproximó al Coronel preguntándole:

—¿Qué va hacer con esos pobres diablos?

El Coronel lo quedó viendo con sorna, mientras masticaba su tabaco. Escupió y con la misma sonrisa canallesca preguntó a su vez:

—¿Querés ocupar el lugar de ellos? —y con gritos coléricos ordenó: —¡Arriba con esos cabrones *colorados*! ¡Pronto! —Y sacó su revólver por si acaso alguno de sus soldados se oponía.

Aquello fue algo que ya jamás se olvidaría de la mente de los presentes. Varias manos duras tiraron de los lazos y un último alarido quedó cortado cuando las gasas se apretaron a los cuellos de los dos hombres descalzos. Las piernas parecían ir en carrera por el vacío. Luego la quietud y los cuerpos quedaron como muñecos de trapo, como los espantapájaros que los campesinos ponían en sus sembrados. Debido a las sombras de la noche ya no se les pudo ver los rostros terriblemente espantosos.

—¡Allí déjenlos y vamos andando que se hizo de noche!

Floriano llevaba en el pecho como mil puntas de machete y un fuego de fiebre en su epidermis. Todos callaban espantados pero nadie se atrevió a comentar. Floriano tomó la vanguardia. Ahora iba armado de fusil. Primera vez que sus manos montunas sostenían una arma de ese calibre. Ignoraba su manejo, pero su padre le dio rápidamente la primera explicación. Era un *remington* de un solo tiro.

Próxima estaba Armenia. El camino era tortuoso y entre la vegetación exuberante y tropical se escuchaban sus ruidos peculiares. En todos los hombres había un sentimiento de repudio para la acción ordenada por el Coronel y experimentaron temor, como el que sentían por las víboras en los caminos.

Soplaba un viento por ráfagas y los hombres, cuando llegaban a claros en el camino, trataban de descubrir en el cielo la proximidad de la lluvia. Estaba comenzando la época de los chubascos intermitentes.

5

En la aldea de Armenia las barracas estaban a oscuras y en silencio cuando llegó la expedición de Picapiedra. Ni una alma. Los habitantes, previendo el paso de alguna tropa *azul* o *colorada,* se habían escondido en las montañas cercanas. Algunos andaban participando en la guerra, pero la mayoría de campesinos se escapaban sagazmente de la tormenta; ya tenían muchas experiencias de ellas.

El Coronel Picapiedra, que deseaba comer algo mejor preparado se disgustó mucho ante aquella situación. Se posesionó de una vivienda cercana a la iglesia y los montunos prepararon su alimentación saqueando las cocinas. Unos soldados descubrieron el *estanco,* encontrando varias botellas de aguardiente escondidas y se las llevaron al Coronel. Ese hallazgo menguó el mal humor del jefe que comenzó a libar con mucho entusiasmo y hasta obsequió una copa a los que desearon participar de la bebida.

Después de comer prosiguieron la jornada. El Coronel, que no perdonaba a los habitantes de Armenia su huida a los montes, se quiso vengar y mando a incendiar un par de barracas. Las lenguas rojizas iluminaron la noche silenciosa. Desde las montañas las familias huidoras deben haber visto flamear aquel pabellón de llamas. También podía notarlo el enemigo si andaba por esa zona, pero el Coronel no le pasó esa idea por la mente. Aquello era la guerra, lo que los políticos denominaban, pomposamente, revolución.

En la madrugada, sin haberles caído la lluvia, los hombres avanzaban por los tortuosos caminos montañosos. Una luna menguante entristecida apareció por el oriente y su luz apenas traspasaba débilmente la cortina de las neblinas. Iban cruzando cerros y más cerros escabrosos, hondonadas tenebrosas, bosques tupidos, riachuelos, lomas peladas y rocosas. Floriano conocía bien esos caminos porque era la zona de su residencia, hubiera deseado que bajaran un poco más hacia el sur y pasar por La Hacienda y saber de su madre y de su hermana. ¿Cómo estarían? Ellas ni siquiera en sueños podrían imaginarse que Ezequiel y su hijo andaban tan cerca y sin poderles ver. Iban hacia Texíguat o tal vez esquivarían el poblado para ir hacia San Marcos ya próximo a la frontera. ¿Y qué irían hacer en la frontera? Solamente el Coronel lo sabía. Era secreto militar. Pero en la mente de Floriano los recuerdos de ese día tremendo no podían separarse. Era su primer combate, su prueba de fuego y estaban vívidas y lacerantes las imágenes, las escenas bárbaras y luego en la noche, los ahorcados en el guapinol sólo por no saber quién era el tal *Chulo*. En la conciencia de Floriano estaba ya inédita la ruda protesta contra la guerra. Su adolescencia sencilla y limpia se resistía ante aquellas realidades que iba viviendo.

El Coronel se movía en la mula negra. Llevaba buena provisión de aguardiente y tabaco. Al amanecer habían pasado el río Texíguat y subían un empinado cerro por un sendero de cabras. Al salir el sol encontraron un rancho abandonado y el Coronel ordenó hacer alto para descansar y comer algo. Todos los hombres iban fatigados y sus ropas mojadas por el rocío y el sudor de la caminata que había sido al ritmo del paso acelerado de la mula del jefe. Para Ezequiel Jocotán el sufrimiento era permanente debido a la herida en la espalda. Se le había abierto y hasta tuvo dos veces hemorragia.

Encendieron una hoguera en el patio del rancho para calentar agua con hojas de naranjo ya que no llevaban café. Solamente el Coronel llevaba carne en tasajo. Había un cañaveral pequeño y en poco tiempo los guerrilleros dejaron como *chapiado* pues cortaron las cañas para chupar su jugo. Algunos molieron en un trapiche rústico que estaba en el patio. El Coronel se acostó en el *tabanco* y luego estuvo dormido. Los demás se regaron por los alrededores buscando las sombras de los árboles. Algunos se durmieron. Y nadie despertó al jefe porque necesitaban descanso. Floriano buscó a su padre y le hizo limpieza en la herida con agua caliente vendándole después. Ezequiel era hombre macizo y no se doblegaba por la herida. Durmió mientras Floriano, sentado a su lado, con el *remington* entre las piernas, velaba su sueño meditando. Recordaba a Isabel la hija de don Amindo, sus palabras de amistad, su simpatía. Algo raro sentía en su ser siempre que recordaba aquellos ojos primorosos y el lunar que tenía en la barbilla. Años antes, no tan lejanos, habían jugado juntos en las frondaciones del *Hato*, pero ahora ella ya era una señorita que estaba estudiando en Tegucigalpa y que se iba a convertir en maestra, según contaba don Amindo. ¡Ah, los pensamientos locos que venían a su cabeza juvenil en medio de aquellos cerros siguiendo una ruta cuyo fin desconocía!

—¿Por qué me han dejado dormir tanto? ¡Es mediodía, carajos!

El Coronel se levantó de mal genio, obsequiando insultos a todos los hombres y se calmó al tomar un poco de aguardiente. La marcha se reanudó y los hombres se mostraban más enérgicos después de ese descanso. Todos eran hombres de campo, fuertes y resistentes a las pruebas más duras, acostumbrados a los trabajos brutos bajo los soles y las lluvias. Hasta cuando ya habían dejado el cerro el Coronel se enteró de su olvido al no mandar a incendiar el rancho que les diera sombra.

En la media tarde llegaron a un caserío minúsculo, estaba quieto pero se oían los ladridos de los perros. Floriano observó que había muchos zopilotes y luego, al aproximarse a la primera choza, un olor penetrante les hirió el olfato.

—¡Qué zopilotera!

—¡Y cómo hiede a vaca muerta!

Pero la avanzadilla quedó pasmada de sorpresa cuando descubrió que en el patio del rancho estaban tres cadáveres humanos descuartizados por las aves de rapiña y en putrefacción. Tapándose las fosas nasales con las manos se aproximaron. Dos mujeres y un muchacho eran los muertos allí. ¡Qué horrible! ¡Una visión de pesadilla! Pero fue mayor el espanto cuando fueron descubriendo que en tres de las seis casas del poblado había cadáveres en putrefacción y en una de ellas estaban colgados de un árbol los miembros de toda una familia. ¿Quiénes habrían pasado por este lugar? ¿Serían los gobiernistas o los revolucionarios? Todos se hacían la misma pregunta.

—¡Qué matazón más bárbara!

—¡No respetaron ni a los cipotes!

—¡Ni a las mujeres tampoco!

En las casas se observaban las huellas del pillaje y del bandolerismo. Lo que no habían podido llevarse lo habían destruido. Fue Nicanor el que dio la clave para averiguar o suponer quiénes habían sido los autores de aquel crimen colectivo. En las casas de los asesinados encontraron retratos de don Crisóstomo Pedrozo y eso quería decir que habían sido los *colorados* del gobierno, los autores de los asesinatos. Y esa tesis fue comprobada al abrir las casas que estaban intactas y encontrar en ellas demostraciones objetivas de que eran partidarios del gobierno, pues tenían retratos del presidente con banderas rojiblancas.

—¡Sí —dijo el Coronel enfurecido—, fueron esos bandidos los que mataron a las familias de nuestros correligionarios! ¡Estos muertos son mártires de la revolución!

La cólera del Coronel se desató muy tormentosa. Ordenó que las viviendas de los enemigos fueran destruidas por medio del fuego como una represalia. Blasfemaba lanzando los epítetos más duros a los adversarios, a quienes llamaba faltos de humanismo y cristiandad.

—¡Por eso yo digo: a esos bandidos *colorados* sólo ahorcándolos desde los viejos hasta los *chigüines* de teta, se pueden componer! ¡Hay que acabar con todos ellos! ¡Que no quede ni la semilla!

El Coronel Picapiedra bufaba indignado y ya cuando había montado para continuar la marcha, dijo a Floriano:

—¿Ves, muchacho? ¡Y vos que querías salvar a aquel par de bellacos! ¡No, hombre, aprendé, la guerra es la guerra! ¡No hay *colorado* bueno; son buenos solamente cuando quedan como aquellos dos que dejamos en el guapinol! ¡Si no acabamos con ellos, ellos acabarán con nosotros, muchacho! ¡Aprendé, aprendé no más si querés ser huesos viejos!

Detrás de la columna del gobierno habían quedado los muertos en los patios; detrás de la columna revolucionaria quedaban también muertos colgados de los árboles y ranchos incendiados. Eran los caminos del odio y la enseña de dos banderillas políticas transformadas ya en cruel bandolerismo.

Por el camino los hombres descubrían huellas recientes de hombres y bestias. Floriano comenzó a sentirse preocupado ante la perspectiva de caer en una emboscada, pues los parajes eran muy propicios para ello. Ya la frontera estaba próxima. Las huellas podían ser de tropas enemigas. Detuvieron la marcha esperando al Coronel. Floriano le hizo notar sus sospechas y el jefe también comprendió el peligro. Los reunió a todos y les explicó:

—Estamos ya muy cerca para cumplir parte de la misión encomendada por el General Pedrozo. Por si acaso tenemos un mal encuentro, voy a decirles antes de lo que se trata: hemos venido a llevar un cargamento de armas. Estas armas nos las va a entregar un amigo del General. Se llama Cirilo Cirilón.

—¿Cirilo Cirilón? —preguntó sorprendido Ezequiel.

—¿Lo conoces?

—Sí, pues. Todos los de La Hacienda lo conocemos porque era uno de los caporales de mi compadre.

—Ahora veo —expresó Pedro Pastor— porque don Cirilo no andaba con nosotros en la guerra.

—Pues mejor si ustedes lo conocen. Yo no sé que clase de tipo es el tal Cirilón, lo que sé es solamente que ha contrabandeado armas para el General y nosotros las vamos a recibir en un lugar fronterizo. Aquí traigo la plata. Por cualquier cosa, debemos tratar de salvarla y de cumplir nuestra comisión.

—Ya la frontera está cerca.

—Así es —continuó el Coronel.— Dicen que Cirilón tiene gente armada y que es un *güevonazo*. Debe ser hombre de confianza. Pero si en caso pasara algo, ya saben: después de mí quedará Floriano Jocotán de jefe y si éste falta, sigue Luis Luperón. Lo que interesa es llevar las armas al General, cueste lo que cueste. ¿Entendido?

Todos comprendieron. Y de nuevo emprendieron la marcha prevenidos ante cualquier eventualidad. Pasó una hora de inquietudes. La columna avanzaba por los despeñaderos rocosos. Eran lugares propicios para las emboscadas, difíciles para la defensa. No había desaparecido el sol aún cuando, desde una altura próxima, pero inaccesible por ese rumbo, salió un disparo de arma larga cuyo eco fue repercutiendo por las hondonadas cada vez más hosco. La bala silbó por sobre las cabezas de los hombres que, por instinto, se agacharon con ojos sorprendidos.

—¡Allá están! ¡Cuidado, muchachos! ¡Es una *tapada* del enemigo!

Allí estaban en efecto. Otra bala pasó como ratificando esas palabras. Cada hombre intentó cubrirse de la mejor manera. Mas luego comprendieron que su situación era fatal. Un nuevo disparo les fue dirigido, pero esta vez de otro lado, por su espalda. Inmovilizados presentaban un blanco fácil. Estaban prácticamente metidos en una ratonera. ¡Y sólo con dos fusiles y una escopeta! El enemigo no se veía. Estaba bien parapetado en aquellos farallones.

—¡Puta, nos van a acabar como sapos! —auguró uno sombríamente.

Sin embargo, no hubo más disparos ni se observó ningún enemigo. El Coronel ordenó continuar la marcha. Era la hora de los crepúsculos. El se había bajado de la mula y llevaba la escopeta preparada. Picapiedra era un desalmado, pero no un cobarde. No era la primera vez que se encontraba en situación desesperada con el pellejo vendido. Avanzaron, pero al llegar a una parte arbolada, inesperadamente se vieron rodeados por hombres armados que les apuntaban, intimidándolos:

—¡Manos arriba!

No había salvación. ¿Cómo poder escapar? Sólo había dos alternativas: entregarse quizá para ser ahorcados o morir peleando. Picapiedra optó por lo segundo. Pero desde una estratégica roca salió una orden rápida y altanera.

—¡No disparen, muchachos, son amigos!

Aquella voz de mando devolvió el aliento, aunque no la tranquilidad al Coronel y a sus hombres. ¡Estaban salvados! Eran de los mismos pero no llevaban divisas en los sombreros y su presencia era distinta a la de las huestes revolucionarias. Usaban botas altas, buenas ropas de montar y sombreros de fieltro; pistolas y fusiles automáticos muy relucientes.

—¿Son ustedes la gente de don Crisóstomo?

—Sí, señor. Yo soy el Coronel Picapiedra. ¿Y ustedes, se puede saber quienes son?

—Nuestro jefe es *El Chulo*. —dijo la voz de un hombre que saltó al camino con una metralleta en la mano y una Star en el cinto.

—¿*El Chulo*?

—¿Por qué te asombrás, hombré? *El Chulo* es más conocido que un presidente. Nosotros somos amigos de don Crisóstomo Pedrozo y esperamos gente suya. Yo...

El hombre cortó la palabra como de un machetazo. Quedó sorprendido como si viera un fantasma. Floriano que estaba con el fusil aún en posición defensiva lo veía con una incredulidad inabarcable. Ese hombre que llevaba tan buenas armas, cananas cruzándole el pecho, sombrero de vaquero y botas negras. Ese rostro tostado. Esa voz... Ambos quedaron perplejos y antes de que sus labios pronunciaran palabra se oyó primero la alta exclamación de Ezequiel, asombrada, jubilosa y timorata a la vez.

—¡Merejo..! ¡Si es mi hijo, Esmeregildo Jocotán!

6

El asombro de Ezequiel y Floriano es de un patetismo que cautiva la atención de todos, especialmente de Pedro Pastor, Santiago Paletón y Nicanor Faroles que han reconocido también al hombre. En efecto, el que dio la orden de no disparar es Esmeregildo Jocotán, el hijo pródigo que, descalzo, abandonara el Cerro de Las Lajas sin decir un adiós.

—¡Floriano... tata Quiel..!

Las palabras brotan con inocultable cariño y ya parece que Merejo va a estallar en un abrazo, pero inmediatamente cambia su actitud y no pasa de darles la mano con cierta frialdad.

—No pensaba encontrarlos metidos a esto —dijo casi como si les reprochara y luego se dirige al Coronel:— ¿Tú eres el jefe, no? Pues te estábamos esperando. ¿Por qué no mandaste un correo? ¿No ves como te has expuesto a que te pasconearamos a tiros? Si hubiera sido más de nochecita los hubiéramos recibido a cohetazos. Estos son nuestros dominios. Pero, vamos ya. El jefe espera.

—Vamos, pues, muchachos...

La columna machetera avanza comentando lo sucedido y mostrándose amigable con los que les pusieran las carnes de gallina.

—Pichico —llama Merejo— quédate aquí con unos dos compas *cuidando la milpa*. Los demás vengan conmigo al *hato*.

Adelante camina Merejo con paso firme. El grupo de Picapiedra ya no va en plan de guerra. Ezequiel y Floriano logran ponerse junto a Merejo. El Coronel intrigado por lo que ha visto y oído entre los Jocotán y el hombre de la metralleta, hace preguntas.

—¿Así que son parientes, no?

—Sí, Coronel —contesta Floriano emocionado.— Es mi hermano mayor que ya hace tiempal que nos separamos.

—Es verdad —corrobora Merejo volviendo la cabeza.— Este muchacho es mi hermano y este otro es mi tata Ezequiel.

—¡Pucha, pero no lo parece! —ironiza el Coronel sonriendo.

Merejo comprende el tono de las palabras y sin duda siente resquemor interno porque nuevamente deja su pose de jefe y adopta una expresión de afecto. Se coloca a la par de Ezequiel y conversa alegremente. Pregunta por su madre Justina y su hermana Genara, por don Amindo y otros amigos de La Hacienda. Merejo se ha despojado de la altanería y sonríe contento. Parece como en los tiempos de antes, cuando usaba caites y andaba con el trasero al aire. Luego hablan de la guerra, de las noticias, de los encuentros violentos, de la victoria. De lo único que nada dicen ni comentan, es sobre la huida de Merejo de su hogar sin dar una explicación como si la familia hubiera sido su enemiga.

—Bueno, Merejo —pregunta Ezequiel en voz baja— ¿entonces ustedes están con la causa de mi compadre?

—Sí y no, tata. Ayudaremos a mi padrino Pedrozo; pero la verdad es que nosotros estamos como quien dice aparte. Hacemos nuestro negocio nada más.

—¿Qué negocio?

—Pues... pues, de todo lo que se presenta —contesta evasivo reservándose la contestación concreta y esquivando la mirada.

—Y ese que llamas *El Chulo* —interviene Floriano— ¿quién es?

—¿*El Chulo*? —Merejo sonríe gozando por la ignorancia de Floriano— ¿Se acuerdan de Cirilo?

—¡Cirilón..!

—Si, por toda la zona es conocido por *El Chulo* porque tiene los *coyoles bien rayados*. Yo trabajo con él desde que salí de allá...

Mientras conversan los Jocotán, el Coronel Picapiedra caminando atrás, medita. Cirilo Cirilón, el mismo que vendió armamento al enemigo. ¿Cómo puede ser eso? Va sumamente intrigado y le parece sentir olorcillo a traición. Ningún comentario hace sobre sus inquietudes pero su astucia le indica que debe andar con cuidado. La respuesta de Merejo a su padre diciéndole que «estamos como quien dice aparte» le hace un molesto ronroneo en la cabeza. Para el Coronel no pueden haber términos medios en esta guerra: o con su causa o contra su causa, amigos o enemigos. Pero como hombre de experiencia se va tragando en silencio sus lógicas dudas.

De manera que avanzan se dan cuenta que *El Chulo* y Merejo tienen una verdadera fortaleza en los cerros de la zona fronteriza con Nicaragua. Tres chozas grandes en un pinar sirven de campamento. Tienen numerosas y buenas cabalgaduras, debidamente enjarciadas y siempre listas para cualquier emergencia. Los acólitos de *El Chulo* son más de veinticinco, armados de excelentes fusiles. Hay también mujeres. Algunas de ellas visten como hombre y llevan revólver al cinto. Estas son las amasias de los jefes. Las otras que hacen los trabajos domésticos y sirven los alimentos a todos, son gente común, campesinas que han seguido a sus hombres o fueron a trabajar como cocineras, pero que ahora ya se acuestan con varios.

En un patio que es común a las tres casas están reunidos algunos a la luz de una hoguera. Han concluido de comer cuando llegan los revanchistas. Un hombre joven toca una guitarra mientras una mujer, también joven, de ojos azules, que lleva al cinto un revólver con mango de nácar, canturrea una tonada popular hondureña, tirada indolentemente sobre un cuero de res que sirve de alfombra. Se nota que el grupo está contento. En el corredor de la casa del centro se columpia, en una hamaca tendida entre dos horcones, un hombre que todavía tiene las espuelas puestas y fuma un cigarro-puro. Es Cirilo Cirilón, el hombre del físico viril que tanto cautiva a las muchachas campesinas, el contrabandista que ha dejado La Hacienda de Pedrozo para vivir como señor y amo de la zona fronteriza. Escucha la música con los ojos cerrados. Ni siquiera cambia de posición cuando llegan los hombres y saludan en el patio. Merejo viene hasta él y le dice en voz baja:

—Ya están aquí los enviados de mi padrino. ¿Les entrego las armas?

—Llama al jefe. Si no trae la plata no habrá negocio. Manda que les dan algo de comer, deben venir cansados.

Merejo va a cumplir lo ordenado, pero regresa y dice:

—¿Sabes, Cirilo, quiénes vienen con esa gente? Pues mi tata y mi hermano Floriano. Los babosos andan con mi padrino en la guerra.

—¡Eh! ¡No me lo digas! Bueno, de Floriano no me extraña: yo sé que es todo un hombre. Pero de Quiel... si es incapaz de matar una mosca.

—Pues no te creas, ya es segunda vez que se quema en la guerra.

—Me alegro que hayan venido. Que te vean cómo vives. Te van a tener envidia. Preséntales a Marina. Deslúmbralos. Y a propósito, Merejo, ¿por qué no te conquistas a Floriano para que se quede con nosotros trabajando?

—¡Jumm, quién sabe! Además, ¿crees tú que cabríamos aquí dos Jocotanes..?

Sonriendo, Merejo se va hasta donde descansan el Coronel y sus subalternos. Dice al Coronel:

—Ven conmigo, *El Chulo* quiere hablarte. Los demás acomódense como puedan en los corredores. Ya les van a traer de comer. —Y dirigiéndose a su padre y hermano:— Vénganse. Una de estas casas es la mía, o como quien dice mía.

Le siguen callados. Picapiedra con su pesado andar va a saludar a Cirilo. Se dan la mano. Su palabra es esquiva y huraña. El Coronel saca la carta que lleva y se la entrega al contrabandista. Este la abre y va hasta la sala y a la luz de un candil, la lee. Su rostro es duro como de piedra pero de una virilidad sugestiva. El Coronel, que sabe conocer a los hombres, piensa que Cirilo es hombre de cuidado, capaz de cualquier cosa.

—Muy bien, amigo, muy bien. Se ve que don Crisóstomo se ha rodeado de buena gente. La guerra necesita de hombres machos. Y usted, Coronel Picapiedra tiene todo el talante de *güevón*.

Esto último agrada al Coronel, que también sonríe masticando su tabaco, pero no hace comentario ni agradece el elogio.

—Muy bien: venga la plata que manda el patrón.

—Allí está, pero... —vacila el Coronel viendo oblicuamente al contrabandista— yo quiero que me entregue las armas primero.

Cirilo quiebra su sonrisa con visible disgusto. Por ningún momento ha pensado en hacerle jarana a don Crisóstomo. Está negociando limpiamente. Esas palabras son un signo de desconfianza.

—Vea, Coronel Picapiedra —dice sentencioso después de una pausa— yo, Cirilo Cirilón, nunca juego sucio. Ofrecí venderle un lote de armas a Pedrozo, puestas en este lugar, mediante el previo pago del precio a que llegamos. Usted trae la plata y me exige ver las armas primero. Eso es una ofensa para mí. Pero yo le digo, Coronelito, que si no entrega el *pisto*, no hay negocio.

—Es que yo debo tomar mis precauciones. El General me ha confiado esta comisión y debo cumplirla a cabalidad. Usted haría lo mismo.

—En ese caso, Coronel, ya puede usted retomar el camino por donde ha venido. Para mí es igual. Ya habrá otros que quieran pagar por ellas y tal vez más.

Picapiedra está rumiando su disgusto con el ritmo que rumia su tabaco. No está acostumbrado a que le contradigan de esa manera. Ve a Cirilo con el rabo del ojo y comprende que es radical en sus resoluciones. Luego piensa que está en su poder y que, de todas maneras, si Cirilo quiere quedarse con el dinero, puede hacerlo por la violencia.

—Ajá, pues, será como usté dice: la plata está allí.

—Ese es otro cantar, mi querido Coronel. Así si nos entenderemos. El bien hablar es sin rodeos.

Picapiedra sale y va hasta donde tiene atada la mula. Le quita las alforjas y haciendo gran esfuerzo debido a su peso, la lleva y entrega a Cirilo. Este la toma y pulsa el peso. Mete sus manos y saca una pequeña bolsa que contiene monedas. Luego otra y otra. Saca un puñado y lo cuenta. Mira con desconfianza las alforjas. Picapiedra lo advierte y sonríe diciéndole:

—También hay billetes.

—Ya me parecía. El costo de las armas no cabe en estas alforjas si es en monedas. ¡Qué buen previsor fue el que inventó los billetes!

—Debe haber sido algún contrabandista.

La contestación agrada a Cirilo y lanza una carcajada mientras saca los paquetes de lempiras en billetes de veinte. Con mano experta cuenta. Una vez terminada la operación, le dice:

—Venga ahora, Coronel, reciba las armas.

—Es usted un lince, por algo le dicen *El Chulo*.

Ríen casi como amigos. Cirilo guía hasta uno de los cuartos de la casa en que él vive y le muestra las armas. Son fusiles de repetición de marca norteamericana y muchas cajas de proyectiles, granadas y otros explosivos.

—¿Cuándo piensa salir, Coronel?

—Depende de usted. Tengo entendido que proporcionará bestias para el transporte.

—Así fue el convenio. Pero sólo tengo trece mulas no más. Las otras andan trabajando largo. Van a tener que cargar sus hombres.

—¡Qué cosas! —dice como para sí el Coronel—. En el camino tropezamos con un buen cargamento de armas del enemigo. Iban por la carretera. —Y con sorna:— ¿No sabe usted, *Chulo*, quién metería esas cositas por la frontera? Es misterioso, digo yo.

Cirilo se le queda viendo un momento, como sorprendido, luego contesta con indiferencia.

—Deben ser de El Salvador, los gringos contrabandean por todos lados. —Luego cambia el tema y el gesto— ¿A qué hora saldrán?

—Yo digo que a la madrugada.

—Muy bien. Y ahora permítame que antes de que cenemos le invite a tomar un excelente trago de *guaro*.

—Para luego es tarde. Mi provisión se agotó desde ayer.

Volvieron a la sala grande. Cirilo llamó a la mujer de ojos azules que era su concubina y le dijo que sirviera licor y después llevaran la comida. La mujer vestida de hombre obedeció con presteza y comenzó a servir en tres vasos: ella también tomaba el áspero aguardiente, que era fabricado en la clandestinidad por cuenta del propio Cirilo. Departían hablando de la guerra, pero Cirilo estaba preocupado sospechando que Picapiedra le había dicho aquello del cargamento de armas del enemigo con segunda intención.

Mientras tanto, Ezequiel y Floriano, en la barraca de Merejo están en verdad maravillados ante el nuevo hombre que encuentran y la vida que se da como lugarteniente del contrabandista Cirilón. Les ha presentado a su mujer Marina que, igual a la otra mujer de ojos azules, usa pantalones y lleva revólver. Les sirven una cena como nunca antes han gustado. Comen los cuatro en una mesa con mantel y cubiertos de plata que a ellos les cuesta manejar, por lo que Merejo les dice que utilicen sus dedos como siempre. La mujer no es fea y aunque no da demostraciones de estar muy contenta de conocer a los familiares de su marido, al menos se muestra complaciente. Sin embargo, en la complacencia de Merejo y su mujer hay algo ficticio y con rasgos de altanería pedantesca que no pasan desapercibidos al padre e hijo.

—¿Ve usted, tata? Si yo hubiera seguido en el Cerro de Las Lajas, hoy anduviera como ustedes sirviéndole a mi padrino por un pedazo de carne asada y exponiendo el pellejo por gusto. En cambio, con Cirilo trabajamos bien, sin matarnos y tratamos de codo a codo a mi padrino.

Ezequiel y Floriano callan. Merejo que bebe *cususa* acompañado de Marina solamente, pues los otros son abstemios, cuenta eufórico y vanidoso los grandes éxitos que ha obtenido al lado de Cirilo, su jefe y por el cual está decidido a jugarse la vida. Merejo hace la apología del contrabando y del bandolerismo a los que denomina con los eufemismos de «grandes negocios» y «nuestra defensa de los ladrones». Habla de muchas cosas que los campesinos no pueden comprender quizá por el lenguaje tan difícil que usa ahora.

Cuando concluyen de cenar los invitan a que duerman en la sala, pero ellos no aceptan porque andan con su jefe, dormirán donde lo hagan los compañeros. Después Merejo y Marina van donde Cirilo y con el Coronel y la mujer de ojos azules siguen tomando *cususa* hasta muy tarde de la noche, una noche que ha cambiado con la llegada indeseada de la lluvia y un gélido viento del sur.

7

La guitarra enmudeció sus siques como temerosa de la lluvia. La hoguera del patio pasó a los corredores donde hay hamacas y los contrabandistas conversan alegremente. Después que los Jocotán campesinos salieron del albergue del Jocotán contrabandista fueron en busca de sus compañeros. Como Ezequiel se quejara de la herida, Floriano fue a la cocina en busca de agua caliente y le hizo una curación. Lo vio una de las mujeres del servicio y se ofreció a ponerle remedio y vendarlo bien, pues allí tenían un botiquín para esas emergencias, que no pocas veces sucedían. Eso mitigó el dolor y evitó una infección.

Los revanchistas están acumulados en ese corredor de las cocinas. Están muy cansados por las jornadas de esos días y en cuanto han comido se han tirado sobre unos cueros durmiendo al instante sin poner atención a las anécdotas que cuentan los bandoleros de Cirilón. Duermen a pierna suelta porque en ese lugar no temen ninguna sorpresa del enemigo, esa zona está dominada por *El Chulo* y su partida. La noche se ha vuelto muy fría con un viento del sur que araña. Luego las hogueras se apagan en los corredores. Las puertas de las casas son cerradas. Los jefes y sus mujeres conversan y beben con Picapiedra. En algunos lugares algunos centinelas dormitan despreocupadamente. Saben que el país está ardiendo en la hoguera de la guerra y nadie se preocupa de los contrabandistas. Allí, además, no es posible llegar impunemente por ningún lado. Los farallones son infranqueables para los extraños.

Cuando sale una luna menguante y palúdica, cesa la lluvia pero se van elevando las neblinas que pronto la ocultan dejando a la tierra como si estuviera envuelta en un gran copo de algodón. El viento ya no golpea del sur. Se oyen los estornudos de los olingos y algún rugido de tigre o puma que anda en busca de alimentación. Ya no silban los pinos y hay una gran quietud y un gran silencio.

Ezequiel se durmió temprano junto a los demás hombres en el corredor friolento. Por muy fuertes que hayan sido las impresiones recibidas en ese día no ha podido sustraerse del abrazo del sueño con suma rapidez. Ha caído en él como una piedra en hondura de río. Es un dormir pesado y zoológico, sin sueños ni pesadillas, solamente rimado por el sordo contrabajo de sus ronquidos.

Floriano al principio permaneció despierto, sumido en meditaciones. El inesperado encuentro con su hermano como lugarteniente de Cirilo y jefe de contrabandistas le había causado viva emoción y mucha sorpresa, mas al ir pasando las horas, al escucharle su charla a la hora de la cena, fue apareciendo en sus sentimientos fraternales cierto creciente rencor, cierto disgusto callado, pero ardoroso. El concepto que Floriano tenía de la conducta de un hombre, de la honradez, era el mismo de sus padres. De ellos lo había aprendido como un dogma imposible de violar. ¿Por qué Merejo, también hijo de Ezequiel y de Justina, ahijado del mismo padrino, retoño auténtico de los Jocotán del Cerro de Las Lajas, resultaba ahora convertido en un contrabandista, es decir en un malhechor cualquiera? ¿Podría ser tan poderosa la influencia de un hombre como Cirilo Cirilón como para llevar a un hombre honrado a torcer su camino y abrazarse a una vida contraria a la vivida tantos años y a conceptos de la moral tan arraigados? Floriano le daba vueltas a sus ideas como los bueyes al trapiche, con la diferencia de que la caña de su raciocinio no soltaba el agua dulce de la comprensión. No era extraño que Floriano no encontrara el porqué a sus interrogantes, sus años aún le negaban la experiencia para comprender el problema. Sin embargo, la conclusión a que llegó fue de que Merejo obraba mal y eso le llevaría a muchas dificultades.

Así, pensando vagamente, se quedó dormido al lado de su padre con el fusil entre las piernas y el machete quieto en la cintura como si la hoja filosa tuviera tanto cansancio como los hombres.

—¡Arriba, carajos! ¡Se acabó la buena vida! ¡Arriba todos!

Es la palabra fuerte y agresiva del Coronel Picapiedra que con los humos de la *cususa* en la cabeza ordena ponerse de pie a sus hombres. No ha dormido ni un minuto. Las mujeres se fueron a dormir a la madrugada pero, los hombres prosiguieron bebiendo. Con los párpados pesados y los miembros endurecidos por el frío, desperezándose, se levantan los revanchistas lamentando en silencio la abrupta interrupción de su sueño reparador.

—¡Floriano! ¡Luperón! ¡Traigan su gente, vamos a sacar las armas y cargar las bestias! ¡No tarda en amanecer!

—Ahorita mismo, Coronel.

La bulla de los soldados despierta a los contrabandistas cuyo sueño es muy susceptible. Se levantan las cocineras a comenzar sus faenas del nuevo día. Es mucha la gente para la que tienen que hacer alimentos. Encienden fogatas en los corredores. Se oyen voces altas. Merejo se ha sentado en una hamaca y tiene más deseos de dormir que de ayudar a Picapiedra en su trabajo. Comienzan a sacar las armas del cuarto mientras unos contrabandistas van en busca de las mulas para el transporte. Las cajas de municiones son pesadas y los campesinos comienzan a sentir el calor en el frío amanecer. Merejo detiene un momento a su hermano y le dice:

—Oyeme, Floro: ustedes no debieran andar en esa guerra. ¿Qué ganan sirviéndole al padrino?

—Dimos la palabra y... palabra dada debe cumplirse hasta el fin.

—Yo no digo que no, pero... —la voz de Merejo es sorda y su aliento despide fetidez aguardentosa— la guerra es incierta, sólo se pierde aunque se salga vivo de ella. ¿Por qué no te vienes a trabajar con nosotros? Cirilo te quiere. Aquí cambiaría tu vida y te harías hombre de plata.

—¿Qué trabajo?

—Pues los negocios, andar a caballo con buenas armas, conocer mundo, vivir, vivir Floro, como se debe vivir.

—No me gusta tu trabajo —dice Floriano con ironía.— Prefiero ir al Cerro de Las Lajas a pelear con la tierra *machorra* junto a mi papa, mi mama y mi manita y no venir con ustedes.

Merejo no pudo seguir convenciéndole de la buena vida porque Floriano continuó ayudando a sus compañeros en la dura faena. Después de cargar las trece mulas vieron que era necesario que los hombres también cargasen en sus hombros. Solamente los dos lugartenientes del Coronel, los que había nombrado, se libraron de la carga, sin embargo, Floriano tuvo que llevar lo que le correspondía a su padre ya que éste, por su herida, estaba incapacitado para ello.

—Coronel Picapiedra, le acompañaré un trecho de su camino. Hay que asegurar la llegada de estas armas a su destino.

Cirilo se había dispuesto a marchar con los revanchistas. Montado en un caballo tordillo, a la cabeza de un grupo de sus contrabandistas que también van montados, se pone en camino. Cirilo es atlético y sabe montar muy bien. Lleva un revólver al cinto, cananas cruzadas en el pecho, un 30-30 atado a los jinetillos. Al verle parece un guerrillero de los llanos y no un contrabandista. Pedro Pastor nota ese porte varonil y lo compara con el aspecto de su jefe Picapiedra. Hay una gran diferencia que se la señala a Floriano.

—¡Adiós Merejo, cuídate!

—¡Adiós, Tata Quiel! ¡Cuídense ustedes de las balas *coloradas*!

Floriano solamente le hizo un saludo con la mano porque iba cargado. El Coronel distribuyó el grupo en tres partes como cuando venían. Floriano a la vanguardia, él al centro y Nicanor a la retaguardia. Las mulas van siendo arriadas despaciosamente porque el camino es muy empinado y se pueden rodar.

En verdad a Cirilo ya no le importa lo que pueda suceder al cargamento, tiene el dinero en su poder y si va a exponerse un rato quizá ser por cálculo: quiere que Crisóstomo Pedrozo crea que es su partidario y que le ayuda en la guerra con lealtad. Cuando Cirilo piensa en eso, una sonrisa de picardía asoma a sus labios viriles. Don Crisóstomo es un viejo majadero e imbécil, no comprende a los hombres como Cirilo. ¿Acaso no vendió el día anterior un cargamento mayor de armas a los del otro partido, a los del gobierno? Es para reír de los políticos. Razón, mucha razón ha tenido mister Gordon al aconsejarle ese método en el negocio. Mister Gordon es hombre práctico. Anda bien con todos los gobiernos sean *azules* o *colorados* y de sus divergencias saca grandes beneficios. Ha hecho bien Cirilo en ponerse al servicio de mister Gordon. Las ganancias obtenidas de esa guerra son cuantiosas. Las armas dan más beneficios que los demás contrabandos, lo malo es que las guerras no son permanentes y en Honduras siempre hay lapsos de paz en los cuales las armas no cuentan. Ha sido una fortuna que en la Costa Norte conociera y sirviera a mister Gordon en aquellos lejanos tiempos en que trabajó en los bananales como capataz. Entonces mister Gordon era Mandador de finca. Ahora es un de los altos jefes bananeros. Cirilo va pensando en sus pingües negocios mientras bajan las montañas, cruzan hondonadas y vuelven a subir cerros con pinares.

Los hombres de a pie sudan tanto como las mulas que resoplan como fuelles. Van callados. De cuando en cuando, unas palabras entre los jefes. El sol no es bravo y apenas se asoma por momentos entre paredones de nubes, pero el camino es escabroso, con muchas piedras, los mosquitos, las garrapatas impertinentes y agresivos y las cargas pesadas. A veces en un barranco un hombre resbala y cae siendo arrastrado por el peso de la carga. Cuando se levanta tiene contusiones y raspaduras dolorosas. No protesta. Se limpia la tierra y el sudor, se ajusta el pesado bulto y prosigue rápido para alcanzar a los demás. Este regreso lo van haciendo por otro camino más alejado de la hacienda de Pedrozo, pero más recto para retornar junto a las tropas.

Al mediodía hacen un alto en un bosque de pinos. Los contrabandistas les abastecieron de algunos alimentos como *totoposte* y dulce de *panela*. Cirilo invita a beber *cususa* al Coronel. Conversan mientras mastican algo. No se tienen confianza, pero se toleran. La guerra es la guerra y los negocios son los negocios, tigre no como tigre.

—No olvide, Coronel —recuérdale Cirilo— mi recomendación para don Crisóstomo. En la carta que le contesto le hablo de eso, pero quiero que usted le diga personalmente que estoy firme de su lado, que si necesita comprar más armas yo se las puedo proporcionar pronto. Eso sí, todo al contado.

—No lo olvidaré, señor *Chulo*. Yo no sé olvidar.

—Tanto mejor, Coronel. Y dígale que toda esta zona está en mis manos, es decir en las manos de él. Aquí ya nadie se levantará en armas contra el partido y que espero que muy pronto habremos ganado el poder para bien de la patria.

—Así será, así mero se lo diré al General. Lo malo es que se pasen para los *colorados* esos armamentos tranquilamente. Yo no me explico cómo sucede teniendo ustedes el control de la zona.

—¿Qué quiere decir? —pregunta con fuerte acento Cirilo, mirándole con odio— ¡Yo soy cabal en mis asuntos!

—Yo digo que es lástima que pasen como Juan por su potrero. Nada más, porque las palabras son las palabras y no dicen más que lo que son, señor *Chulo*.

—Repito, pues, que no deje de decir lo que dije a don Crisóstomo.

—Así será, así será no más.

Picapiedra interiormente va incómodo. ¿Qué se habrá creído este contrabandista del diablo? ¿Pensará que al triunfar el partido van a llamarlo para ocupar un puesto público? ¡Nada! Esos serán para aquellos que se han jugado la vida en los combates, pero para esos que no son más que bandoleros que, a pesar de estar bien armados no se adhieren a las tropas revolucionarias, nada podrán darles. Además, Picapiedra está convencido que ese Cirilo es un traidor, que fue él quien vendió las armas al gobierno. Aquellos ahorcados lo dijeron claro antes de ser colgados: era *El Chulo*. Le interrumpen su sórdido pensar, los gritos de la gente de Floriano.

—¡Viene un avión! ¡Viene un avión!

—¡Puta, son los aviones del gobierno! ¿Nos verán, Cirilo?

Hay inquietud en las palabras del Coronel. Cirilo sonríe. Sabe que son aparatos del gobierno y que si los descubren atacarán. El rumor en el cielo anuncia que viene volando bastante bajo.

—¡Quítense todos las divisas *azules*! —grita Cirilo y llamando a uno de los suyos le ordena:— ¡Saca la bandera *colorada* por si acaso!

—Los soldados de Picapiedra rápidamente obedecen. Hay temor en los hombres sencillos porque ya saben que los aviones del gobierno bombardean y ametrallan. Se quitan las divisas y los pañuelos azules. Se pegan a los troncos de los árboles atisbando el cielo entre los ramajes. El ruido se hace más fuerte y el aparato pasa próximo al cerro. Da una vuelta y ahora vuelve inclinado como un zopilote gigante directamente a ellos. Se oye una ráfaga de ametralladora.

—¡Saca esa bandera, hombre bruto! —grita Cirilo— ¡Colócate donde te puedan ver de arriba! ¿O quieres que nos revienten?

El contrabandista sale del monte con la bandera rojiblanca desplegada. Ha salido a tiempo porque el aparato viene de nuevo en picada sobre el cerro. Pero al ver la bandera que hace señales, sale de la picada sin disparar y toma altura. Son correligionarios. Aún pasa dos veces más por sobre el cerro donde los hombres gritan y vivan al Partido Liberal para que les oigan los que vuelan. Con una cabriola el avión se aleja hacia el occidente. Los hombres dan un respiro de satisfacción.

—¡Engañamos a esos cabrones! —dice Cirilo—. Es bueno andar prevenido en estos tiempos, ¿verdad, Coronel?

Picapiedra se hace el desentendido. Siente cólera por el contrabandista aún cuando por su artimaña han logrado evitar el ataque del avión. ¿Cómo ha podido soportar no sólo la presencia de una bandera roja sino que sus propias fuerzas hayan dado vivas a los enemigos? Y todo eso es obra del contrabandista que actúa como si fuera el jefe. Callado monta en su mula.

—¡En marcha! —ordena— ¡Todos a marcha forzada!

Montan los contrabandistas que hacen chistes jocosos. La infantería comienza a trotar al paso de las bestias y con la carga en sus lomos doloridos.

—¡Más ligero, más ligero! —pide el Coronel— ¡El General necesita las armas!

—¡El General Crisóstomo Pedrozo! —repite acentuando las palabras Cirilo y con una sonrisa burlesca.— No es lerdo mi expatrón. De un sólo salto le cayó al generalato. No me extrañaría que al final de la revancha le pegue de romplón a un ministerio cuando no a *la silla*.

—Misma cosa digo yo, sucede a cualquiera. —Comenta Picapiedra llevándole la contra.— Deshonra no es mojarse el culo para comer pescado. ¡Ñoñería sería, digo yo, querer comerlo sin entrar a la pesca!

—¿Por qué dice eso? —pregunta Cirilo viendo oblicuamente.

—Pues lo digo para que se me entienda, por lo que no ha oído mi General, que de oír sus palabras contestaría como se debe, como mero hombre de agallas que es. Malo es tijerear a los amigos en ausencia.

—A veces la lengua —sentencia el contrabandista refiriéndose a las palabras del Coronel—, en vez de salir debiera enrollarse en el gaznate.

—¡Palabra la suya de ahorita, como dicha por Dios!

Cirilo comprende su bumerang tardíamente. De cólera mete espuelas al tordillo que da un salto brioso y como le tiran de la brida con inusitada violencia se para en dos patas. Gallarda y varonil es la figura del jinete. El Coronel sonríe levemente con mordacidad extrema.

8

Esa noche el destacamento del Coronel Picapiedra no pernoctó en ningún sitio. Hicieron un alto al atardecer junto a un riachuelo para comer el *totoposte* con dulce. Llenaba el estómago y quitaba el hambre. Luego prosiguieron la jornada. En la noche era mejor caminar. El viento bastante fresco aliviaba el cansancio. Los campesinos iban deslomados, pero continuaban detrás de la mula del jefe y de las que llevaban la carga. Ezequiel, después de mucho rogar a su hijo, le ayudó un rato con el paquete de municiones que le había correspondido. Luego se las devolvió porque le dolía la herida.

A la medianoche Cirilo le dijo al Coronel que detuviera a los soldados para descansar, de lo contrario no le llegarían hasta donde estaba esperando Pedrozo. Eso irritó más a Picapiedra. ¿Por qué se atrevía a darle órdenes el contrabandista? Que lo hiciera con sus subalternos y no con él que era el jefe del pelotón de macheteros. Estuvo a punto de explotar con el revólver, pero solamente dijo:

—Yo sé lo que hago. ¡A mí nadie me da órdenes!

—¿Conque esas tenemos, Coronelito?—. Había en aquellas palabras un tono muy ofensivo—. Andese con cuidado conmigo porque yo no soy ningún *penco caitudo* como esos pobres diablos que usted maltrata. ¡Yo soy Cirilo Cirilón y por algo me llaman *El Chulo*!

—¿Y qué? Un contrabandista, pero no un militar.

La carcajada de Cirilo retumbó en la noche como una serie

de latigazos. Era ridículo que Picapiedra, un analfabeto, se llamara militar y Cirilo no pudo contener su risa estrepitosa y burlesca. Lo que siguió lo contaban con espanto los soldados que estaban presentes a sus otros compañeros.

Cirilo se burló del Coronel en su propio rostro y éste no aguantó el insulto. Contestó con una blasfemia, le mentó la madre y disponiéndose a sacar el revólver quiso liquidar al contrabandista que iba detrás. Pero cometió el error de decírselo con un grito y parar su mula. No había sacado aún el arma cuando le llovieron los disparos. Cirilo no había disparado. Dispararon sus secuaces que iban alerta como si ya esperaran el choque. El Coronel rodó de la mula con una veintena de proyectiles en el cuerpo. La columna se detuvo sin saber lo que ocurría y nadie intentó vengar al muerto después de verle tirado en el camino. Cirilo ordenó desarmar y catear el cadáver y se apropió de la mula. Después lo mandó tirar al monte para que sirviera de festín a los zopilotes. Cirilo asumió la jefatura y, sin duda para halagar a los campesinos, les ordenó descansar hasta el amanecer. Eso era lo que había sucedido en la noche. Y, en verdad, nadie lamentó la muerte del Coronel Picapiedra. Recordaban el ahorcamiento de los dos prisioneros, el incendio de las chozas, su crueldad para con los subalternos.

Al amanecer todos se pusieron en pie. Ninguno había huido como Cirilo sospechó en la noche. El nuevo jefe llamó a Floriano y Nicanor porque eran los segundos del fallecido y ante todos les habló sobre la muerte de Picapiedra. Habían disparado en legítima defensa. Ahora, como él era partidario del General Pedrozo, les acompañaría hasta donde no hubiera mayor peligro de encuentro con el enemigo.

—Tú, Floriano Jocotán —ordenó— asumirás la jefatura de la tropa. Ocupa la mula de aquel rejodido y guía a esta gente hasta donde está tu padrino. A ti, y a todos, hago responsables por el armamento. Debe llegar a su destino. Tendrás como segundos a Nicanor y a don Quiel. Don Quiel es hombre de experiencia.

—¿Y por qué no sigue usted con nosotros hasta llegar..?

—Ya dije que les acompañaré hasta la carretera. Tengo otros asuntos que arreglar. Llévale esta carta a tu padrino.

Nicanor tomó el mando de la avanzadilla en lugar de Floriano que ahora marchó en el centro con el *patacho* de mulas cargadas. Detrás, el grupo comandado por su padre. Floriano no ocupó la mula y volvió a cederla a Ezequiel cuya herida no mejoraba. ¿Por qué Cirilo le había dado el mando a él? se preguntaba intrigado el muchacho. Tal vez porque le conocía desde que trabajaban en La Hacienda, tal vez por ser hermano de Merejo. Y recordó que el día ya lejano, cuando Cirilo era caporal en la propiedad de su padrino, por haber sacado a tiempo récord una tarea en el desmonte, había expoliado cruelmente a todos los *chapiadores*, haciéndoles trabajar como bestias con tareas enormes. No lo olvidaba.

Y cosa extraordinaria, sucedía que la simpatía de Cirilo para Floriano partía desde aquella fecha en que reparó en sus músculos, en su espíritu resuelto, en su hombría que, a pesar de ser muchacho, ya se iba perfilando con más cualidades que las de Merejo. Al cederle el mando no hacía más que seguir sus intenciones de ganarse la voluntad del joven y poder, más adelante, arrastrarlo a su banda de contrabandistas, como se lo había sugerido a Merejo. Pensaba que de Floriano se podía hacer un lugarteniente formidable. Y vinculado a esto, estaba también, el nombramiento que recayó en su padre Ezequiel.

Durante el trayecto hacia la Carretera del Sur Cirilo conversó alegremente con el muchacho dándole confianza y consejos para que pudiera llegar sin contratiempos hasta el pueblo donde acampaban las victoriosas tropas de Pedrozo. Cirilo hizo pasar el destacamento y las armas precisamente por Sabanagrande que estaba ya desocupada por las fuerzas del gobierno, que se habían replegado a Tegucigalpa, hacia donde se decía convergían tropas rebeldes de todos los rumbos del país. De ser verdad esto, estaría para realizarse el combate más decisivo de la guerra.

—¿Sabes, Floriano? —le dijo Cirilo en confianza— tengo deseos de seguir contigo para ayudar a don Crisóstomo, pero...

—¿Por qué no viene? ¡Sería un gran aporte! —interrumpió con presteza, viendo la oportunidad de tirar de sus espaldas la responsabilidad del armamento y la tropa.

—Te voy a ser franco: yo tengo mis propias ideas sobre estas guerras. Pasionalmente no me interesan los partidos. Soy un hombre práctico, así me aconseja mister Gordon y mister Gordon es un hombre civilizado.

—¿Y por qué ayuda a mi padrino, entonces?

—Porque me compra las armas.

—¿Y si se las compran los *colorados*?

—También ayudaría... si viera ventajas. En la vida, Floriano, lo único que importa es lo personal, lo que le sirve a uno para ser feliz. ¿No has soñado alguna vez en ser feliz, es decir en ser hombre de posibilidades como, por ejemplo, yo o Merejo?

Floriano tardó en contestar. Ser feliz era algo que deseaba con todas sus fuerzas, pero en verdad, ser como Merejo y Cirilo, no era ni por asomo su anhelo. Quizá admiraba la gallardía física de Cirilo, pero...

—Puede que así sea —dijo, más contestándose a sí mismo que a su interlocutor— pero yo creo que hay cosas de cosas, como decir: la palabra, la honra. En fin...

—Bueno, bueno, cada quien tiene su modo de ser y por eso no hay disgusto. Despidámonos y toma en cuenta mis palabras. Me gusta ayudar a la gente. Y si algún día necesitas de un amigo, ya sabes que allá estoy en la frontera.

—Muchas gracias, don Cirilo. No lo olvidaré.

Cuando la pequeña tropa siguió su camino y los contrabandistas retornaron a sus dominios por la carretera, Ezequiel dijo a su hijo en secreto:

—¡Gracias a Dios que se fueron esos! ¡Mala polilla ese Cirilo! Fue el que sonsacó a Merejo para tirarlo al monte y ahora te ha echado el ojo a ti. Cuídate de esos hombres que muestran sonrisitas por fuera y llevan colmillos de fiera por dentro.

—No me la hizo buena, papa. Cuando mataron al Coronel temí que se quedara con las armas de mi padrino y que nos liquidara a nosotros para que no contáramos. Es capaz de cualquier fechoría.

—Yo también temí que nos hiciera una barrabasada.

Poco después el cielo cubierto de nubes comenzó a regar la tierra en toda la extensión que se veía. No era tormenta tropical sino el chubasco que iniciaba las lluvias intermitentes. Esto significaba que para los participantes en la guerra vendrían días muy difíciles, cuando los caminos se empantanan, crecen furiosamente los ríos y las gentes enferman de calenturas palúdicas. La lluvia de este día era suave y a los oídos de los campesinos era muy grata la música de las gotas sobre los yerbales, los montes y los sembrados. El olor peculiar de la tierra mojada llegaba a ellos por todos los rumbos. Los reptiles buscaban sus cuevas, los pájaros sus nidos. El pelotón avanzó a paso lento, cargando como las bestias. En poco tiempo se empaparon, pero las municiones y explosivos iban en cajas especiales de protección.

—Un poco más ligero, compas —pidió Floriano— antes de que nos detenga el río.

Haciendo esfuerzos, ayudándose unos a otros, los campesinos ganaron la distancia del pueblo. Cuando pasaron el río, vieron que Floriano tenía razón pues sus aguas estaban barrosas, arrastraban ramas y subían con rapidez extraordinaria. Ya en las proximidades del pueblo Floriano envió un correo con el objeto de cerciorarse de la situación, ya que bien podía suceder que el General dejara el lugar y que lo hubieran ocupado los enemigos. Felizmente allí estaban aún.

La entrada al poblado fue triunfal. Salieron a recibirlos, a ayudar a los cargadores con las armas, a preguntar sobre el viaje. Los estaban esperando con impaciencia para armar a la gente. Se notaba un regular aumento de la tropa. Algunos heridos estaban en los corredores con sus vendas y ya mejorados. En cambio Ezequiel había empeorado. La herido seguía abierta y con síntomas de infección.

—¡Compadrito Quiel! ¡Ahijadito Floro! ¡Mis muchachos!

Don Crisóstomo en persona salió al patio aún bajo la llovizna a saludar a los hombres. Mientras ayudaba a desmontar a Ezequiel, preguntaba por el Coronel Picapiedra a quien no veía entre ellos.

—¡Una desgracia, compadre: el Coronel murió en un choque con Cirilo y su gente!

—¡Jesús, María y José! ¡Me han cortado mi brazo derecho, compadre!

Floriano como jefe dio un informe detallado sobre todo lo

sucedido en el viaje. El General y su Estado Mayor, del cual era jefe el coronel Maldonado, lo escucharon con atención. Al final le hicieron muchas preguntas sobre la muerte del Coronel Picapiedra. Lamentaban el hecho, pero no condenaban a Cirilón. Llegaron a la conclusión de que había sido un lance personal.

Ezequiel pasó a la enfermería con otros que estaban golpeados de caídas en los barrancos. Pero no quiso que lo tratara el Doctor que había dejado cojo a Juancho Morel y buscó a una de las mujeres que oficiaban de enfermeras con los jóvenes que decían eran estudiantes de medicina. Le hicieron curación y muy a tiempo pues se estaba infectando. Se acostó después en el corredor del cuartel a esperar que le llevasen de comer pues estaba anocheciendo y todos los de la comisión estaban hambrientos.

Los clarines llamaban a los soldados. Se corría la voz de que esa misma noche saldrían con destino a la capital. En la plazoleta, bajo la llovizna, se reunieron los destacamentos que ya estaban reorganizados. La voz del General Pedrozo se oyó enronquecida:

—¡Oficiales y soldados, revolucionarios nacionalistas todos: nuestra gran causa patriótica ha tenido deplorable baja ayer noche! ¡El valiente Coronel Picapiedra, tan querido por todos nosotros por haber sido siempre un pundonoroso y leal militar, fogueado en cien combates, cayó muerto en cumplimiento de una importante misión a que yo lo enviara con un grupo de valientes! ¡El partido, el ejército revolucionario, la patria hoy sojuzgada, han perdido uno de sus más grandes y destacados valores! ¡Paz a sus restos! ¡La historia recogerá su nombre y sus hazañas para que sirva como ejemplo de patriotismo y heroísmo a las generaciones por venir!

Las cornetas lanzaron sus ecos fúnebres durante varios minutos y al terminar se escuchó un viva estruendoso al ilustre Coronel. Pedrozo, empinándose en un banco en el corredor del cabildo, prosiguió:

—¡Oficiales y soldados, revolucionarios nacionalistas: os presento a este grupo de valientes partidarios, que acompañando al Coronel Picapiedra, lograron traer a nuestras huestes un armamento nuevo y moderno bajo miles de dificultades y acechados por el enemigo! ¡Los principales han sido ascendidos por nuestro Estado Mayor! ¡Les cuesta la causa y han sufrido en la guerra! ¡Y ahora, vuelvo a repetir a todos que, mañana, cuando hayamos obtenido la victoria sobre los bandidos enemigos y bajado a tiros el gobierno dictador, el partido y el nuevo gobierno sabrá recompensarles todos los aportes y ayuda prestada a la patria! ¡Los puestos públicos irán a manos de aquellos que hoy se encuentran aquí dispuestos a dar su vida por la salvación de la patria y por nuestra sagrada causa! ¡Aquí tenéis a los soldados ascendidos por su valor y su lealtad! ¡Viva el Coronel Floriano Jocotán! ¡Vivan los capitanes Luisito Luperón, Nicanor Faroles, Pedro Pastor y Ezequiel Jocotán!

—¡Viiivaaaaaaa! ¡Viiivaaaaaaa!

Los humildes hombres del campo no estaban emocionados de alegría sino como confusos por el honor inesperado, asustados como animalitos sorprendidos en un maizal. El pagador del ejército canceló las soldadas a los miembros de la comisión. Era la primera vez que recibían un centavo en las semanas que llevaban guerreando. A Floriano, como coronel le dieron diez lempiras, a los capitanes seis y dos a los soldados rasos.

Mientras tanto, los jefes reorganizaron los destacamentos poniendo las armas nuevas en manos de gente de confianza y de supuesta valentía. Hay entusiasmo entre la tropa por cuanto se tenía noticia de que las fuerzas antigubernamentales estaban sitiando la capital y ahora hacia allá marchará el General Pedrozo. El aspecto de los integrantes del ejército es de lo más pintoresco, lo único que les uniforma son las divisas azules y en su mayoría los *caites* en los pies.

—¡A caballo, soldados de la patria! ¡A la capital, a la capital!

—¡Viva el General Pedrozo!

Las cornetas difundían sus toques de marcha en el opaco ambiente de la noche enfermiza de lloviznas. Corrían los hombres metiéndose en los charcos, buscando sus maletas, sus raciones de carne para ir a ocupar su lugar en los pelotones formados. Floriano, titulado Coronel, siguió siendo el jefe del grupo que fuera a la frontera y entre la tropa se le llamaba «El Escuadrón de la Frontera». Ahora eran unos veinticinco números con tres capitanes y un coronel de jefes. Solamente llevaba fusil Floriano y montaba la mula que había sido del Coronel Picapiedra. Los demás, a pie y sólo armados de sus machetes desmonteros. Ellos que habían cargado con los fusiles y pertrechos junto a las mulas quedaron al margen de portarlos. Floriano nuevamente cedió la mula a su padre herido.

Un cuerpo de *La Montada* abrió la marcha seguido de los batallones macheteros de infantería que eran cuatro. Luego el General con su Estado Mayor, el tren de guerra y el avituallamiento. En la retaguardia el otro cuerpo de *La Montada*. En total serían un poco más de doscientos hombres. El pueblito quedó en silencio y esa misma noche comenzaron a llegar los habitantes *colorados* que habían huido a los montes al entrar los *azules*.

Sin otro contratiempo que la lluvia, las huestes revolucionarias del General Pedrozo hicieron el trayecto hasta la capital en unas doce horas. Por los pueblos que pasaban no encontraban más gente que algunos de sus partidarios, los enemigos huían con sus familias, llevando sus pertenencias pues sabían que de quedarse allí peligraban. Lo mismo sucedía a los *azules* cuando pasaban tropas *coloradas*. Las tropas barrían con todo lo que encontraban a su paso y a veces no respetaban ni siquiera a sus propios correligionarios. Caballos, mulas, burros que encontraban, eran tomados para aumentar *La Montada* aunque los jinetes fueran en pelo. Vacas, cerdos, cabras, gallinas eran muy bien ocultadas por los campesinos para evitar su requerimiento por la violencia. Algunas veces pagaban los jefes lo substraído, si el afectado era correligionario.

En la tarde del día siguiente se comenzó a escuchar en la vanguardia de la tropa el eco del cañoneo en la capital cuando bajaban el Cerro de Hule siguiendo tranquilamente la carretera. El estruendo se fue percibiendo más claro de manera que se aproximaban a la ciudad. Acamparon cerca de Toncontín, en donde habían hecho contacto con las fuerzas sitiadoras. La situación del gobierno, sin embargo, no era desesperada.

9

El optimismo de las tropas del General Pedrozo no se justificó. La capital estaba sitiada, pero aún no se miraba la claridad de la victoria. De no rendirse el gobierno, la pelea sería larga y sangrienta. Así lo comprendían los jefes de los diferentes ejércitos que de diferentes rumbos del país habían convergido en Tegucigalpa.

¡Qué sorpresa para los campesinos que nunca habían estado en la capital, contemplar desde los cerros, la ciudad que, en comparación a sus localidades era enorme con aquel sinnúmero de calles, aquel río partiéndola por la cintura y aquel puente único de grandes arcadas! Entre los admirados estaban los Jocotán. Pero en esas semanas no había mucho tiempo para la admiración de la ciudad porque la pelea era intensa. Cañones, ametralladoras, fusilería retumbaban constantemente en las faldas de los cerros entre los contendientes. Las banderas azules y rojas flotaban en los aires anunciando las posiciones de las dos fuerzas. Pero, cada día, el campo del gobierno se reducía. Hubo muchos muertos, pero aumentaron cuando se comenzó a librar la batalla en las calles de la ciudad. Llegaban al combate cuerpo a cuerpo, dejando los fusiles para tomar los machetes. Y más sangre y más muerte en la toma de las casas, de los barrios, de los puestos estratégicos. No había tiempo para enterrar los cadáveres y los incineraban en el cerro El Berrinche, con dificultad también porque se había desatado el más riguroso invierno tropical y las lluvias apagaban las teas humanas como protestando.

Pero el ímpetu rebelde era implacable y las fuerzas defensoras agotándose día tras día fueron quedando hasta sin abastecimiento. Algunos barrios carecían de agua. Y al fin, un día, cayó la capital en manos de la revolución, haciendo rendirse a los últimos combatientes *colorados*. Aquel fue un día de gloria y también de excesos de las tropas vencedoras con la población.

Se originó un nuevo gobierno y en el gabinete quedó el General Crisóstomo Pedrozo como ministro de Guerra. Floriano y su «Escuadrón de la Frontera» fueron alojados en una escuela de Comayagüela. Habían muerto diez, entre ellos el capitán Luisito Luperón, estaban heridos unos ocho que con los siete ilesos se acomodaron en el local con otros contingentes procedentes de La Paz. Allí dormían en el piso y sobre algunos viejos pupitres.

Esos días fueron de euforia en Tegucigalpa, a pesar de los fríos y el chubasco. La soldadesca llenaba calles y plazas. Era algo sumamente pintoresco, jamás visto en las calles de la ciudad. Gentes descalzas, sucias, desgarradas, con lodo hasta en el rostro, tocados de sombreros empalmados, con grandes machetes aún ensangrentados y fusiles con abolladuras de la pelea cuerpo a cuerpo, grandes divisas en los sombreros y pañuelos en el cuello; montados y a pie; indios, mestizos, blancos. Gente fogueada en los combates bravos, retadores de la muerte, dando gritos de júbilo por su victoria y sorprendidos muchos por aquellas hileras de casas tan largas y aquellas mujeres bonitas que, desde las ventanas, los miraban sin disimular el miedo. Las cárceles estaban llenas de adversarios. Por el pavimento de las calles rodaban infinidad de casquetes de proyectiles de todos los calibres; muchas casas destruidas por los cañonazos y la dinamita, todas con los agujeros de las balas. Sangre, lodo y estiércol en las piedras o el cemento de las aceras. Para los habitantes de la ciudad ya la presencia de los montunos era una amenaza, más cuando se emborrachaban.

Floriano no se separaba de su padre y de Pastor. Juntos salían a las calles a conocer la ciudad, las maravillas de *La Culta* como solían denominarla en la campiña y los pueblos. Fueron a varias iglesias y a la Catedral y oraron devotamente por haber salido con vida de la montonera bárbara. Se sentaban en los parques con los grupos de soldados oyendo contar hazañas de heroísmo, anécdotas, chascarrillos. Les gustaba ver las estatuas y tentarlas como muchachos. A veces encontraban grupos haciendo ruedas en cualquier corredor jugando *chivo* o baraja y no eran pocos también los líos que se armaban llegando hasta la riña. Varias veces dos tropas de diferentes zonas se habían escapado de romper a balazo limpio por rivalidades localistas, y sólo terminaban los altercados cuando llegaban los jefes y a cintarazos aplacaban a los más belicosos. ¡Cuánta cosa nueva para los campesinos del Cerro de Las Lajas!

Una mañana Ezequiel recordó a su hijo que ya era tiempo de regresar a su barraca. El gobierno estaba firme; el compadre Pedrozo en un ministerio y ya no necesitaban de ellos. Ya estaban liquidando las tropas y desmovilizándolas. A ellos diariamente les daban una ración de carne y tortillas de maíz. La carne la asaban en el patio de la escuela. Las lluvias mermaban, asomaba el buen tiempo: podrían pasar los grandes ríos y llegar a tiempo para tirar algún grano en la tierra.

—Sí, papa, pero antes debemos ver a mi padrino.

—¡Bah, mi compadre pasa muy ocupado, hijo!

Los Jocotán fueron con todos los que quedaron vivos de La Hacienda Las Marías a pedir audiencia para hablar con el General. Pero allí era mucho más difícil llegar hasta el patrón. Sin embargo, a los cinco días de esperar fueron recibidos. El despacho del señor Ministro era muy lujoso; nunca los montunos habían estado en un lugar como ése: alfombras, sillones encojinados, escritorios y armarios de caoba y vidrio, grandes cuadros en las paredes y banderas azules. Antes de llegar hasta el General, pasaron por varias piezas donde estaban muchos hombres uniformados. Entraban y salían mensajeros. Todo eso era como para asustar a los campesinos.

—¡Adelante compadrito! ¡Pasa mi querido ahijado! ¡Vengan muchachos! ¡Gusto de verlos! ¡Siéntense! ¡Vamos a ver en qué puedo servirles!

No se podía negar que el General Pedrozo seguía siendo muy cordial y atento con sus correligionarios. Ellos, con los sombreros en la mano, tímidos, no querían sentarse en aquellos sillones para no ensuciarlos y permanecieron de pie, amontonados como para darse calor, igual que los terneros en invierno.

—¡Ajá! ¿Y qué desean los buenos amigos? —Pedrozo vestía un flamante uniforme militar con estrellas y condecoraciones de oro.

—Pues vea padrino —dijo Floriano— hemos querido verlo porque queremos regresar al Cerro de Las Lajas y al *Hato* de Las Marías. Ya hace mucho que nada sabemos de mi mama y mi manita.

—No está mal, no está mal. La familia es primero. ¿Les dieron ya la baja y les pagaron sus sueldos?

—No, compadrito, todavía no. Por eso queríamos también hablar con usted. Pero sobre todo, como ya se está pasando el tiempo de la siembra y como usted sabe, aquellas tierras son muy malas en el Cerro, que sólo piedras producen...

—No está mal, no está mal. No se debe dejar a Dios por Dios. Pasó la guerra al fin y hay que volver al campo. Sólo el trabajo da prosperidad y riqueza. ¡Ahora, a Dios gracias ya tenemos paz y constitucionalidad, orden y patria! Nosotros estaremos laborando desde aquí, por deber sagrado. Yo no quería. Yo amo mis tierras y no soy un hombre de Estado, pero, el partido, los correligionarios, la patria así lo exigen y, en verdad, yo me sacrifico por el pueblo. ¿Y cuándo proyectan regresar?

—Para eso queríamos verlo, compadre. Si se pudiera, hoy mismo.

—Muy bien, compadrito del alma. Yo les agradezco en nombre del partido, ustedes han sabido cumplir con su deber para con la patria. Dios quiso que saliéramos con vida, debemos darle nuestras gracias. Ajá, pues a propósito de las tierritas, le mandaré una carta con ustedes a don Amindo para que les arriende o dé gratuitas las tierras que necesitan. También ordenaré que les paguen.

Tocó un timbre y apareció una secretaria de labios pintados. En pocos minutos le dictó una carta para el administrador don Amindo. Les extendió pasaportes y salvoconductos pues aún estaba el estado de sitio en toda la República. Sacó de su cartera un par de billetes de cinco pesos para que se lo distribuyeran entre todos. Era regalo personal. Después les liquidarían por el tiempo de la campaña que había sido de más de dos meses.

—¡Bueno, compadre, quede usted con Dios!

—¡Adiós, padrino!

—¡Hasta luego General!

Aún les dio el ministro un fuerte apretón de manos antes de salir. Sin embargo, Pedro Pastor, ya cuando habían salido del ministerio les dijo a sus compañeros:

—Yo esperaba que don Crisóstomo nos dijera algo de los puestos públicos que nos ofreció en la campaña.

—Es que está muy ocupado mi compadre, se le olvidó al pobre.

—No se le olvidó nada, tata, —dijo Floriano con seriedad— lo que pasa es que las cosas son así.

—¿Cómo así?

—Pues así, digo yo —y se encerró en un silencio grave. Al rato preguntó a Pastor:— ¿Y qué puesto público podríamos desempeñar nosotros?

—Pues alguno... cualquier *chambita* no hubiera caído mal después de refregarnos en la guerra.

—Te falla la chaveta, compa —señaló Ezequiel en broma.— Nosotros somos gente de monte.

—Y ni siquiera sabemos firmar...

—Verdá es, pero el General ofreció sin que le pusieran el machete en la hoyita, y cuando se ofrece, cuando se promete, se cumple.

—Olvídate de eso Pastorcito, la vida es la vida.

Después de muchas vueltas, después de entregar el fusil que le entregaran a Floriano y la mula de Picapiedra, les pagaron. Quince pesos a Floriano, diez a los capitanes y cinco a los soldados rasos. A todos les dieron pantalón de partida y una camisa azul de trabajo. Y con ese capital regresaron a sus lares. Fueron a pie siguiendo la carretera del sur. Por los pueblos que pasaban encontraban solamente la desolación y la miseria. Los que huyeran a los montes regresaban sigilosos. El hambre acogotaba a las familias del campo porque las cosechas se habían perdido. Quedaban en algunos lugares las ruinas carbonizadas de las casas incendiadas. A veces encontraban esqueletos humanos, blanqueados por los zopilotes y alimañas. Algunas cruces en los caminos sobre un montón de piedras donde enterraran a alguno. Los poblados estaban tristes y en las puertas de casi todas las casas crespones negros, indicando que habían perdido algún miembro de la familia. Era doloroso el espectáculo de aquella tierra donde pasara el remolino de la guerra civil con su inexorable brutalidad y barbarie. Viudas, huérfanos, gente inválida, ancianos indigentes sentados en los corredores con la cabeza inclinada y los pensamientos perdidos. Por algunos lados actuaban pandillas de bandoleros, asaltando en despoblado.

Floriano veía aquello y se le enroscaba en la garganta la culebra de la pena. ¿Qué habían ganado a fin de cuentas los hombres del campo? Cierto que ellos llevaban unos cuantos pesos en los bolsillos, ¿pero las demás gentes? ¿Y aquellas familias a las que sólo llevaban la noticia de la muerte de alguno de sus hijos? Floriano iba sintiéndose preso de una grande y amarga desilusión. El había creído que la guerra era otra cosa, como otra cosa la victoria. Se les había dicho que la guerra era para llevar la felicidad al pueblo, para recobrar la constitucionalidad y la libertad. De estas tres palabras la que comprendía a cabalidad era la primera, y ahora encontraba que en vez de dicha había desparramado sufrimientos, dolor y muerte. Pero Floriano a nadie hacía partícipe de su gran desilusión, quizá porque le habían ascendido a Coronel, quizá por vergüenza de sí mismo, quién sabe...

Su llegada a Las Marías causó remolino. Salían las gentes en tropel, mujeres, ancianos, niños, para ver a los supervivientes, para tener noticias de sus parientes, de sus seres queridos. ¡Felices aquellos que podían abrazarlos! De manera que contaban la historia en trozos, el llanto se levantaba más expresivo. Siete hombres del *Hato* faltaban.

Fueron a La Hacienda, a la trucha y don Amindo los recibió con gritos de júbilo, llamándoles héroes y patriotas. Jamás lo habían visto tan generoso. Les obsequió panes, queso, mantequilla y sirvió aguardiente a aquellos que gustaban beberlo. La música de la vieja vitrola parecía más chillona.

—¡Este es un día de fiesta en La Hacienda, señores! ¡Vosotros sois los valientes soldados de mi General Pedrozo, hoy ministro de Guerra, bendito sea Dios! ¡Ya he leído los periódicos y sé de sus grandes hazañas en la guerra! ¡Qué hombre, mi General!

Le entregaron la carta y después de leerla les dijo que todo sería como el patrón ordenaba, además, ellos los combatientes tenían ganado un derecho puesto que habían expuesto sus vidas en la guerra.

—¿Y Chabelita, don Amindo?

—Chabelita está en Tegucigalpa. Antes de la guerra mandé a toda la familia para *La Culta*. Yo sé que es la revancha y mejor era ponerlas en resguardo.

Ezequiel estaba apresurado por saber de su familia y preguntó a don Amindo por ella.

—Pues hombre Quiel, hace ya muchos días que no bajan del Cerro. Aquí estuvieron trabajando en la lechería y en los potreros. Porque casi no quedaron hombres en el *Hato*. Los que no se fueron a la guerra se fueron a la huidera y hasta ahora están regresando. ¡Pero, já, esos maricones me las pagarán! ¡En La Hacienda Las Marías no tendrán ni agua! ¿Huir en vez de acompañar, como vosotros, al General? ¡Es el colmo de la ingratitud y la cobardía! ¡Sí, señores, de la ingratitud porque Crisóstomo Pedrozo es la propia caridad cristiana para todo el mundo! Así es Quiel, ya días que tu familia no baja, pero no creo que estén enfermas.

—Sí, pues, deben estar en la casa. ¡Quiera Dios y la Virgen que no se hayan enfermado!

—La última vez que las vi estaban regordetas. Les di fiadas unas provisiones que por cierto me deben todavía, ¡pero eso es nada!

—Ya pagaremos, don Amindo —dijo Floriano con seriedad.

A pesar de las atenciones de don Amindo y de las innumerables preguntas sobre la guerra y la victoria, los Jocotán pronto lo dejaron para ir a su cerro. Tiempo largo habían pasado afuera y ahora iban precipitadamente a la barraca sin atender la invitación del administrador para que pasaran la noche en el *Hato* donde habría un velorio por los que habían caído en la contienda y que procedían del *Hato*.

Al trote hicieron el camino tan conocido de su cerro arisco. Llegaron al atardecer. Desde el pie del cerro comenzaron a gritar como lo hacían siempre. Su eco iba rebotando por las cumbres quietas. Nadie contestaba y al divisar el rancho, el corazón les palpitó con aceleración.

—Nadie contesta, papa, ¿qué pasará?

—Sepa macho, m'hijo. A lo mejor están enfermas. ¡Dios no lo quiera ni la Virgen Santísima!

Más gritos y siempre el silencio. Ni el ladrido del perro ni la sombra del burro *Chingo*. Ezequiel notó que el sendero erosionado por las lluvias no presentaba huellas humanas. Nadie había transitado por allí durante muchos días. Ya en el rancho quedaron perplejos: estaba abierto y nadie había adentro. Al entrar a la salita, unas alimañas salieron huyendo y gruñendo asustadas. Había hasta murciélagos en el tabanco destartalado. Se notaba que la casa estaba abandonada desde mucho tiempo. En el patio había hierbas altas. El fogón en la cocina se había caído; ollas y *jícaras* andaban rodando en el suelo sucio de hojas y porquería de bichos.

—¡Santo Dios, hijo! ¿Qué habrá sucedido aquí?

—A lo mejor se fueron a la huidera, papa.

—¿Pero, a dónde? ¡Si aquí no llegó la guerra..!

En el patio del rancho abandonado se pusieron a gritar por si acaso andaban en los montes huyendo. Hicieron fuego y comida con las provisiones que compraran en la trucha. Ideas y más ideas, suposiciones y más suposiciones en la conversación de los Jocotán. Arreglaron un poco el rancho y se acostaron tarde con la pena silente como la punta de un machete en su corazón. Era su retorno de la guerra, el momento tan soñado y anhelado.

—Mañana sabremos para dónde se fueron Justina y Genara.

Pero ambos hombres estaban pesimistas como sintiendo una gran derrota en sus vidas.

10

—No, compa Floriano, no sabemos del paradero de su mama y de Genara.

—Hace muchos días que no vemos a su mujer, compa Quiel. Todos los de este lado que no fueron a la guerra, se pasaron a La Hacienda.

—La última vez que las vi fue en la lechería de La Hacienda.

—No, nayde las vido partir. D'irse ha de haber sido de noche.

—Por aquí, a Dios gracias, no pasó ninguna tropa, ni siquiera desbandados. Un mal nadie se los puede haber hecho.

—No las hemos visto, compa Quiel, creíamos que se habían ido al pueblo a huir.

—Nosotros creíamos que estaban en el Cerro, compa Floro. ¿Para dónde pueden haberse ido?

Y así por todos los ranchos de los cerros vecinos. Nadie les daba una información que les llevara a una pista para encontrar a Justina y Genara, desaparecidas tan misteriosamente. Ezequiel piensa hasta en los asuntos sobrenaturales, en el duende, por ejemplo, en los malos espíritus, pero el hijo discrepa:

—Si algo les ha sucedido, papa, ha sido por mano de gente.

Han pasado los días y Ezequiel y Floriano han buscado por todas partes una débil huella de las mujeres que se quedaran solas. Ni en el pueblo más próximo ni en otras haciendas. El dolor se acomoda en el sencillo corazón de los Jocotán. Viven huraños, entristecidos, pensando, intentando adivinar lo sucedido en el rancho si es que algo sucedió. Nada han encontrado, ni el burro ni el perro. Eso quiere decir que todos se marcharon juntos.

En el Cerro de Las Lajas se vive distante de los acontecimientos. Nada saben del nuevo gobierno que ellos ayudaron a subir al Poder y si nada les importa lo que está sucediendo en la capital, en cambio aún tienen en la mente los recuerdos vivos de los meses de campaña, de los combates, de la muerte múltiple de los hombres con un grito de odio como oración de *bien morir*. En las noches regularmente tienen pesadillas espantosas. El carácter de Floriano ha cambiado mucho desde la dura y cruel experiencia, pareciera que en ese tiempo de andar en la revuelta transcurrieron décadas y, no obstante, todavía le faltan dos meses para cumplir los diecisiete años. Como si su existencia hubiera dado un salto pasando de la adolescencia montuna a la madurez golpeada. Su vida es como una fruta de mango madurada a golpes prematuramente. La desaparición de su madre y de su hermana han coronado ese carácter con un halo de amargura que le acumula rencor.

En la época de las lluvias los cerros se erosionan y hay revenideros que arrastran peñascos hasta las laderas y hondonadas donde se acumula el agua turbia en correntadas, que al fin caen raudamente en el riachuelo que se pone colérico como un viejo cascarrabias. ¡Qué diferencia entre el riachuelo del verano y el altanero torrente del invierno! Ahora se encuentra en esta etapa de desenfrenos y para pasarlo, los Jocotán han tenido que cortar un pino grueso y hacerlo caer transversal para que sirva de puente. Y es que necesitan bajar a La Hacienda para arreglar el problema de las tierras y de su arrendamiento.

Don Amindo es un hombre raro. Los dos serranos están perplejos ante los procedimientos contradictorios del mayordomo. El día que pasaron por la tienda a su regreso de Tegucigalpa y de la guerra, les había ofrecido entregar las tierras necesarias para cultivar el maíz de postreras y los frijoles. Varias veces después que hablaron de ello, se lo ratificó de manera concreta, pues era voluntad del General Pedrozo. Y ahora que vienen por ellas, ¿qué es lo que dice don Amindo con esa su palabra de hipócrita?

—Yo lo siento, muchachos, pero el General me ha escrito dando contraorden. Me dice que ocupe todas las tierras para hacer ampliaciones de los trabajos. Así que, por ahora, tendrán que volver a sembrar en el Cerro de Las Lajas.

—Pero don Amindo, ¿ya olvidó el fracaso de los otros años? Nunca hemos podido hacer que el cerro para más que *cipiados*. Es gastar pólvora en *zope*. Vaya a ver como está ahora el cerro: por todos lados hay revenideros debido a las lluvias.

—Además, —interviene Ezequiel con suavidad— mi compadre nos ofreció esas tierras en arrendamiento sin que nosotros se lo pidiéramos. Fue su mera voluntad y dio su palabra hasta por escrito, en carta.

—¡Acabemos de una vez! —dice don Amindo incomodado y colérico— ¡Don Crisóstomo manda en su ministerio, pero yo, Amindo Carranza, mando aquí en Las Marías!—. Y con una entonación burlesca: — A lo mejor como han andado en la guerra piensan que tienen derecho a darme órdenes. ¡Cho, *zopencos*, aprendan a respetar!

—Modere esa lengua, don Amindo —le pide Floriano ya con el rencor en los puños.— Sepa usted tratar a las personas que en nada le han ofendido.

—¿Vaya pues, con que esas tenemos? ¿Con que ya son personas los muy brutos? ¡Lo que deberían hacer, es pagar a la trucha las deudas! ¡Morosos! ¡Muertos-de-hambre! ¡Pero ya verán lo que les pasará! ¡Ni las tierras del Cerro de Las Lajas les voy a dar, para ver a dónde van a ir a quitarse el hambre! ¡Vamos, vamos, fuera de aquí!

Ezequiel calla. No es la primera vez que el administrador carga sus cóleras contra él en esa misma trucha y siempre por lo mismo: las tierras, las deudas. Floriano ha escuchado y está como con fiebre de cuarenta grados. Tiene el machete en la diestra, el mismo machete de los desmontes y de los ataques *a degüello* en la vorágine de la guerra; el mismo machete que le regaló su padre, sacándolo a crédito allí mismo. Floriano está con el carácter agrio y el corazón amargado. Un odio exaltado le enreda la razón y antes de que su padre pueda evitarlo, detrás de la última palabra de don Amindo, da un salto hacia él y por sobre el mostrador le lanza un tremendo machetazo que golpea de plano la cabeza calva del administrador.

—¡Tomá, desgraciado! ¡Tragate tus palabras!

—¡Jesús, hijo! ¿Qué has hecho? ¡Dios santo: ya lo mataste!

—¡La mala hierba no muere, papa! ¡Le cayó por lo ancho!

Don Amindo, con los ojos extraviados y sin lanzar un ay se desploma al piso como un fardo de café. Un muchacho lechero que ha visto la escena, queda como petrificado y deja caer de sus manos el balde lleno de leche que traía a la casa, derramándose todo su contenido.

—¡Han matado a don Amindo!

—Vamos, papa. ¡Que estos cabrones se harten las tierras! ¡Ya vendrá el día en que la pagarán!

—¡Vamos, hijo! ¡Ay, qué lío, por el amor de Dios! ¡Floriano, hijo, embrídate ese carácter, mira hasta dónde nos ha llevado!

Dejaron La Hacienda retornando apresurados al Cerro de Las Lajas. Ese mismo día, con sus maletas al hombro y caminando por deshechos, huyeron de aquella tierra ingrata, propiedad de su compadre y padrino Crisóstomo Pedrozo. Huyeron, temiendo las represalias del administrador, pero de haberse quedado un poco se hubieran enterado que el golpe en plano del machete de Floriano había ablandado a don Amindo de tal manera, que no sólo buenas tierras les hubiera arrendado a ellos, sino que también a muchos otros que las solicitaban. El castigo le causó tal pánico que esa noche los mandó llamar para que hicieran las paces, pero ya los Jocotán habían dejado el peñascoso cerro del hambre, para siempre.

Machetes campeños

Tercera Parte

1

Viento norte, filoso como un machete *chapiador* en manos de un peón *campeño*. Viento y lluvia chubasquina, sin más descanso que al mediodía cuando el sol pasa por el meridiano y los almuerceros llevan las viandas con el *gallo pinto* para los trabajadores que están en el corazón gualda de las plantaciones bananeras. Es apenas un corto respiro para luego volver el sol a esconderse en el *petate* plúmbeo de nubes grises y continuar el chis-chis de la lluvia sobre las anchas hojas, sobre la tierra cenagosa, pero fértil, sobre los hombres ateridos. Y ya no pasará hasta el día siguiente, otra vez al mediodía. Es el invierno del trópico en las tierras bajas e insalubres de la Costa Norte hondureña. Hay *suampales* por las carreteras donde cruzan las mulas de la compañía seguidas de los muleros que parecen seres estrafalarios por sus vestimentas, manchadas de savia de banano y de lodo, cargando los grandes racimos del fruto que los trenes llevarán a los puertos para ser enviados al mercado de los Estados Unidos y Europa.

Los zancudos proliferan en los *criques* donde hay un continuo croar de ranas y sapos, felices por el chubasco hasta cuando no caen en las mandíbulas voraces e inexorables de las *masacuatas* que vigilan desde las orillas enzacatadas o escondidas en las balseras de tallos podridos.

En la Finca 17, distrito de El Progreso, los *chapiadores* campeños se agachan con los machetes en la diestra, limpiando de malezas las robustas plantas de bananos que se levantan con una pujanza tropical. Es una cuadrilla de peones, mojados hasta los huesos. Un capitán, jinete en alta mula, con capote impermeable y sombrero de casco, llega a supervisar el trabajo. Cada *chapiador* tiene fijada su tarea del día y ha de sacarla aunque sea bajo las sombras nocturnas para poder ganar el dólar que paga la compañía por la tarea de *chapia*. El contratista intermediario vigila para que el trabajo sea eficiente. Los machetes cantan su antigua canción: chis-chas, chis-chas y cuando chocan en algún guijarro sacando chispas, el hombre lanza una interjección sintiendo la amelladura de su instrumento como si fuera una herida en sus propias manos. Interrumpe su labor, saca la lima y alisa la amelladura para luego continuar su labor, inclinado sobre la tierra. Los corteros lanzan sus machetazos expertos en los gruesos tallos de los bananos y las plantas se doblan como gimiendo, inclinando el racimo frondoso que antes de tocar el suelo va a posarse en el hombro ya calloso de los peones cargadores. Esos machetes y esos hombres quedan manchados con la savia de la musácea que, en esa finca, es de los tipos *Gros Mitchel* y *Gavandich*.

Bajo la lluvia se oye a lo lejos el rumor de una bomba de irrigación de *veneno*, presionando con su fuerza la distribución del caldo bordelés por las cañerías de la extensa plantación, mientras los regadores, sucios de un verde-perico, alzan mangueras y *escopetas* combatiendo la temible sigatoka, enfermedad del banano. Parecen facinerosos con sus ropas y los sombreros manchados de *veneno* y de savia; una tos permanente se ha hecho dictadora en los bronquios de los hombres, cuyos rostros han perdido su color.

La cuadrilla *chapiadora*, al caer la noche deja el trabajo y se dirige al campo de residencia, limpiando sus instrumentos que relucen por el agua y su contacto con las yerbas. Se oyen voces altas y gritos. Los peones se llaman entre sí; hablan de sus cosas sencillas y cotidianas y cuando abren la boca, despiden blanquecino vapor como de locomotora. Hace frío. A veces se colocan anchas hojas de banano sobre la cabeza como paraguas; abajo los charcos ya con verdosa lama se vuelven atascaderos.

El campo bananero está sombrío. Hay dos filas de barracones

de madera frente a la línea férrea; los polines en que se asientan son altos y bajo las casas hay construidos *cuzules*. Pero como los trabajadores son numerosos, no caben en esos barracones y *cuzules*, han tenido que levantar *champas* de *manaca*, ranchos cónicos color de malaria, en los que ya no se puede dormir en el suelo como antes, porque el agua de las lluvias lo mantiene empapado. En las cocinas las mujeres *campeñas*, ahítas de paludismo, confeccionan los alimentos pobres, desvitaminizados, sin variedad para sus hombres que, ateridos, regresan de las plantaciones. Los niños de abdómenes abultados, cargados de parásitos intestinales y chorreados de la diarrea, están mustios esperando, con ojos deslucidos por el hambre crónica, los bananos sancochados y el puño de frijoles, sin la ilusión de la leche porque ésta es exótica y nunca pasa por las *champas* de *manaca* ni barracones.

—¡Chubasco desgraciado! —protesta un hombre bajo, indio, de boca grande en un rostro cuadrado, manos duras de *chapiador*, al entrar a una de las *champas*.

—Acércate a la cocina, Geño, ven a calentarte un poco.

El hombre pasa a la cocinita de *manaca*; se quita la camisa y la retuerce para sacarle el agua. Su piel es cobriza y se pueden contar sus costillas objetivamente. Se quita los zapatos enlodados y los acerca al fogón campesino. Allí en la cocina hay varias mujeres: Rafaela, ya de edad avanzada, madre de las otras dos que laboran junto al fuego.

—¿Y los otros hombres? —pregunta la madre acercándosele.

—Allí vienen ya, niña Rafa. Yo me adelanté un tantito para secar la ropa porque no tengo otra para cambiarme. ¿Vino hoy el compa Moncho de El Progreso?

—No vino. El que llegó de La Lima es el Coronel Obricida. Creo que todavía no se ha ido porque en el comisariato estaban bebiendo cerveza. Allá se ve el motocarro en que anda, en el *suiche*.

—Anda también otra escolta con ametralladoras —agrega Consuelo, la hija mayor que es alta y muy delgada y lleva chancletas viejas— pero esa vino en el tren desde el puerto.

—Malo —comenta el hombre.— Esas escoltas cuando vienen sólo es a joder gente que trabaja.

Se oyen las voces de otros hombres y en grupo saltan adentro de la *champa* quitándose los sombreros, limpiándose los zapatos broncos, tratando de secarse la ropa empapada. Son tres *chapiadores*. Ezequiel Jocotán, su hijo Floriano y un hombre alto y fuerte, moreno, que tiene en un brazo un tatuaje de líneas azules representando una gaviota en vuelo sobre el mar.

—Ven a secarte, Pachán —llama Geño, y el hombre alto pasa a la cocina, mientras los Jocotán suben por la escala de un solo madero al tabanco a cambiarse las ropas mojadas: pantalones y camisa pues no usan ropa interior.

Cuando bajan vienen descalzos, restregándose las manos para entrar en calor. Padre e hijo han cambiado mucho. Ezequiel está avejentado, se ven canas en el pelo gris de zorrillo y sus rasgos faciales angulosos, por las líneas que forman los huesos con las arrugas. Le falta un par de dientes. Ha adelgazado bastante y tiene cierto color oscuro-amarillento por el paludismo crónico. En cambio Floriano, hombre macizo, se ve fuerte ya que está en plena juventud, veintiséis años cumplidos, aunque también padece de malaria como todos los *campeños*. Su juventud y resistencia física ha frenado un poco la enfermedad pues sólo con la quinina que da la Compañía a sus trabajadores, no es posible contrarrestar el paludismo endémico. Ahora Floriano usa bigote, grueso, negro, con dos puntas agresivas que acentúan su expresión de hombría. Diez años en la Costa Norte entre el proletariado agrícola del banano les han cambiado, especialmente a Floriano que ha nutrido su juventud con la experiencia campeña.

—Si pudiéramos conseguir al fin de *veneneros* —dice Floriano con voz fuerte a su padre—, nos darían donde vivir en los barracones. A los *veneneros* la Compañía les da cuarto, aunque en montón.

—Ahora es difícil, hijo. Se necesita tener mucha suerte.

—Suerte no, es asunto de caerle bien al capitán de *veneno*.

—Es lo mismo: caerle bien a un capitán, es más que tener suerte.

Al bajar del tabanco van a la cocina, saludando a las mujeres con afecto. Floriano se aproxima a la hija menor de Rafa.

—¿Qué tal, Pastora? ¿Le repitió la fiebre hoy?

—Estoy mejorcita. Muchas gracias. Hoy no me dio calentura, sin duda por la medicina que me trajiste. —Y viéndole con extraordinario cariño:— ¡Caramba, cómo vienen de empapados del trabajo! ¡Tanta mojazón les va hacer daño, cuídate del dolor de costado!

—A mí todavía no me entra polilla —contesta jactancioso.

Pastora está joven, de regular estatura, ni gorda ni delgada, trigueña con ojos negros y dulces, parecidos a los de la madre. Usa la cabellera encrespada corta a la altura de los hombros. Sólo lleva zapatos bajos sin medias, zapatos baratos de tela y hule. En una mano blanquea un anillo de plata muy antiguo. Pastora está soltera. Su hermana Consuelo es la concubina de Pachán Roca, el hombre del tatuaje marinero. Rafaela Castro es originaria de Ocotepeque. Vino a la Costa con su marido muchos años antes, cuando las hijas estaban muy chicas. Tuvo también dos varones gemelos, pero murieron pequeños precisamente tres meses después de que su marido fuera asesinado en Cabeza de Vaca en un día de pago. Se trasladaron a Puerto Cortés donde, años más tarde, su hija mayor se juntó con Pachán Roca, que entonces trabajaba como estibador en el muelle. Un día le dieron *el tiempo* a Pachán y tuvo que meterse a las plantaciones bananeras llevando a su familia. De esto hacía unos cuatro años y ahora estaban pasando del trabajo de la *chapia* y *deshije*, del *comaleo* y *carrileo* en las plantaciones. Consuelo le había dado dos hijos a Pachán, pero ambos no habían llegado al sexto día de nacidos. Algunos decían que era defecto de la madre.

Eugenio Plata, mero indio graciano, se había hecho amigo de los Jocotán en el trabajo y llegaron a estrechar tanto sus relaciones que ahora todos vivían juntos en la misma *champa*. Consuelo, ayudada por su madre y hermana, hacía la comida para todos, pagando los hombres una cuota de setenticinco centavos diarios; era más favorable, pues en las demás cocinas del campo cobraban un lempira. Todos se entendían muy bien en esa *champa* donde, regularmente en las noches se reunían muchos *campeños* a conversar de sus problemas y a tocar guitarra. Esto ya había ocasionado más de una vez el chisme de algún capitán llevado a las autoridades, pero afortunadamente, sin mayores consecuencias. Eran tiempos muy duros y el gobierno, que ahora estaba en manos del General Crisóstomo Pedrozo, hecho una dictadura feroz, reprimía violenta y sangrientamente las inquietudes reivindicativas de los trabajadores, sirviendo los intereses de las empresas bananeras y de los grandes terratenientes.

Pachán Roca, ex-marinero, ex-muellero, sabía muchas cosas porque no era analfabeta y había viajado bastante y conocido otros países del mundo, otras sociedades más adelantadas, otros hombres. Ezequiel y Floriano aprendían mucho de Pachán. No era extraño entonces que los trabajadores agrícolas frecuentaran su *champa* con asiduidad.

2

La vida de los trabajadores bananeros llamados *campeños* es muy distinta a la vida de las haciendas del interior hondureño. En la Costa Norte las relaciones de producción son capitalistas; en el interior no han superado el semifeudalismo herencia de la colonia. Cuando el campesino siervo huye de los fundos o abandona su mínima e improductiva parcela y se traslada a la Costa Norte, se transforma en obrero agrícola en las plantaciones o en proletario, en los puertos. Acá son mucho más explotados, pero adquieren más conciencia de sí mismos, de sus derechos y de sus luchas reivindicativas. Y ese proceso se había operado en los Jocotán durante los años últimos. Eso sucedía a todos los que entraban a la *campeñería*. Los viejos *campeños* solían decir a los campesinos recién llegados de tierra adentro:

—Aquí hay que quitarse el monte de las orejas, porque si lo hallan dundo los capitanes, no se le desmontan de los lomos.

Lo decía en broma, pero era una verdad evidente. Los montunos muy pronto aprendían las costumbres de la Costa, tiraban el monte de las orejas y se amoldaban al ritmo del proletariado bajo el puño de las compañías extranjeras. El trabajador que no despertaba ante la vida *campeña*, ya no despertaría nunca: había nacido cadáver, al menos, eso afirmaba Pachán.

Floriano, mejor que su padre, asimiló el nuevo ritmo de vida y de trabajo. Su encuentro con Pachán Roca le fue muy provechoso. Coincidían en el carácter formal, serio, viril, amigable y condescendiente. Las relaciones de ambos comenzaron en el *carrileo*, sacando tareas a fuerza de machete. Después contribuyó a estrecharlas más la presencia de Pastora, cuñada de Pachán.

Hasta entonces Floriano, ningún amor serio había tenido en su existencia, de no ser la ilusión adolescente de Isabel Carranza, la hija del administrador de La Hacienda de su padrino, y a quien nunca más había vuelo a ver. Todo aquello de antes de la guerra y la guerra misma, parecía ahora muy lejano. Sus andanzas por la Costa Norte lo colocaron en nuevas realidades con otras perspectivas, pero cuando conoció a Pastora Castro, cuando le nació esa gran pasión, Floriano centró todos sus esfuerzos en la obtención del amor de la muchacha. Al principio Pastora le huía, lo esquivaba como con vergüenza; luego fue cediendo en su hurañez, entrando en confianza, conociéndole con intimidad hasta sentirse también tocada en el corazón, correspondiéndole con sinceridad y calor.

Rafaela, Consuelo y Pachán no vieron con antipatía aquellas relaciones amorosas debido a las cualidades que encontraban en Floriano, hombre trabajador, sin vicios, capaz de hacer feliz a una mujer trabajadora. Una vez Pastora le pidió a Floriano que le escribiera una carta de amor. Ella entonces ignoraba que él era analfabeto. Evadió con vergüenza una contestación concreta, sintiendo profundamente la desgracia de su ignorancia. Confesar que era un bruto desconocedor de las letras le resultó no sólo penoso, sino que humillante. Desde ese día consiguió que Pachán, ocultamente de las gentes, le fuera enseñando el alfabeto. Y aunque vivían en la misma *champa* con su novia, ella en la sala con su familia, él en el tabanco con su padre y Geño Plata, nadie descubrió su secreto. Un día, cuando Pastora le entregó el desayuno envuelto en hojas para que lo llevara a la plantación como solían hacer todos, él le entregó, no sin emoción, su primera carta. Pastora pudo descifrar su contenido a veces adivinando lo que en partes quiso escribir, y se sintió feliz; estaba en la edad de las grandes pasiones.

El amor les ató con fuerza *campeña*. Pero, debido a la presión de la madre, la vida en concubinato, que era tan frecuente en el campo, quedaba eliminada: debían contraer matrimonio legalmente. Floriano consultó con su padre y éste estuvo de acuerdo con Rafaela. Como consecuencia fijaron la fecha de la boda que sería en diciembre, para la Navidad, fecha que ahora sólo distaba un par de semanas. Irían a El Progreso a formalizar la unión en el municipio y retornarían a la finca a residir en la misma *champa* con la demás familia. Ya habían comprado un catre de lona y algunas prendas de vestir. Para esto habían necesitado varios meses de trabajo intenso.

En ese atardecer estaban en la cocina al calor agradable del fogón cuando llegó, bajo la lluvia, otro *campeño* muy empapado, pero con cara de hombre feliz. Desde que apareció fue expresándose en alta voz y de muy buen humor, saludando a todos con entera confianza.

—¿Y en qué viniste, Moncho? —preguntó Geño al recién llegado.

—En un tren balastrero, compa Geño. Me dejó el tren de pasajeros por estar de boca-abierta en El Progreso.

—¿No sería que te emparrandaste? —preguntó Consuelo con malicia.

—Desgraciadamente no —contestó riendo con picardía Moncho mientras colocaba sus manos al calor y al humo de la hornilla.— Anoche sí, nos metimos unos cuantos traguitos con otros compas, pero luego me reconcentré. No de buena gana, por cierto, pero allá las cosas están muy feas y no se puede andar de noche.

—Ese Comandante de El Progreso es bien perro con nosotros los *campeños*. No nos puede ver. —Comentó Plata.

—Pues ese Comandante es una mansa paloma de castilla —señaló Moncho dirigiéndose a todos— en comparación con el nuevo jefe expedicionario que recorre la Costa. Lo han mandado de la capital y ése no se anda con pamplinas de multas; sólo dice *fusilico*. Cuentan de él todo un rosario de barbaridades.

—¿No será ese mismo que vino hoy con un escoltón? —preguntó Pastora, agregando luego:— Anduvieron por los barracones y después se fueron a las oficinas del Mandador gringo.

—Y después —intervino Consuelo sirviendo la cena en una mesa de tablas de cedro y pino— con el Comandante de La Lima, que también vino en motocarro, se fueron al comisariato a beber cerveza. Yo creo que allí están todavía emborrachándose.

—¿Son unos con camisas negras? —preguntó Moncho con mirada relampagueante y vivaracha.

—¡Esos mismos! —afirmaron las mujeres y Pastora describió:— Llevan pantalones caqui, polainas de montar, camisas negras y un pañuelo blanco en el cuello con una cruz y una calavera pintadas. ¡Huy, dan miedo sólo de verlos! Yo los miré cuando pasaron para el comisariato. Todos andan con ametralladoras y buenos sombreros. Parecen esos bandidos que aparecen en el cine gringo.

—¡Esos son! ¡Ni me acuerdo ya como es el nombre del Coronel que los jefea, pero es un hombrazo, tamaña pipa! —Y Moncho estiró el brazo hacia arriba riendo de nuevo con su sarcasmo habitual.

Hablaron sobre las escoltas y comandantes que conocían, de los crímenes que cometían impunemente en los campamentos y plantaciones, de la situación del país bajo esa dictadura nefasta y truculenta. Ezequiel y Floriano daban su aprobación a los comentarios, pero sin calor, con ciertas reservas. Eso se debía a que ambos habían sido partidarios del gobierno e, inclusive, participantes activos en la guerra que diera el Poder a esa oligarquía. Crisóstomo Pedrozo, después de varios años de Ministro de Guerra, había llegado a ser presidente de la República y era él, precisamente, el que impusiera la tiranía. Verdad era todo lo que decían los campeños en sus duros comentarios, pero, al fin y al cabo, los Jocotán se sentían responsables hasta cierto punto por haber apoyado a su patrón. Les daba vergüenza decir que habían sido soldados del General Pedrozo, aunque hacía mucho que dejaran de considerarse sus partidarios.

Sucedía que en todos los campos bananeros de nada servía ser parcial del gobierno; de todas maneras, siendo trabajador, recibía la explotación inicua de la empresa capitalista, de los comandantes que les agobiaban con impuestos, multas, prisiones y golpes, y si intentaba protestar bastaba considerarle enemigo del régimen para su eliminación física. A los Jocotán les constaba cómo los soldados sacaban a *campeños* de los barracones por las noches y se los llevaban a fusilar en las plantaciones, los tiraban al río Ulúa, los enterraban en los *criques* cenagosos. Para justificar esos crímenes las autoridades decían que eran elementos subversivos, *colorados*, antigobiernistas o comunistas. Conociendo todo eso, los Jocotán ya no eran partidarios del General Pedrozo y, como la mayoría de los *campeños*, estaban en la oposición. Pero recordando su pasado, sentían vergüenza y estaban arrepentidos de haber participado en aquella guerra civil que tan funestas consecuencias seguía aportando a todo el pueblo.

Los hombres comieron en platos de latón y bebieron café caliente que muy bien caía después de pasar un día *chapiando* bajo la lluvia. En las otras *champas* vecinas hacían lo mismo a esa hora y se escuchaban las voces de las gentes. Desde la humosa cocina se miraban los barracones y *cuzules*, los comedores, donde el proletariado se hacinaba en las noches. De los bananales llegaba el molesto canto de las ranas y muy suavemente se percibía el eco de las canciones de la vitrola en el confortable departamento del capitán Fajardo, único que en el campo poseía un aparato de ese tipo.

—Según dicen, contaba Moncho con su palabra alta y alegrona, tomando a pequeños sorbos la taza de café que le obsequiara Consuelo— los jefes de la Compañía le han dicho al gobierno que van a levantar los ferrocarriles y dejar las plantaciones para irse del país. Dicen los gringos que están perdiendo muchos dólares, por millonadas, y que el banano ya no es negocio.

—Esa es la vieja canción de los gringos —señaló Pachán atragantándose; luego de toser un poco, prosiguió:— A nadie pueden engañar con sus lamentaciones hipócritas. El asunto es otro.

—Ajá, —intervino Rafaela— ¿y si de verdad la Compañía pierde..?

—¡Qué va a perder la Compañía, mi vieja! Las ganancias que obtiene en este país no las saca de ningún otro tan fácilmente. Aquí se les regala todo para que obtengan enormes beneficios. No pagan impuestos y los salarios que nos dan son de hambre, de limosna. Lo que en principio invirtieron de capital, ha sido ya recobrado en centenares de veces. ¡Cuántos millones se llevan anualmente! ¡Estarían locos si levantaran el vuelo!

—¿Entonces, por qué dicen que se van? —preguntó Ezequiel.

—Muy sencillo, don Quiel, muy sencillo —continuó Pachán levantándose de la mesa.— Es que quieren que el gobierno les dé algo más de la nación. Más concesiones, más privilegios. La Compañía amenaza con irse del país porque está perdiendo y con eso el gobierno cede a todo lo que le piden, haciendo creer al pueblo que para su bien, entrega esto, entrega aquello, a los gringos. Dicen: «si se va la Compañía el país se hunde, el país queda en ruinas.» ¡Y eso es mentira! ¡La verdad es, —afirma con calor el *chapiador* ex-muellero— que Honduras está arruinada y el pueblo en la miseria, por causa de la explotación, del saqueo que hacen las Compañías!

—¡Ey, baja la voz, Pachán! —recomiéndale su mujer mirando hacia afuera con intranquilidad.— ¡Qué no te oigan decir eso porque te hacen desaparecer los soldados!

—Eso es cierto —murmura silbante Moncho, recordando casos que él ha conocido.— Pero también es cierto que ya es tiempo de decir la verdad en voz alta, cueste lo que cueste.

—En eso estamos de acuerdo, compa Moncho —secundó Floriano.— Hay que decir la verdad. Ya han pasado muchos años y el pueblo ha callado y aguantado hasta lo increíble. Yo pienso como Pachán cuando dice que la vida debe arriesgarse por la causa de los *campeños* y de todos los trabajadores. No en una guerra para llevar al gobierno al partido caído, sino en una lucha organizada. Yo nunca he estado en un sindicato ni en una huelga, pero el día que haya, estaré firme.

—Bueno —intercedió Ezequiel,— yo les oigo hablar mucho de ese asunto de huelga, pero para ser franco diré, que yo no entiendo. Allá en La Hacienda donde me crié y viví tantos años, nunca se habló de huelgas ni protestas contra mi compadre, y yo me pongo a pensar cuando oigo a Pachán, ¿qué efecto puede tener la tal huelga cuando somos humildes y contra nosotros están todos los poderosos: la Compañía, el gobierno, las escoltas, los capitanes, en fin..?

Hombres y mujeres escuchaban; éstas hacían el lavado de platos, el arreglo de la cocina y alistaban los frijoles para el día siguiente. Antes de que Pachán hablara, Moncho dijo:

—No, don Quiel, la huelga de trabajadores es más fuerte que todos esos, pero si estamos unidos y organizados; sin esto, perdemos y nos joden. Ya lo hemos probado en diferentes ocasiones. Por eso, lo primero es como dice Pachán: organizarse.

—Una huelga es como revolución sin tiros —explicó Geño.— Yo estaba en Tela cuando los trabajadores se fueron a una huelga por aumento de salarios. Los dirigía Manuel Cálix Herrera. ¡Ese compañero sí tenía *coyoles* y bien abiertas las entendederas! ¡Se le paraba a los gringos en nombre de todos los trabajadores, y de igual a igual!

—Entonces yo no estaba en el país —dijo Pachán recordando— pero conocí a Manuel. Claro: Manuel era un comunista, y los comunistas son así: decididos y firmes hasta la muerte.

—Pero yo, —continuó Ezequiel siguiendo su pensamiento y sus dudas— en verdad, no veo cómo los pobres, que nada tenemos, podríamos ganarle a los ricos y poderosos sin tener más que machetes.

—Mire, compa Quiel: ¿quiénes son los que hacen todos los trabajos en las fincas? Nosotros. ¿Quiénes mueven los trenes? Nosotros. ¿Quiénes embarcan el banano? Nosotros. Si todos, unidos como dice Moncho, paramos los trabajos, ¿cómo podrá la Compañía sacar el banano y hacer sus grandes negocios? Si nos paramos una semana, pierden millares de lempiras. Entonces, por no perder, tienen forzosamente que atender a lo que demandemos. Una huelga, compa Quiel, es el arma más poderosa de los trabajadores, créalo porque así es.

—De verdad que le voy encontrando juicio a las palabras de Pachán.

—Lo importante —continuó Pachán punzándole el pecho con el índice a Ezequiel— es estar unidos, organizados. Unidos somos una fuerza que nadie puede detener. ¿Usted ha visto cuando los rieleros cambian rieles en la línea? ¡Claro que ha visto! Un riel pesa una barbaridad, un solo hombre ni siquiera lo levanta de un extremo, ni dos. ¿Y qué hacen para llevarlos de un lado a otro? Se junta toda la cuadrilla y entre todos levantan el riel como una plumita. Pues, eso se llama unidad.

—¡Claro, claro, Pachán! —Ezequiel sonreía contento porque comprendía gráficamente el pensamiento de los *campeños*—. Ahora, quiero que me digan una cosa: ¿se podría hacer una huelga, digamos, por ejemplo, un suponer digo yo, en La Hacienda de mi compadre donde hay tanto mozo y hay tantos líos para conseguir una tierrita arrendada?

El planteamiento de Ezequiel llama la atención de todos y se ve que la contestación sólo la esperan de Pachán. Este no se hace esperar y explica:

—A mi entender, sí se puede hacer una huelga. Lo fundamental es que haya unidad en los mozos. ¡Y la ganarían! Pero quiero decir otra cosa: los problemas del campesino en el interior son distintos a los nuestros. Allá el problema principal no es que le aumenten salarios, porque a veces ni los hay en efectivo, sino que en especie, no es por mejores condiciones de trabajo ni por reducción de horas. Allá el asunto es la tierra. La demanda vital del campesino es tener tierra para trabajarla y sacarle el sustento y prosperar.

—¡Ecualecuá! —exclamó jubiloso Ezequiel con su antiguo anhelo de campesino despierto y accionando inquieto— ¡Cómo conoce Pachán las cosas de allá! ¿Ves, Floriano, que Pachán entiende bien lo nuestro?

Todos rieron ante el regocijo demostrado por el viejo Ezequiel y el ex-marinero continuó con la palabra:

—Entonces el problema es otro y otra la solución. El campesino, claro que tiene que unirse también como nosotros, que organizar sus fuerzas en sindicatos o uniones de campesinos pobres, pero su demanda y su lucha tiene que ser por una reforma agraria, de manera que las tierras de los latifundistas, las tierras de los grandes terratenientes sean expropiadas y luego repartidas entre los campesinos que no tienen o que tienen muy poca tierra. Ese es el asunto dicho de una sola vez, compa Quiel.

—¡Muy bien, Pachán, me has alegrado! Tus ideas son buenas. Tú debieras estar en el gobierno y no esos carajos que nos sangran como sanguijuelas. Y yo digo que el día que los campesinos vean estas cosas, nadie nos parará, ni por las buenas ni por las malas.

Floriano, callado, no apartaba sus ojos de Pastora, pero su oído estaba prendido de la conversación de Pachán con su padre. El era ya un obrero agrícola, se había proletarizado desde hacía diez años, pero no había muerto la antigua pasión campesina por la tierra. Recordaba la vida miserable de los montunos en La Hacienda de su padrino y en todas las haciendas del interior que conoció; su propia vida en el Cerro de Las Lajas, supeditada siempre a la voluntad y al poder del padrino y de don Amindo Carranza, las deudas que nunca terminaban de pagarse, los tantos días de trabajo duro para La Hacienda. Todo aquello de su infancia y adolescencia venía ahora mientras veía los ojos dulces de Pastora que, a cada momento, lo acariciaban con su mirar enamorado y mientras escuchaba las palabras de los *campeños*.

—No, que aquí habrá una revolución de los trabajadores, eso nadie debe dudarlo; cuándo sucederá, es lo que ahora todavía no podemos vaticinar. Pero sucederá, compa Quiel, sucederá tarde o temprano.

—¡Cuánto diera yo por ver ese día! —suspiró Ezequiel con pesimismo, viendo a lo lejos por los barracones.

—¡Lo verá! —dijo la palabra seca y tajante de Pachán.

El hombre del tatuaje marino sabía muchas cosas, más que los demás compañeros, por eso lo buscaban los *campeños* y escuchaban su palabra optimista.

En Finca 17 la noche comenzaba con la sinfonía palúdica de las nubes de zancudos. Con la lluvia, las gentes se tiraban temprano a sus dormitorios, fueran cama, catre o piso, y el campo aparecía solitario y sombrío como el destino de los hombres *campeños*.

3

Floriano en compañía de Geño y Moncho salieron de la *champa* y se dirigieron a los barracones bajo una llovizna. Los dos primeros iban descalzos porque sus zapatos estaban secándose junto a la hornilla de Rafaela Castro. Iban en busca del capitán de *veneno* para ver sí, al fin, habría oportunidad de trabajar en el riego del caldo bordelés contra la sigatoka. La tierra estaba convertida en lodazal y el frío se intensificaba con un viento-abajo inesperado. Geño hizo notar que pronto terminaría el chubasco porque cuando soplaba ese viento era señal de buen tiempo avecinándose.

—¡No trabe, compa Floriano! —dijo un hombre desde un barracón.— ¡No se moje por gusto; no ande toreando las neumonías!

—¿Usté cree que es antojo? ¡Bah! Nadie por gusto se tira a estos pegaderos. Voy a ver al Capy Fajardo a ver si hay *chance* de entrar de *perico*.

Es difícil, compa, cuestión de suerte. ¿Ya vio a los camisas negras que andan por allí?

—No. Sólo me han contado...

—Así es, y llevan insignias de cruz y calavera.

—¡Dios nos guarde, compa!

Siguieron hacia los barracones del otro lado de la línea férrea. Allá al final subieron la última escalera que era de la residencia del Capy Fajardo y de donde salían notas musicales, difundidas por una vitrola. El capitán vestía de caqui y estaba descansando en un columpio en una especie de sala formada en el corredor y con tela metálica contra la plaga. Los capataces eran los amos de las plantaciones, los lugartenientes de los mandadores gringos. Les pagaban altos salarios y tenían autoridad sobre todos los trabajadores de sus dependencias. Iba Moncho a empujar la puertecita, pero la voz del capitán le detuvo:

—¡No, no! ¡No pasen de la puerta! ¡Vienen con las patas enlodadas! ¿Qué desean?

Los tres hombres se quedaron en la escalera de hierro, recibiendo la caricia de la tenue lluvia.

—Como el otro día le pedimos engancharnos en el riego y usted ofreció hacerlo más tarde, pues, venimos a ver si hay oportunidad. Dicen que están aumentando las cuadrillas de *veneneros*.

—¿Y no están trabajando en la *chapia*?

—Es verdad, Capy —contestó Floriano— pero usted sabe que por más que nos matamos, apenas sacamos para los frijoles.

—Además —agregó el indio Plata— sólo habrá trabajo para unos cuantos días más.

—Pues hombres, todavía no hay *chance* para ustedes. Tal vez más adelante. Voy a aumentar las cuadrillas porque con este invierno tan cerrado y sin poder regar bien el *veneno* la sigatoka se está comiendo la finca. Más adelante...

—Mala suerte la nuestra. Buenas noches, Capy.

Bajaron la escalera con desaliento llevando los brazos cruzados o las manos en los bolsillos. Los zancudos zumbaban detrás de los hombres como una sombra de ellos. Moncho, cuyo espíritu bromista no le abandonaba, comentó sarcástico:

—Ese Capy Fajardo presume de aseado y hasta afuera del barracón se siente el olor a queso de sus patas. ¿Sintieron el perfume en la nariz?

—Sí; es famosa la tufarada de las patas del Capy. Dicen que por eso se le fue la mujer.

—¡Es que no se baña, hombres!

Se alejaron riendo. Iban a llegar al barracón donde dormía Moncho con el objeto de oírle tocar su guitarra, cuando inesperadamente detrás de ellos se oyó un tropel y voces fuertes. Subieron rápido la escalera, pero las luces de varias lámparas eléctricas enfocadas a ellos les hicieron parar sorprendidos, dejándoles encandilados. Floriano iba a protestar, pero Geño le dijo por lo bajo:

—¡Cállese, mano, que es la escolta!

—¡Alto! ¡Manos arriba jodidos!

Los rodearon haciéndolos bajar de la escalera. Les apuntaban con las metralletas. Eran los temidos camisas negras, con rostros patibularios que despedían olor a licor. Parecía como si el jefe hubiera buscado a los hombres de rostros más fieros para integrar su escolta. Eran ellos: camisas negras, pañuelos blancos con calaveras pintadas, pistolas automáticas en los cinturones y los yataganes metidos en las polainas.

—¡Regístrenlos! —ordenó una voz seca— ¡Que se identifiquen! —y viendo que en las puertas del barracón asomaban gentes, les gritó:— ¡Abajo todos ustedes, mirones! ¡Yo soy la autoridad! ¡El que no baje se muere! ¡A ver, traigan una luz aquí abajo! ¡Quiero verles las caras!

Los *campeños* fueron bajando sin chistar. Una mujer trajo un candil y lo puso sobre una mesa donde comían los trabajadores. El jefe miró a todos los que iban bajando, luego a los tres primeros que daban sus nombres y señales.

—¿Cuántos procesos judiciales tienes tú? —le preguntó a Floriano punzándole el pecho con su cuchillo.

—Ninguno —contestó mirándole al rostro con curiosidad. Fue entonces que se fijó en sus facciones e inmediatamente lo reconoció: era aquel mismo Cirilo Cirilón, caporal de La Hacienda de su padrino, contrabandista apodado *El Chulo* en la zona fronteriza, teniendo a su hermano Esmeregildo como lugarteniente. El mismo que vendiera armas a Pedrozo en la época lejana de aquella guerra y cuyos secuaces mataran al Coronel Picapiedra.

—¡Jumm! —refunfuñó el jefe de la escolta mirándole con interés.— Esa cara no me es muy desconocida. Yo creo que tú eres un criminal. ¿No estuviste en la Penitenciaría por machetear a una mujer después de cogértela?

—Nunca he estado preso. ¡Nunca he matado ni violado! ¡Soy pobre, pero honrado!

—Todos los pícaros dicen lo mismo. ¡Amarren a éste! ¡Ya lo vamos hacer que diga la verdad!

Todos los *campeños* estaban callados y temerosos. Si esa escolta llevaba a Floriano, nadie podría salvarlo, sería hombre perdido. Se sabía que los camisas negras nunca liberaban a un prisionero, culpable o inocente era fusilado sin proceso, sin más juez que el capricho del jefe. Interceder por Floriano en ese momento era pedir que lo ataran junto a él. Groseramente lo habían amarrado y tirado al piso húmedo de un golpe.

—¡A ver si no anda otro bandido por aquí!

Floriano, tomado de sorpresa, al momento se sintió perplejo, luego ya en el suelo atado como cerdo, llamó:

—¡Don Cirilo, don Cirilo Cirilón..!

—¡Calla, irrespetuoso! —ordenó un soldado dándole un puntapié en las costillas— ¡El jefe no es un simple Don: es Coronel!

Cirilo se había retirado hacia los *cuzules* alumbrando con su lámpara a las gentes, teniendo a su lado a los soldados que parecían perros amaestrados para la garra. Cirilo había cambiado mucho, ya no era el hombre gallardo que cautivaba con su físico, estaba caído de los hombros, con prominente abdomen, arrugas en el rostro y los ojos enrojecidos.

Mientras Cirilo inspeccionaba por los *cuzules,* Moncho logró esquivarse en la sombra y corriendo fue a la *champa* de Pachán. Rápidamente informó lo sucedido. La noticia causó estupor en todos y Pastora, con temblor nervioso, comenzó a llorar.

—¡Lo van a matar, don Quiel! ¡Ay, Pachán, lo van a perder esta noche! ¡Hay que hacer algo, mama!

La muchacha, presa de pánico, parecía venada acorralada por una fiera. ¿Qué hacer? Era peligroso hasta interceder, pero Pachán se dispuso acompañar a Ezequiel y correr el riesgo. Floriano era un buen camarada, un leal amigo, no podían dejarlo en manos de esos bárbaros. Ezequiel ni siquiera se puso los zapatos. Quiso meterse el machete por dentro del pantalón pero Moncho le aconsejó que lo dejara.

—¡Mejor sin armas, don Quiel! ¡Yo sé por qué se lo digo!

—¿Pero qué le vio ese demonio a mi hijo para creerlo violador?

—¡Vaya usted a saber, don Quiel... así son los bárbaros! —dijo la madre agitada.

—Oiga, don Quiel —expresó Moncho recordando:— Se me hace que Floriano conocía ya a ese Coronel porque lo llamó por su nombre. Le dijo algo así como Chivolón o Chivilín.

—¿Pero qué conocido puede ser ese carajo..?

Ezequiel, Pachán y Moncho fueron a los barracones con presteza. Se oían rumores de voces en la oscuridad; los *campeños* se habían enterado de la presencia de los camisas negras y de largo observaban lo que sucedía en el primer barracón. Se iba repitiendo la voz de la captura de Floriano Jocotán y muchos iban a pasos largos buscando la plantación para evitar un tropiezo con los soldados.

Sentado en la mesa estaba Cirilo conversando con el Capitán de finca, amigablemente. Le rodeaban sus hombres prestos al disparo. A Floriano lo custodiaban con ametralladoras en mano y de cuando en cuando, al intentar hablar, le daban golpes. Ezequiel observó al hombre y a pesar de la poca luz del candil, reconoció sus facciones. Sí. Era aquel mismo Cirilo Cirilón apodado *El Chulo*. Se quiso abrir campo hasta él, pero dos lo encañonaron deteniéndole.

—¿Qué quieres, viejo pendejo!

—Quiero saludar al Coronel, somos viejos amigos.

—¡Regístrenlo! —ordenó una voz— ¡Y que pase a ver quién es!

Ezequiel avanzó hasta quedar frente al temible jefe. Su rostro estaba sereno, pero al ver que no desaparecía el gesto fiero en Cirilo, sintió temor. ¿Qué sucedería si no lo recordaba?

—¿Dónde me conociste para llamarme «viejo amigo»?

—¿Ya no me recuerda, don Cirilo? Claro estoy ya muy viejo, pero yo sí lo recuerdo. Don Cirilo Cirilón, buen amigo de mi compadre el General Pedrozo.

Genuina sorpresa surgió en Cirilo y desapareció un tanto su fiereza. Quizá el nombre del caudillo era suficiente para suavizar su prepotencia.

—Yo lo conocí a usted en La Hacienda, nosotros trabajamos bajo sus órdenes en la molienda de caña.

—Puede ser... sí, sí... tu cara me es conocida... estoy pensando pero no me acuerdo: ¿cómo te llamas?

—Ezequiel Jocotán —dijo el viejo lanzando su última esperanza.

Cirilo se dio una manotada en la frente, sonrió y exclamó:

—¡Seguro, hombre! ¡Ezequiel Jocotán, el tata de Merejo! ¡Caramba, viejo, por Dios que nunca te hubiera conocido! ¿Y qué haces aquí? Yo te hacía en el Cerro de Las Lajas o, a lo mejor, junto a Merejo. ¡Siéntate, hombre Quiel, ¡Vaya dónde nos volvemos a encontrar!

—Así es el mundo, don Cirilo. Los hombres rodamos como las piedras.

—¿A ver, desde cuándo no nos miramos? ¿Desde cuando la guerra?

Pachán y los demás amigos de Floriano respiraban con cierta esperanza. El cambio del jefe con la presencia de Ezequiel daba un giro nuevo a la situación: podían salvarlo. Hasta el Capitán Huete estaba sorprendido por lo que escuchaba. Ezequiel contestó la pregunta:

—Exacto, don Cirilo, desde cuando fuimos a traer las armas a la frontera con aquel Coronel Picapiedra. Hacen sus añitos.

—Es verdad —aceptó Cirilo recordando.— Y dime: ¿qué ha sido de tu otro hijo, aquel muchachote cojonudo que era una fiera con el machete en los desmontes y valiente en la revancha? ¿Cómo se llamaba..?

—Floriano Jocotán, don Cirilo y aquí está conmigo. Precisamente usted no me lo ha reconocido, sin duda, y me lo ha tratado mal. Yo le pido que, por favor, me lo suelte. Me ha salido muy honrado.

—¿Qué he tratado mal a tu hijo..? ¿Quieres decir que ese..?

Cirilo se rasco la cabeza como si le pesara. Sonriendo, ordenó que lo pusieran en libertad. Cuando Floriano se aproximó, Ezequiel se lo presentó:

—Este es mi hijo, don Cirilo.

—Acércate, hombre, quiero verte. —Lo quedó observando con mirada aguda.— Es cierto, tú eres el hermano de Merejo. ¡Estás libre, hombre! ¡Perdoná y dame tu mano! Mira que si no es que viene tu tata a tiempo te hubiera mandado a aventar espalda. ¡Llamate dichoso! —y dirigiéndose a sus soldados;—

Somos viejos amigos, Ezequiel y Floriano son de la hacienda de mi General Pedrozo, lucharon por la causa, a mí me consta. El otro hermano se llama Merejo, fue mi segundo muchos años, buen muchacho, cojonudo. Ahora es jefe expedicionario en Oriente. ¡Ah, si yo les contara aquella vida nuestra con Merejo..! ¡Las cosas que hicimos! ¡Y era un descalzo, así como éstos, pero yo, yo lo hice hombre!

La situación había cambiado radicalmente. El suceso fue motivo para que Cirilón se olvidara un poco de su misión represiva y de los desafueros y cayera en el campo de las reminiscencias, cosa que por lo visto le gustaba mucho para hacer alarde de su valentía, de su sin par hombría. Mandó traer aguardiente y bebió con los capitanes y hasta invitó a los Jocotán que, a pesar de ser abstemios, tomaron a su salud, pero él dijo:

—¡No, tomemos a la salud de Merejo Jocotán, mi amigo, mi hermano! —y después de beber, les contó de nuevo:— Merejo anda por el lado de Nicaragua como jefe expedicionario. El General lo quiere mucho, es su ahijado preferido y ha prosperado. Hombre listo: en Choluteca tiene ahora una buena hacienda.

—No lo sabíamos...

—¡Es que Merejo es hechura mía! ¡Y tú, Floriano, por papo andas aquí! Yo en tu lugar, después del triunfo de la guerra, no me hubiera apartado más del General y hoy, a lo mejor, quizá serías Ministro. Pero no, seguro que obedeciste a tu tata, y aquí estás metiendo el lomo como cualquier pendejo.

Floriano tenía deseos de contestarle como merecía, pero el buen juicio le ordenaba callar. Y tuvieron que permanecer escuchándole hasta después de la medianoche, cuando llegaron varios motocarros procedentes de La Lima para conducirlos. Quizá por primera vez los camisas negras de Cirilón partían de un campo sin llevar una persona para hacerla desaparecer. Cuando los Jocotán y sus compañeros regresaban a la *champa* encontraron a las mujeres que venían en su busca. Pastora todavía derramaba lágrimas.

4

—¿Compa Geño, cree usted que un hombre como el Coronel Cirilón pueda ser amigo de un penco como usted o yo..?

—Ni en sueños, compa Moncho. Ese hombre no es hombre: ¡es fiera!

—Eso mismo digo yo.

—¿Por qué me pregunta?

—Por preguntar no más. —Luego agrega:— Por lo de anoche con los compas Floriano y don Quiel. Si eran tan conocidos y amigos viejos, ¿cómo no iba a reconocer a Floriano?

—A lo mejor por la borrachera, digo yo por decir no más.

Los dos mozos campeños están sentados en el borde del *quinel* de cemento y bajo sus pies corre el agua terrosa que sirve en verano para el riego de la plantación. Es más del mediodía. En toda la mañana no ha llovido. Las nubes pasando rápidas van abriendo boquetes por los que se ve el cielo diáfano y por ratos asoma el testuz del sol. Los hombres sienten su calor como una bendición. El invierno huye de la Costa Norte.

Se oyen voces que se aproximan por el bananal. Son Pachán y los Jocotán que vienen hacia el *quinel*. Aparece un muchacho descalzo con una vara en un hombro haciendo equilibrios: de los extremos cuelgan los almuerzos de los *chapiadores*. Estos llevan *cumbos* o tarros que sirven como cantimploras. Los cuchillos filosos los traen punta arriba apoyados en el brazo como una sota de espadas. Tienen los pantalones atados con fibra de tallo seco de banano a la altura del tobillo. Los sombreros son de palma, raídos y amarillentos.

—Traé mi almuerzo, cipote —pide Geño al almuercero que ha puesto todos los platos llenos y las botellas de café sobre la tierra.

—¡Después de trabajar como nosotros queda un apetito madre!

—Es que florear el machete en la *chapia* no es para cualquier trompudo —dice el almuercero como elogiándolos.

—Claro, esto no es como regar *veneno*.

—Tampoco es como andar a lomo de mula espiando a los trabajadores escondidos entre las matas.

—Si te oye algún capitán... te dan el tiempo ahorita mismo.

Comen los cinco hombres sentados ahora sobre una balsera de tallos de banano. Más adentro de la finca se perciben voces altas de los otros *chapiadores* de la cuadrilla. El sol que se reivindica por su larga ausencia, les causa regocijo aunque después vengan los días de cuarenta y más grados de calor. Mala comida, pero con hambre la sienten muy sabrosa. Dejan limpios los platos. El almuercero sale de la finca con varias manos de frutos maduros. Los hombres, que todavía tienen apetito, los comen como postre. Los bananos son grandes, robustos, muy suaves, olorosos y dulces.

—Estoy pensando, compa Floriano —le dice Geño suavemente— que de no llegar don Quiel anoche, usté a estas horas, ¡quién sabe en qué finca estaría siendo picoteado por los zopes! ¡Esos Camisas Negras no tienen madre: matan por matar!

—Dices bien —secunda Pachán encendiendo un cigarrillo y dándole los fósforos después a Moncho para que encienda un puro barato.

—Pero a mí no tenían por qué matarme. Yo no tengo cuentas con la justicia.

—Esos no andan fijándose quién es quién. Te encuentran, les caíste mal y ¡zas! fusilico. ¿Y quién protesta? ¿Quién se atreve?

—Estamos en una época de ignominia —afirma Pachán.

—Y pensar que nosotros expusimos la vida para subirlos...

Ezequiel ha dicho esas palabras con un sentimiento cargado de arrepentimiento y amargura. Nunca gusta de hablar de esa participación en la guerra; calla con vergüenza. Además, siempre que recuerda la guerra concluye con la dolorosa remembranza de su mujer y de su hija, desaparecidas misteriosamente en la vorágine. Es un dolor sin antídotos y más intenso cuanto más calla. Floriano ve a su padre sorprendido por las palabras. Ezequiel prosigue. Es como cuando los regadores abren una compuerta del *quinel* y el agua sale y se desparrama con precipitación. Cuenta, cuenta cómo su compadre Pedrozo se los llevó a la guerra, los combates, su herida en la paletilla, el viaje a la frontera a traer las armas vendidas por Cirilón.

—Fue todo lo que hizo el contrabandista, pero también le vendió a los enemigos. Aquel Coronel Picapiedra no era tonto y se dio cuenta del doble juego. Yo más creo que por eso lo asesinaron aquella noche. Merejo nos dijo que las armas eran de un tal mister Gordon y que las vendían al que las pagara. ¿Te acuerdas, hijo?

—Me acuerdo, tata. También a mí me habló de ese mister, el propio Cirilo; quería meterme a su banda.

—Oiganme: —interrumpe Moncho— ¿no sería ese mister Gordon que es de los principales jefes de la Compañía? Por cierto con el gobierno tiene hacha, calabazo y miel.

—Es el mismo —afirma Pachán— yo lo conozco bien. Y ahora estoy seguro de que ha sido el gringo quien ha traído a este bandolero como jefe expedicionario. Siga, don Quiel, me gusta oírlo.

—Pues nada, que estuvimos en el sitio de Tegucigalpa formando una columna machetera. En cuanto tocaban degüello, allá íbamos nosotros a toparla con el enemigo a puros filazos. ¡Suerte tuvimos de que no nos descabezaran! Después, todo pasó sin que pasara nada para nosotros. Otra vez a La Hacienda. El compadre nos había ofrecido tierras buenas, pero no hubo ni buenas ni malas. Y eso que hasta había ofrecido devolvernos las que nos habían quitado a la brava.

—¿Tierras de ustedes?

Ezequiel relata todo el asunto de las tierras de la comunidad y le escuchan sin interrumpirle más que con alguna interjección.

—Eso no es todo —agrega Floriano, y a continuación cuenta lo de la carta del padrino a don Amindo y el final del cintarazo que no pudo evitar zamparle.

—¿Y desde entonces se vinieron a la Costa?

—Desde entonces, porque como ya no pudimos encontrar a Justina y Genara, no encontramos otro camino.

Floriano relata lo referente a su madre, porque Ezequiel se siente muy afectado aún después de los años.

—Eso fue lo que a nosotros nos dejó la guerra.

—¿Y nunca más han sabido nada de ellas?

—Nunca. Ni rastros. Como si se las hubiera tragado la tierra...

Al silencio que siguió lo palmotea solamente el glu-glú de la corriente del *quinel*. Parece como si en las plantaciones hubieran desaparecido los campeños. Sin embargo, un momento después, se oye un grito prolongado y le siguen otros más por diferentes rumbos. Los trabajadores prosiguen sus labores. También, como movidos por la misma fuerza, los cinco *chapiadores* se incorporan. El almuercero va de regreso al campo con la vara en un hombro.

—Así fue, compas —dice Ezequiel tomando su machete para volver a la faena— y después que las cosas han resultado en lo peor para todo el país, francamente que me da vergüenza decir que ayudamos a mi compadre para que se encaramara en el Poder. Por eso no hablo de estas cosas que dan rabia.

—Es una lección —comenta Pachán ya caminando— y lo importante no sólo es lamentar haber servido de escalera, lo que importa es sacar las conclusiones exactas sobre las oligarquías *colorada* y *azul*, para buscar otros caminos. Ya es tiempo de que comprendamos.

—Tiempo de arrancarnos el monte de las orejas —dice Ezequiel con una sonrisa de comprensión y de modestia.

Poco después se oye de nuevo la voz de los machetes con su rítmico chis-chás y la fuerte respiración de los hombres empeñados en sacar la dura tarea del día, limpiando de yerbales dañinos el extenso bananal.

5

El sábado siguiente al día de pago ha sido el escogido por Floriano Jocotán y Pastora Castro para la celebración de su matrimonio. Son ya las vísperas de la Navidad. Han pasado las lluvias y el calor es suavizado por la ola de frescura muy agradable que viene de las plantaciones y campiña verdeantes. Los atardeceres y las noches son esplendorosas, pero siempre con la indeseada presencia de los zancudos que transmiten la malaria de hombre a hombre y son el gran azote de toda la Costa Norte.

Se casaron en El Progreso, por la mañana, en la alcaldía municipal. Fueron testigos Pachán y Eugenio Plata. Les acompañó un grupo de amigos campeños y en la tarde retornaron al campo. El recibimiento que les hicieron en la estación fue jubiloso. Moncho con su guitarra era un torrente desbocado de alegría. Los campeños chapiadores y de otros sectores de labor les acompañaron hasta la champa haciendo explotar cohetillos como en fiesta de santo. Adelante iba la pareja. Pastora vestía de blanco, zapatos blancos y un pañuelo azul celeste en la cabeza. Un ramo de claveles y rosas apretaba emocionada en sus manos. Era el regalo de un amigo de El Progreso. No llevaba velo ni coronilla de azahar, porque no se habían casado por la iglesia. Floriano no andaba con muchas simpatías por los curas, y aunque la madre Rafaela sugirió la necesidad del matrimonio religioso, el hombre se mantuvo en sus principios. En los campos la cuestión religiosa era un asunto secundario, además eso implicaba mayores gastos que en realidad no podían sufragar.

Floriano estrenó pantalones de dril, camisa blanca y zapatos negros. Por primera vez en su vida se puso corbata. Pachán se la regaló y fue él también quien se la puso pues Floriano no sabía hacerse el nudo. Un día antes se había quitado el pelo e iba peinado con camino al lado izquierdo. Así también Ezequiel andaba muy limpio de ropas. Descalzo sí, pero con un sombrero empalmado nuevo. Estaba muy contento por el casamiento y no se cansaba de admirar la pareja. ¡Ah, tiempos! El también tuvo un día así, de novio, pero con la Justina sí se habían casado con el cura en un viaje que hiciera a La Hacienda; su compadre, que entonces no lo era todavía, le había prestado la plata para los gastos. Mucho tiempo había trabajado para pagarle. ¡Eran otros tiempos y la gente creía en muchas cosas!

El cortejo pasó de la estación a la champa; en los barracones había poca gente pues los hombres estaban en los trabajos. Pero muchas cocineras les saludaban con alegría deseándoles felicidad; por la noche irían a la fiesta, porque los amigos de Floriano y Pastora han organizado un baile con *nacatamaleada* y ellos pagarán la música y la bebida.

La champa de manaca en este día se viste de gala. Toda limpia y arreglada. Las camas y catres han sido colocadas en el *tabanco* por lo que hay bastante espacio para la fiesta. En las paredes hay flores y hojas cortadas en los montes para la organización. Una mesa grande con un mantel limpio. Muchas manos se han encargado de poner rostro festivo en la vivienda campeña. Rafaela sale a recibir los novios hasta el patio. Hoy anda calzada y estrena un vestido rosado. Se ha hecho un grueso moño en la cabellera cana y revela por todos los poros su maternal alegría.

—¡Dios los bendiga, mis hijos! ¡Qué dicha verlos así!

Entran los que caben y los que no se quedan en el patio formando grupo, conversando, oyendo el tiroteo de cohetillos y la guitarra de Moncho, que esa noche no tendría descanso, a pesar de que previendo el excesivo júbilo de los músicos Pachán ha conseguido prestada una vitrola. Floriano y Pastora están felices y no necesitan decirlo con palabras. Cuando anochece, Consuelo llama a los novios:

—¡A cenar los recién casados! ¡A la mesa los amigos! ¡Pero antes, vamos a brindar por los novios!

—Eso es lo primero —dice Pachán abriendo una botella.— ¡Brindemos porque tengan una muy larga luna de miel!

Vasos, algunas copas, varias jícaras y hasta en tazas los hombres y mujeres presentes se hacen servir el *jaybol* de aguardiente con miel de blanco. También tienen buena provisión de ron jamaiquino que Pachán ha venido obteniendo de viejos amigos contrabandistas en Puerto Cortés. Tampoco faltan las cervezas, la chicha, la mixtela y hasta el vino de coyol. Pachán ha preparado un su célebre trago que llama *submarino* y que no es más que una mezcla de todos los licores pero con mucha miel, por lo que hasta las mujeres lo toman con gusto sin pensar en la acción retardada del menjurje.

Levantando los vasos brindaron por el matrimonio. Los vivas a los novios se interrumpieron. Siguieron algunos golpes de tos y luego la bulla continúa mientras se acomodan alrededor de la mesa para comer los nacatamales de chancho y de jolote como si tal fuera hoy la Nochebuena. Hasta Ezequiel y Rafaela han tomado su vaso de *jaybol*. Y mientras comen los de la primera tanda, los músicos con Moncho como cantante, dan más alegría a la fiesta. A manera que avanza la noche van llegando más invitados de los barracones y champas para disfrutar del baile. También hay otros que no fueron invitados pero que participan. El patio está lleno de campeños. Por fortuna en esta noche alumbra una hermosa luna que está más allá del primer cuarto creciente, clara y retozona como si también participara de la fiesta.

Se baila en la sala de piso de tierra y pronto se levanta una ola de polvo arrancado por los bailadores. Son gente en camisa, calzados y descalzos, prietos de soles, desnutridos y enfermos de paludismo crónico. Las mujeres con vestidos chillones tienen pintados los labios y las cejas, pero su palidez parece resaltar sobre los polvos de arroz comprados en el comisariato. Se siente calor en la champa y los bailadores sudan como si estuvieran sacando una tarea de chapia en las plantaciones.

Ahí están los capitanes de fincas y de *veneno*, los contratistas y hasta dos apuntadores de las oficinas que son los únicos que se ven con mejores carnes. Con el capitán Domingo Huete han llegado dos *corteros*: Panchito y Consuegra. Para muchos es conocido que Consuegra ha sido un pretendiente sin fortuna de Pastora y que en los últimos días le ha dado mucho a la lengua contra la muchacha por puro despecho y rencor.

—¡Lo felicito, don Quiel, lo felicito por la dicha de su hijo! —saluda Domingo Huete estrechándole la mano.

—Gracias, amigo.

—¿Qué tal le parece la fiestecita? Muy concurrida y muy alegre, ¿verdad?

El capitán de finca es muy conversador y más cuando toma aguardiente. Se sienta en una banca junto a Ezequiel ofreciéndole cigarrillos aromáticos. Jocotán acepta y da las gracias con sonrisa bondadosa. Debe hablarse alto porque la bulla de los bailadores va en aumento.

—¡Caramba, don Quiel, quién lo ve a usted tan calladito y es ni más ni menos que compadre del General Pedrozo! ¡Se ve que no es cualquier cosa! ¡El General Pedrozo es la personalidad más grande que ha tenido este país!

—¡Así es, amigo, así es: mi compadre Pedrozo así es, ni más ni menos! ¡Usté lo dice, usté lo sabe!

—Pero usted lo ha tratado muy de cerca, según tengo entendido. ¿Se acuerda de todo lo que dijo aquella noche el Coronel Cirilón?

—Si, pues, me acuerdo. Mi compadre es dueño de una gran hacienda y yo trabajé en ella muchos años.

—¿Y también anduvo con él en la guerra, don Quiel?

—Así es, amigo: mi hijo Floriano y yo hasta que se ganó la revancha.

—¡Caramba, don Quiel: qué suerte la suya!

—Ni tanta. —Ezequiel lanza el humo del cigarrillo y queda viéndole de reojo carraspeando la garganta. Aquella conversación le era molesta pero no podía ser descortés con el capitán de finca. Ahora siente temor de que siga preguntando cosas y que tenga que hablar lo que siendo verdad no es conveniente decir en público. Pero el capitán no le conversa de eso con mala intención.

—Vea, don Quiel, yo veo que usted y su hijo la pasan sólo de pobres chapiadores. Yo sé lo que es la chapia. Cuente usted que muy pronto les voy a dar un *chance* bueno donde puedan ganar mejor y tener trabajo permanente. Personas como ustedes deben ser apreciadas.

—Se agradece al amigo su buena intención.

No prosiguen conversando porque en ese momento, allí en la sala, se ha hecho un zipizape inesperado. Los bailadores paran; los músicos se incorporan con los instrumentos en alto. ¿Qué pasa? Es increíble que Eugenio Plata se encuentre disgustado hasta llegar a la pelea, pero es verdad. Geño tiene de un brazo a Pastora y con el otro ha tomado violentamente por el cogote a Consuegra y tirado al suelo. El campeño es hombre joven y fuerte y se levanta hecho una fiera. Está borracho y lanza unas palabras soeces e insultantes contra Plata. Intervienen otras personas y sacan a Consuegra al patio en donde grita:

—¡Yo soy hombre, carajo! ¡Conmigo no hay puta que dé dos brincos, ni cabrón que me aguante! ¡Yo fui primero con ella y quiera o no va a ser mía! ¡Y ese indio jodido ya va a ver lo que le pasa! ¡Yo soy hombre! ¡No ha nacido todavía quién va a humillar a Consuegra! ¡A mí me retumban los cojones en todas partes!

Las palabras se oían entre el murmullo de las voces y la música que había continuado. Su amigo Panchito le arrastraba de un brazo temiendo que la actitud de Consuegra tuviera malos resultados. ¡Venir a insultar a la novia en su noche de bodas..! Eso era comprar una pelea no sólo con el novio. Sin embargo, los temores de Panchito no se realizaron porque Consuegra ya no continuó gritando y Floriano y sus amigos creyeron que se trataba solamente de uno a quien ya los tragos se le habían subido a la cabeza, y ellos eran precisamente los que obsequiaban esos tragos. Lo que dio origen al lío fue, que Consuegra quiso quitar por la fuerza a Geño la compañera de baile que lo era Pastora y bailar con ella, pero el método de violencia encontró igual reacción en Plata que presto lo tiró al suelo.

Pero, como nunca falta quien comente, resultó que pronto Floriano se enteró de las palabras que Consuegra dijera en el patio y, sin atender a Pastora que lo trataba de retener, fue allá en busca del hombre. No demuestra disgusto, pero dice serio a Consuegra:

—Oyeme: aquí nadie te ha llamado, pero está bien que goces con todos los amigos si te place. Eso sí: aquí se debe tener respeto para toda la gente y más con las mujeres. Si no te parece, mejor que te alejes. ¿Entendido? —Y Floriano, sin esperar contestación dio la vuelta, entrando al baile.

Consuegra nada ha contestado en efecto, pero en su interior hay un coraje que a duras penas logra contener. Habla en voz baja con Panchito y disimuladamente ambos desaparecen.

—Vaya, se fueron los golilleros, esto quedará tranquilo. Consuegra como que encontró ya su tatita en la calle.

—No te fíes de ese: es un cabronazo. A lo mejor fueron a armarse para venir a deshacer el baile.

Quien esto ha dicho no estaba desacertado, porque una hora más tarde regresa Consuegra no sólo con Panchito sino que con dos compañeros de trabajo y de cuarto. Traen sus largos machetes envainados y con risas de malandrines juegan entre si provocando en el patio. La noticia circula rápido: «¡Los Consuegras regresaron armados de machetes para deshacer el baile!» Algunas mujeres temen y llaman a sus maridos. Afuera hay una tensión de las gentes esperando de un momento a otro el estallido del bochinche. No es el primer baile que los llamados *Consuegras*, una pequeña pandilla, deshacen a punta de machete y gritos.

—¡Ya volvieron esos jodidos, ya se va a armar la de San Quintín!

—Quién sabe: el compa Floriano y Pachán no son mancos...

No eran mancos los dueños de casa y tampoco estaban solos. Allí estaban los chapiadores aunque no tenían sus machetes. La fiesta sigue, pero Floriano está alerta y Geño ha bajado del tabanco los machetes. De pronto el grito formidable de Consuegra y el cintarazo en una jamba de la puerta.

—¡Silencio, hijos de puta! ¡A ver quién dijo miedo cuando la noche es clara! ¡Aquí estamos los Consuegras y nos arrastran los güevos!

Floriano, Geño y Pachán, saliendo por la cocina dan la vuelta y se enfrentan a los provocadores machete en mano.

—¡Bueno, Consuegra —dice recio Floriano— ahora voy a enseñarte a respetar a tus semejantes!

—¡Como querrás, jodido! ¡Echá penca si sos hombre! —y sin esperar más le lanza el primer filazo de refilón, como tanteándolo.

Floriano desvía el machetazo y comienza el desafío brutal. Mientras, Pachán y Geño se enfrentan a los otros que no ofrecen pelea y más parecen dispuestos a ser espectadores. Hay un silencio preñado de tragedia bajo la luna. Los dos hombres se miran con odio, atentos a los movimientos felinos de su adversario. Los machetes están a poca altura y Consuegra va girando lentamente en torno a Floriano, como buscándole el flanco dónde clavarle su arma. De pronto, como un rayo ¡zaz! se lanza Consuegra. Y ¡cliks! para en seco Floriano.

—¡Puta! —exclama uno sorprendido— ¡Qué filazo más bruto!

—¡Cuidado, Floriano: te tira a matar!

No había necesidad de que le advirtieran a Floriano del peligro: está viéndole los ojos enrojecidos al hombre-tigre y en ellos hay ese fuego terrible de quien está dispuesto a matar, y ese machetazo que le iba a decapitar, de ninguna manera era una broma. Piensa en que no hay más salida que matar si no se quiere morir.

—¡Floriano! ¡Floriano! ¡No pelees!

—¡Hijo, Floriano! ¡No pelees! ¡Por Dios, deja eso!

Pastora y su madre salen de la casa y pretenden meterse entre los peleadores, pero Ezequiel y el capitán de finca Huete, las detienen: cuando alguien se mete entre dos en lío, es él el que paga los platos. Y Consuegra viendo que Floriano se vuelve a ver a las mujeres se lanza de nuevo, tan seguro de clavarlo que da un grito de victoria:

—¡Así pega Consuegra, hijo de..!

—¡Ay! —exclaman varias voces viendo la acción y el descuido de Jocotán.

Pero Consuegra no ha podido hacer blanco o por lo menos si le ha herido ha sido poco. Floriano, con una agilidad extraordinaria había dado salto a un lado y no cayó al suelo porque se apoyó en el machete. Las mujeres callan sus gemidos comprendiendo que, por su culpa, pudo caer Floriano. Ezequiel está teniendo de un brazo a la madre. ¡Qué fatalidad! Rafaela había perdido a su marido en un bochinche así en una noche de jolgorio campeño. ¿Por qué no llamaban la escolta? ¿Por qué la gente toda se quedaba sólo mirando como en las peleas de gallos en vez de separar a los contrincantes? Ezequiel deja a Rafaela con Consuelo y va rápido al tabanco a traer su machete. Presiente la tragedia, pero si ese hombre asesina a su hijo, él lo matará. Está viejo y es menos fuerte que Consuegra, pero lo matará.

Ahora Consuegra ha comenzado un ataque distinto. Lanza machetazo tras machetazo y resuella como un caballo. Saltan chispas de los fierros en cada choque. Los campeños viven la emoción del horror y nadie interviene, nadie debe intervenir, es asunto de hombres dilucidar por sí solos esos problemas de honor. Si alguien debe quedar tirado, quedará y mañana lo enterrarán. Los dos son hombres y ninguno tiene ventajas sobre el otro: la pelea es «legal». Sin embargo, están viendo que Floriano deja sin aprovechar los momentos en que puede herir mortalmente y eso es peligroso porque Consuegra no tiene más intención que matarlo. Pero Floriano sigue su objetivo haciendo moverse mucho a su enemigo que ha dejado de insultar. Y de pronto Jocotán salta adelante y toma la ofensiva con tal rapidez, que diríase que el machete no pesa y que sus brazos se mueven con electricidad.

—¡Agarrate, busca-pleitos! ¡Tomá! ¡Tomá! ¡Tomá!

Y van uno tras otro los mandobles chocando en el machete ofensor con tintineo macabro, pero que hace lanzar exclamaciones de júbilo en los amigos de Floriano y dejan quietos de estupor a Panchito y los otros. Al décimo golpe salta el machete de la mano fuerte de Consuegra cayendo a dos metros.

—¡Aaah!

Floriano da el undécimo machetazo que no tintinea. Consuegra lanza un grito cortado y las mujeres se cubren el rostro.

—¡Se lo comió Floriano! ¡Pagaste, golillero!

Pero Floriano, secándose el sudor con el dorso de la mano

se acerca al hombre que se ha doblado como un tallo de banano por el machete del *cortero* y tomándolo del pelo lo incorpora. Y ante toda la gente le pega una paliza tan fuerte que lo hace gritar y gemir. Floriano, al desarmarlo, ya no le dio por el filo para rematarlo sino que por el plano del machete. Precisamente, lo que se había propuesto desde el principio: bajarle la valentonada de manera vergonzante.

—¡Ya está Floriano..! ¡No me pegués más..! ¡Ayyy, no me pegués..! —y concluyó llorando porque cada pencazo le hacía ver estrellas y mojar no sólo de sudor sus pantalones.

Panchito al ver la humillación pública de su amigo, sigiloso se acercó por detrás a Floriano con el machete en la diestra, pero Ezequiel que estaba alerta, le puso el suyo en las costillas.

—¡No te movás que te saco los bofes!

Y no se movió, mejor se retiró porque las cosas le salían mal. Con los otros dos desapareció dejando a su compinche en aquella situación.

—¡Ahora —le grita Floriano a Consuegra dándole el último planazo en las posaderas— vete a curar los magullones! ¡Y no olvides que la próxima vez te daré por el filo!

Ya el hombre se iba con pasos largos, pero Jocotán lo llamó y le tiró el machete que olvidaba.

—¡Toma, golillero! ¡Y que no se te ocurra acercarte por esta champa! ¡Si vuelves a buscar gresca, primero mandá hacer tu ataúd!

Consuegra levantó su machete y, casi corriendo, se alejó hacia los barracones. La gente recobró la alegría. Pastora abrazando a su marido derramaba lágrimas de felicidad. ¡Qué susto había recibido! Y no era para menos pensar que en la propia noche de su boda quedaría viuda o siendo la mujer de un presidiario.

—¡A bailar, muchachos! ¡A bailar todo mundo!

Y el baile prosiguió hasta el amanecer, sin que hubiera ningún otro lío. Aún se oía la chillante música de la vitrola cuando, por la línea férrea, Consuegra y Panchito, con sus maletas a la espalda se marchaban del campo. Después de lo sucedido no era posible continuar viviendo allí.

6

—¡Quién me lo hubiera dicho, que el compadrazgo con mi compadre Pedrozo serviría para conseguir mejor trabajo! ¡Vaya, las cosas de este mundo! El nombre de mi compadre siempre ha sido desgracia para nosotros, quizá no por su culpa, sino por nuestra mala suerte...

Así habla Ezequiel a su hijo desde el día en que el capitán de finca, Domingo Huete, los enganchó en una cuadrilla de *corteros* bajo su mando. Este es trabajo permanente y mejor retribuido que el de la *chapia*. Floriano es *cortero* y Ezequiel *mulero* y como los embarques de banano se hacen seguidos, hay *corte* casi todos los días en las plantaciones, a veces hasta los domingos. Estos *campeños* reciben la orden de los mandadores gringos para cortar determinada zona. Los racimos son sacados en mulas hasta las *vacadías* donde los lavan con una solución de ácido muriático y luego los colocan en los vagones fruteros para ser transportados a los puertos. Allá los muelleros se encargan de estibarlos en los grandes barcos de la Compañía.

Floriano anda con un largo chuzo, pica la mata cuyo fruto cuenta con las exigencias de los gringos, la mata se dobla con un susurro. Un cargador recibe el racimo en sus hombros y Floriano lo corta de un certero machetazo muy cercano a la carne del campeño, luego despedaza la mata acumulando los trozos de tallo en balseras y prosigue por la finca. Ezequiel es mulero y anda arriando tres bestias fuertes y altas que llevan lonas especiales en sus lomos para transportar los racimos de nueve manos desde los carreteros donde los van colocando los cargadores, hasta las *vacadías* en los ramales férreos.

—Bueno, papa, siquiera una vez que nos sirva de algo el nombre de mi padrino. Nos debe mucho y no ha pagado nada.

El capitán Huete, al darles este trabajo, ha proporcionado también cuarto en un barracón a Floriano y su mujer. Esta es una gran fortuna. Le dieron *el tiempo* a un trabajador con familia y al sacarlo del campo por orden del mandador gringo, quedó el cuartucho disponible. Lo ocupa ahora Floriano y como lo han dividido con un cancel, también duerme allí su padre en una hamaca. Abajo hay una cocina de un contratista y Pastora ha logrado trabajar allí como ayudante de cocinera y mesera. Pagan poco, pero ayuda al presupuesto familiar. En la *champa* siguen viviendo Pachán, su familia y el indio Plata.

—El casamiento le ha traído suerte a mi compa Floriano —dice Moncho cuando ve a los Jocotán por las noches en «su hogar».

En verdad, hasta cierto punto es tener buena suerte obtener un cuarto en los barracones, porque son tan numerosos los trabajadores en la finca y tan pocas las viviendas, que lograr techo es más que fortuna.

—¡Vaya, hombre: al fin el Capy Huete ha hecho algo decente!

Sin embargo, las cosas no siempre son como aparentan. La bondad del capataz no ha sido ni siquiera, como cree Ezequiel, por la cuestión política, por el compadrazgo con el General Pedrozo, amo y señor del país. Algo de eso insinuó, pero quizá era mentira. De manera que pasan las semanas y los primeros meses, el Capy Huete se va haciendo más amigo de los Jocotán. Todos los días los visita con el menor pretexto y varias veces cuando los hombres están en las fincas es decir, cuando Pastora se encuentra trabajando en la cocina o descansando en el cuarto. Ya él sabe cuando ella tiene un rato de libertad después del almuerzo.

Domingo Huete es casado. Tiene varios hijos y su familia está allí, en el primer barracón de este lado de la línea. Es una casa bonita, especial para los capitanes de finca, con jardincito en la *yarda* y un par de palmeras. Al otro lado hay una caballeriza para las mulas que monta el mandador gringo, los capitanes, contratistas y apuntadores. La residencia es confortable. El capitán gana un salario muy alto en comparación con los peones y, además, la Compañía le proporciona leche, comestibles, hielo gratis. Su familia no sufre mucho el paludismo y sus niños asisten a una escuela donde los hijos de los campeños no pueden llegar pues cobran mucho. Pero, con todo, el capitán ha proyectado ampliar su dicha robándole la dignidad al matrimonio Jocotán. Domingo tiene la intención de seducir a Pastora, y para ello, ha llegado hasta el grado de ser bondadoso con los hombres. ¿Cómo pueden ellos negarle la entrada en su cuarto a él que se los ha facilitado? ¿Cómo podrá negarse Pastora a acostarse con él, cuando esa negación implicaría, no sólo perder el cuarto sino que el nuevo trabajo y quizá ser lanzados del campo? El capitán tiene bajo sus órdenes a los Jocotán y eso le permite actuar sin temores; sabe en qué sector de las plantaciones se encuentran trabajando y él regresa al campo en la mula entrando por el lado contrario a su vivienda para no ser visto por su mujer; se aparece como por casualidad al cuarto de Floriano. A veces le lleva algún regalito a la muchacha, platican amigablemente y luego él retorna a la finca. Cada día su pasión por Pastora aumenta y le hace cometer más tonterías e imprudencias, que la gente ya observa con maliciosa sonrisa. Pero en un campo bananero estas cosas no pueden permanecer en secreto y menos tratándose de los capitanes. En todas partes se comenta:

—El Capy Huete anda loquito por la dama de Floriano Jocotán.

—Pero no va a conseguir nada: la Pastora es decente.

—¡Bah, en cuestiones de amor y de interés no se puede meter las manos al fuego por nadie! ¡La mujer es el mismo *coludo*!

—Hay mujeres y hay mujeres. La Pastora es campeña probada. Si no ha comido huevos antes, menos ahora que no tiene necesidad.

Y así andan los comentarios, divididas las opiniones, esperando los resultados de la conocida tenacidad del capitán en asuntos de amores. Floriano ni sospecha tiene. Está creyendo en la amistad del hombre. Es honroso que visite su cuarto. Además le está agradecido por haberle ayudado a cambiar de trabajo y proporcionarle vivienda. Son favores que no se olvidan. No puede ni siquiera imaginarse que el capitán quiere socavar su felicidad hogareña. No obstante, ya algunos amigos se han enterado. Moncho ha conversado de esto con Pachán y Geño y todos están preocupados: son asuntos graves que regularmente concluyen en pelea y muerte. Han hablado con Pastora y ella les ha confirmado el acoso del capitán, ella está firme, pero teme un acto violento del testarudo capitán, lo cual significaría tener que comunicárselo a su marido. Ella espera que Domingo desista de su empeño y la deje tranquila, por eso ahora todo el día permanece en la cocina del contratista para que no le encuentre sola en su cuarto. El problema es delicado, pues los asuntos de honor el campeño los suele reivindicar con sangre.

Sin embargo, no es este conflicto el que estalla en la vida de los Jocotán. Es algo inesperado e insólito. Un día, Floriano y su padre cortan fruta en la misma área donde trabaja la cuadrilla de *chapiadores* donde anda Pachán y Geño. El viejo Ezequiel ha cargado las tres mulas con hermosos racimos de doce manos y agita el fuste sobre sus ancas lanzando el silbido peculiar de los arrieros. Las mulas avanzan hacia el carretero por donde se va a la línea férrea. La que abre la marcha ha recibido el inesperado contacto de unas hojas pendientes y se asusta. Es un animal muy brioso. Salta y da corcovos igual como si le hubiera caído un tigre en el lomo. Arrastra los racimos destrozándolos y haciendo que las otras mulas vayan en pos de ella. La segunda bestia también tira la carga. Ezequiel logra detener la tercera y la ata rápidamente en una mata de banano. Corre en seguimiento de las otras dos, que ya están muy tranquilas.

Desgraciadamente para Ezequiel, ese pequeño incidente ha sido presenciado por el propio Mandador gringo, amo de la finca, que anda recorriendo las plantaciones seguido de los capitanes. El gringo ve el destrozo de los racimos tan frondosos y se encoleriza. Dicen que es un yanqui irascible y neurasténico. Hasta los capitanes le temen. Mete espuelas a su alta mula y avanza sobre Ezequiel, lanzándole insultos en inglés. Es tal su cólera con el mulero, que no detiene la mula en su tropel.

—¡Papa! —grita Floriano que está viendo— ¡Cuidado que te estropea ese gringo! ¡Ah, ya lo jodió, papa..!

La mula del gringo ha estropeado a Ezequiel haciéndolo caer, pasando sobre él. Corren los *chapiadores* y los corteros al lugar del suceso, entre ellos Floriano que ha tirado el chuzo. Un casco de la mula ha dejado su huella violácea y sangrienta en un costado de Ezequiel, otro pasó apenas raspándole una oreja. Floriano ve a su padre tendido en el lodo entre las patas de la mula y no vacila. Sabe que no es un accidente fortuito, sino la deliberada intención del Mandador gringo. Poseído de una cólera también incontenible, Floriano saca su machete y a saltos llega hasta donde el jinete, que continúa insultando en inglés, y sin tomar en cuenta que el gringo lleva pistola al cinto y que tiene detrás a los capitanes, le hace el reclamo campeño:

—Gringo hijueputa: ¿por qué va a matar a mi papa como matar un sapo?

El gringo no es manco y viendo al campeño agresivo, hace el intento de tomar su revólver. Pero Floriano sabe que de su presteza depende su propia vida y dando un salto, poniendo todo su vigor en el brazo armado hace cimbrar su machete en la testa pelirroja del yanqui Mandador, cuyo sombrero vuela hasta un charco haciendo encabritar la mula. Se doblega el jinete y Floriano lo sigue y con otro machetazo lo hace caer en el lodo con la cara ensangrentada. Inmediatamente le quita el revólver.

—¡Así es como entienden estos cabrones!

—¿Hijo, m'hijo, por Dios, dejá eso! ¡Si es el Mandador..!

Los capitanes, entre los cuales está Domingo Huete, no han tenido tiempo para defender al jefe y ahora, ni lo intentan porque numerosos campeños con sus machetes en la mano están rodeándolos agresivos, colocados en defensa de Floriano. Todos creen que el Mandador esta ya liquidado, pero no es así. Jocotán, siguiendo su vieja costumbre solamente le ha dado de plano y la sangre sale, pero de la nariz donde pegó uno de los cintarazos. El Mandador gime como cerdo tratando de incorporarse. En sus ojos azules ha desaparecido el odio y más que sorpresa, hay pánico, temor a la muerte.

—¡Qué jodida —se lamenta un chapiador— si sólo le dio de plano! ¡A esos cabrones hay que darles por el mero filo como a las culebras!

Y no oculta sus intenciones de llevarlo a la práctica, pero los capitanes se han tirado a tierra y atienden al gringo. Los rostros de los campeños están con una dureza de piedra y sus ojos oscuros despiden fogonazos de rebelión. Son muchos los sufrimientos y los ultrajes de los explotadores que se acumulan en su alma. Unos rodean a Ezequiel que se pasa la diestra por el golpe del casco de la mula, otros a Floriano que, con la pistola del gringo en la mano, está como esperando la reacción de los capitanes y otros están alertas cerca del gringo y sus secuaces, porque temen que alguno de éstos le pase su revólver al Mandador. Mas, la situación no está para mantener valentonadas frente a los campeños y de nuevo el gringo monta en la mula murmurando algo en inglés y se aleja seguido de los capitanes. Domingo se vuelve y grita a Floriano:

—¡Dice el Mandador que me des la *cuarenticinco*!

—¡Qué me la venga a quitar, si tiene güevos!

El capitán se encoge de hombros, como diciendo que a él no le importa ese asunto. Se marcha siguiendo a los otros hacia el campo. Ahora vienen los comentarios en ambos bandos. El gringo dice frases en inglés. Para él es injustificada la reacción de Floriano porque Ezequiel, permitiendo el destrozo de los racimos ha hecho perder a la Compañía y eso no debe perdonarse a los mozos. La disciplina en el trabajo es lo primero. El sabe que tenía derecho para lanzar su mula contra Ezequiel que había delinquido. Era necesario un castigo ejemplar ante todos para que comprendiesen una vez más que los bienes de la empresa deben cuidarse más que la vida de los campeños. Un racimo de banano que va a ser exportado al norte tiene mucho valor para el aumento de los beneficios de la Compañía. De ahí que la actitud de Floriano sea un crimen sin precedentes. ¿Atreverse a poner su mano en el Mandador? Eso lo pagará muy caro. En los pensamientos y palabras del gringo se ha declarado la sentencia de muerte para el peón.

Al llegar a la oficina en el chalet toma el teléfono y llama a la central de La Lima. Necesita que le envíen al momento al Coronel Cirilo Cirilón, el de los Camisas Negras.

—¡He sido agredido en las plantaciones por unos chingados bandoleros! ¡Necesito protección! ¡Mi vida está en peligro y las propiedades de la Compañía!

Inmediatamente buscaron a Cirilo Cirilón que ese día andaba en Tela con su cuadrilla. Motocarros expresos salieron del puerto para llevar al cuerpo de represión.

En la finca los campeños discuten. Algunos encuentran ahora inconveniente el acto irreflexivo de Floriano, otros lo apoyan porque cualquier hombre no podía, en su caso, hacer de otra manera. ¿Y si la mula hubiera matado a Ezequiel? Ante esto las gentes callan. Saben que las consecuencias del castigo al gringo pueden recaer no sólo en los Jocotán. Pero la conclusión a que todos llegan es que padre e hijo deben dejar cuanto antes las plantaciones y mejor si lograran pasar la frontera a otro país, pues la venganza del gringo no se hará esperar.

—Hoy mismo, no tardarán las escoltas, en cuenta los Camisas Negras de Cirilón.

—¡Qué desgracia! —comenta Pachán.— En verdad, no ha sido ninguna solución. Los asuntos personales no cuentan en esta lucha nuestra, pero, qué se va hacer: a lo hecho, pecho.

—Y todo por mi mala suerte... —se lamenta Ezequiel— ¡Esas mulas condenadas irse a espantar por una hoja..!

—Ya está, papa. Pachán lo ha dicho: a lo hecho, pecho. Tenemos que huir si no queremos que nos fusilen esta noche. Bueno, compas, no nos olviden, quién sabe cuándo nos volveremos a ver...

—¡Adiós, compa Quiel! ¡Adiós, compa Floriano! ¡Cuídense, no se dejen agarrar de las escoltas!

Pachán y Geño les fueron acompañando un trecho finca adentro, dándoles consejos. Pachán ofreció llevarle a Pastora a un lugar determinado al pasar un poco el escándalo del Mandador. Se despiden sin abrazos, pero con gran sentimiento.

—Hasta luego, compas.

—Hasta luego, hermanos.

7

Pastora Jocotán está inconsolable en el cuarto del barracón. La imprevista salida de su marido por haber agredido al Mandador es un golpe inesperado que la ha dejado aturdida. ¿Podrán huir antes de que las escoltas les den alcance en alguna plantación? ¿Qué sucederá si los capturan en los bananales? Quiere apartar de sus pensamientos esas cosas terribles, pero le resulta imposible. Los van asesinar al atraparlos porque, atacar a un gringo Mandador, equivale a dispararse un tiro en la cabeza.

Piensa que lo mejor que ahora ella puede hacer es juntar sus cosas y buscar la champa de su madre, junto a Pachán. Ha dejado el trabajo en la cocina y en el cuarto prepara sus maletas. Abajo se oyen voces comentando los sucesos: hay mucha preocupación en las gentes y aún aprobando la actitud de Floriano, sienten gran temor por las consecuencias. Se escuchan los gritos de unos muchachos y el llanto de un niño en un *cuzul*. ¿Por qué la felicidad es tan pasajera cuando se asoma a algún hogar campeño? Cuesta mucho lograr atrapar un trocito de dicha en la prisión verde de los bananales, y luego, ¿para qué? Para quedar de nuevo en la desgracia y ser más arrastrado hacia su fondo.

—Pastorcita...

Da un salto la muchacha, sorprendida, asustada. Domingo Huete está allí; ha entrado con sutileza de tigre que acecha al incauto venado en el bosquecillo. Tiembla Pastora: ha visto en los ojos relucientes del hombre, la presencia del deseo desbocado, el frenesí del sexo insatisfecho. Comprende que en ese momento Domingo es peligroso, capaz de cualquier brutalidad.

—¿Usted aquí..?

—¡Yo, querida mía, yo! Tanto que te he suplicado que seas mía y hasta hoy veo que vas a acceder.

—Por favor, Mingo, respéteme usted. Yo tengo mi marido. Soy comprometida. Soy una mujer honrada. No trate de abusar de mí aprovechándose de la desgracia de mi marido. Voy a gritar.

—Eso sería peor, Pastora. Yo no quiero hacerte fuerza, pero si no le haces por las buenas me veré obligado.

—Retírese, Mingo, voy a gritar pidiendo auxilio. Voy a llamar a Pachán, recuerde que él es hombre y me defenderá, es como mi padre.

Domingo no se detiene. Las palabras de Pastora encienden más su deseo y avanza. Ahora no existe el peligro de que los sorprenda Floriano. Ella retrocede temblando timorata. ¡Ah, si tuviera un cuchillito aunque fuera de esos de pelar bananos..! Está arrinconada y reacciona sobreponiéndose al temor. ¡Se defenderá como pueda!

—¡Voy a gritar, Domingo! —su voz ha cambiado el tono amistoso y presenta las manos empuñadas; en sus pupilas antes dulces aparece el pico del gavilán del odio— ¡Voy a gritar diciendo que me quieres violar! ¡Voy a gritar!

En ese momento, cuando el capitán la tiene acorralada y ya se apresta a saltar sobre ella, aparece a sus espaldas una mujer.

—¡Auxiliooo! —grita Pastora.

—¿Domingo, no te da vergüenza lo que estás haciendo?

El hombre se vuelve con agilidad felina. Reconoce la voz. Es su propia mujer que está plantada frente a él con los ojos centelleantes y sin detenerse le golpea la cara con la mano abierta. Suena sonora la bofetada de su mujer y Domingo siente que se le enciende la sangre, ya no de deseo sexual sino de rencor.

—¡Desvergonzado! ¡Violador! ¡Bandido! —grita su mujer.

Pastora está perpleja y ha quedado con el brazo en alto para repeler la agresión.

—¡Te voy a matar, maldita! —ruge el capitán sin comprenderse a cuál de las dos mujeres se ha dirigido. Al desprenderse de su esposa sale del cuarto furibundo y baja de cuatro en cuatro la escalera de hierro por donde suben dos mujeres vecinas que han oído el grito de Pastora y vienen a investigar. La mujer del capitán queda viendo un momento a Pastora. Hacía unos momentos, al venir detrás de su marido, sentía una profunda malquerencia contra ella. Consideraba que era querida, pero lo que estaba viendo demostraba que había un error: la esposa de Floriano Jocotán era mujer honrada. De ahí que ahora sienta unos imperiosos deseos de llorar, aunque no sabe si por desilusión o por vergüenza de haber pensado mal de otra mujer casada.

—Si vuelve a molestarte ese truhán, no temas en meterle palos.

Pastora calla. La mujer sale del cuarto a grandes pasos. Las dos vecinas observan sin comprender. Otras gentes están bajo el barracón presintiendo que algo grave pasa en el cuarto de Pastora. ¿Será que la han echado afuera por la cuestión de su marido con el Mandador? Detrás de Domingo corre su mujer insultándole en voz alta, recriminándole su canallesca acción contra la muchacha. Huete lleva colgando de su muñeca el látigo que sirve para las mulas y a veces para castigar algún hombre humilde en las plantaciones. No espera a llegar a su residencia para actuar.

—¡Te voy a enseñar a no meterte en lo que no te importa, maldita! —Dice mordiendo las palabras y a continuación le da el primer latigazo que hace detenerse a la mujer y retorcerse, dando un corto ¡ay!

De los barracones, *cuzules* y cocinas las gentes, especialmente mujeres y niños, presencian la chilillada que el Capy Huete propina a su mujer, empujándola así hasta su casa. Allá, tomándola del pelo, sin miramiento, la sube por la escalera tirándola sobre el piso. Una niña de cinco años corre llorando hasta su madre, que gime recibiendo latigazos por todas partes, y también recibe castigo.

—¡Papito, papito, ya'stá! ¡No pegue más a mamita..?

Domingo no atiende la súplica infantil y hace ponerse de rodillas a la madre y que jure por Dios y sus antepasados que jamás volverá a meterse en los asuntos que sólo a él le incumben, aunque lo vea acostado con otra mujer, su deber es callar. Ella jura apoyada en el débil cuerpo de su hija y así permanece, hasta cuando él le ordena ir a servirle la comida.

Los comentarios de las mujeres, como siempre están divididos, unos a favor de la mujer y otros a favor del capitán. Pero esos sucesos escandalosos acaparan la atención por poco tiempo, pues lo sucedido en la finca entre el Mandador y los Jocotán es algo tan gordo como pocas veces suele suceder y sus consecuencias tan temidas no se hacen esperar. Pachán y Geño, al despedirse de los Jocotán, dispusieron dejar el trabajo y marcharon al campo. Allí comunicaron la noticia a la familia y a varios amigos enfermos que estaban en las champas. Al medio día Pastora se trasladó a la champa, relatándoles su encuentro con el capitán Huete.

—¿Sabes, compa Geño? —dijo Pachán después de meditar un rato— Mejor voy a llevar a mi familia y a Pastora a San Pedro Sula. Nadie sabe las consecuencias de los vergazos dados al Mandador. Yo mismo no me siento muy seguro. Tocar a un gringo aquí, aunque sea por una canallada suya, es cosa grave.

—Dices bien, hoy pueden haber fusilados.

Pachán hizo que se prepararan las mujeres y tirándose por la plantación, se marcharon hacia La Lima por el carretero. En las ciudades las cosas eran distintas y no se podía asesinar tan impunemente como en los sectores rurales. La actitud de Pachán Roca fue muy acertada y oportuna.

Al llegar a Finca 17, el Coronel Cirilo Cirilón, con sus temibles Camisas Negras, fue inmediatamente a visitar al Mandador a recibir las correspondientes instrucciones. El gringo le relató los sucesos de la mañana a su manera destacando el «ataque traicionero y bárbaro de que había sido objeto por los dos asesinos Jocotán», que él podía haberlos liquidado, perc no quiso ensuciarse las manos con esos cerdos, por lo que ahora correspondía a las autoridades poner orden.

—Yo creo —concluyó el Mandador— que esos bandidos han sido enviados especialmente por los enemigos del régimen y de las compañías para asesinarme. No hay duda que son agentes muy peligrosos.

Cirilo ofreció poner orden. Para eso se había organizado el cuerpo expedicionario bajo su mando. Conocía a los dos insurrectos y les había llamado amigos una vez que los encontró en el campo, pero eso no importaba. Tampoco importaba que fueran el padre y hermano de Merejo, su amigo íntimo ahora también jefe expedicionario. Lo que mandaban los gringos se debía cumplir al pie de la letra, para eso pagaban jugosos dólares. ¿Ponerle la mano al mister Mandador un penco ganapán? Era el colmo. Eso no se podía perdonar a nadie. Los norteamericanos eran intocables. Ellos llevaban la prosperidad al país y podían imponer su voluntad en todo; los naturales solamente debían obedecer y trabajar hasta dejar el cacaste en los bananales. Insurreccionarse y protestar contra los protectores aunque ellos personalmente les atropellaran con sus mulas: ¡era ser desagradecidos, no comprender la misión civilizadora de las compañías!

Los Camisas Negras fueron al campo. Parecían una verdadera jauría suelta. Armas en mano, gestos fieros e intenciones criminales era lo que los caracterizaba. Miraban a las gentes con odio, apuntándoles e insultándoles soezmente.

—¿Dónde vive Floriano Jocotán?

—Allí, en el tercer cuarto del segundo barracón.

De un puntapié abrió la puerta Cirilo Cirilón, llevando la automática en la diestra. Nadie había adentro. Un catre, un cancel y una hamaca. Regadas, pequeñas cosas. Tomó una silla de pino y la quebró en el catre. Otros se pusieron a destruir todo y a tirarlo al patio. Cirilo comprendió que Floriano no había esperado, pero al bajar preguntó a una mujer que le contestó:

—Pues hace un rato aquí estaba Pastora. Debe andar donde la familia, allá en aquella última champa que está cerca del quinel.

Cirilón llamó a los secuaces y, a grandes pasos, se dirigieron a la champa de manaca de Pachán Roca. Estaba cerrada.

En la cocina de la champa vecina estaban unos hombres cenando. Preguntoles Cirilo:

—¿Dónde está la gente de esta champa?

—¿Cuáles? ¿Pachán, las Castro y don Quiel Jocotán..?

—¡Cualquiera, imbécil!

—Pues deben estar adentro o andan en los barracones.

Los Camisas Negras abrieron de un golpe las puertas y revolvieron todo. La cólera estalló contra los míseros muebles y enseres que había dejado la gente. Si hubieran encontrado alguno, Cirilón lo hubiera torturado y ahorcado a la vista de todos los campeños para que sirviera de ejemplo. Los vecinos de las champas, al ver el desastre, comenzaron a escabullirse dejando hasta abiertas las chozas. Cirilo salió al patio. De pura cólera dejó ir el chifle de su automática sobre la tierra levantando trozos y piedras.

—¡Hay que dar un ejemplo! —ordenó a sus secuaces— ¡Métanle fuego a esa champa!

Inmediatamente cuatro de ellos fueron por varios lados y encendiendo fósforos metieron fuego a la vivienda de hojas. Se retiraron un poco mientras las llamas, con una rapidez extraordinaria, se elevaban crepitantes. La manaca de paredes y techo en poco tiempo se convirtió en cenizas. Era el atardecer y los trabajadores venían de los bananales con cansino paso, pero cuando se enteraron de la presencia de los Camisas Negras y del incendio de la champa, se apresuraron a meterse en sus cuartos y *cuzules* cuanto antes. Era la hora de comer y también lo hacían precipitadamente, comentando en voz baja sobre los acontecimientos que originaban la represión de los gringos. Había un sordo disgusto en las gentes trabajadoras. Ver destruida la champa de Pachán Roca con todas sus pertenencias, causaba cólera. ¿En qué tenía que ver la actitud de Floriano Jocotán con Pachán y su vivienda? ¿Por qué no incendiaban el cuarto del barracón donde vivía Floriano con su mujer? ¿Por que era propiedad de la compañía?

—¡Cabrones Camisas Negras! —insultaban en voz baja.— ¡Bien hecho lo que hizo Floriano Jocotán!

—¡Lástima que no le diera por el filo a ese gringo condenado!

—¡Si yo hubiera sido el hijo de don Quiel, por Dios que me vuelo al gringo! ¿Se dan cuenta de la perversidad de ese jodido echándole encima la mula al pobre viejo..?

—Pero eso no lo ven las autoridades. ¡Toda la jodedera es contra los hijos del país!

—¡Debiéramos amarrarnos los pantalones siquiera una vez!

Bajo la luz de los candiles crecía sordamente la antigua rebeldía de los hombres campeños.

8

No encontrando Cirilo Cirilón a los Jocotán para darles su castigo por el ataque al Mandador gringo, comenzó sus atropellos con la demás gente que nada tenía que ver con el problema. Agarró a tres chapiadores, los ató en un polín de barracón y les mandó dar riata para que dijeran dónde estaban escondidos los Jocotán. Los hombres no podían decir lo que no sabían y sufrieron hasta quedar inconscientes y ensangrentados. Después capturó a dos *corteros* que andaban con los Jocotán trabajando ese día. Repitió las torturas allí, ante la gente campeña, sin atender los ruegos de familiares que intercedían por ellos. Los hombres iban de un barracón a otro poniendo la mayor distancia entre los sabuesos y sus personas. Moncho y Geño se habían escondido en un *cuzul* temerosos de que por su amistad con los Jocotán los torturaran. Había muchos hombres ocultos en los cuartos de los barracones. Los disparos de los Camisas Negras repercutían en la noche fúnebremente. Hasta los capitanes no se atrevían a salir oyendo el tropel de los soldados y sus gritos. En el *cuzul* donde está Moncho hay como veinte hombres escondidos. Una sombra de mujer se deslizó hasta ellos comunicándoles:

—Acaban de matar a un *varero*. Allá está tirado frente aquel barracón. ¡No dijo ni ay!

—¿Quién será?

—Es un muchacho que tocaba dulzaina.

Lo conocían. Se asomaban a la puerta del cuzul en sombras

para ver lo que pasaba. Los Camisas Negras alumbraban con focos y tiraban a los hombres que huían por el miedo. Llevaban arrastrado el cuerpo de un hombre que lloraba, suplicando. Una mujer iba detrás pidiendo clemencia para su marido que nunca había tenido que ver con la justicia y era muy conocido en todo el campo como hombre de bien. Un rato más tarde, la misma mujer que antes llegara a dar noticia a los hombres, regresó corriendo y asustada.

—¡Han matado a don Florentino porque le dijo a Cirilón que era un crimen matar a la gente así, por gusto! ¡El propio Coronel le disparó su automática como contestación! ¡Matar a un hombre tan bueno..!

Los gritos de una mujer se elevaron en la noche:

—¡Ayayay, qué bárbaros! ¡Han matado a mi marido Florentino por purito gusto de matar! Dios Santo: ¿dónde está tu mano divina?

—Compañeros: —dice un campeño de avanzada edad que trabajaba como ayudante de un bombero— ¿vamos a esperar que esos jodidos Camisas Negras acaben con nuestros amigos?

Nadie contesta en el *cuzul* en sombras. El hombre continúa:

—Han comenzado a derramar sangre inocente y no pararán en toda esta noche. Van a dejar tendalada de nosotros.

Los campeños siguen en silencio enroscados en sí mismos.

—¿Por qué no nos arriesgamos siquiera una vez en la vida? Antes los campeños no se dejaban zoquetear de nadie. ¿Por qué no les enseñamos a respetar a los hombres a esos Camisas Negras? ¡A ellos también les entran el plomo y los machetes! ¿Eh?

Los campeños se observan en la sombra y comentan en voz baja. El ayudante del bombero, a quien todos conocen como persona honrada, les estimula su adormecida intención de rebeldía ante la injusticia. Allí hay más de veinte, muchos otros les pueden ayudar en la empresa. En todo el campo hay más de mil hombres trabajadores. Si ellos toman la iniciativa muchos otros les seguirán porque el sentimiento de odio contra los Camisas Negras es general, aun en aquellos que dicen ser partidarios del gobierno.

—¡Caguémonos en ellos! —aprueba una voz resueltamente— estoy seguro de que no nos aguantan aunque sólo les caigamos a machete.

La idea del primer hombre toma cuerpo. Los que hablan le apoyan. Afuera se oyen los disparos y gritos de dolor de las víctimas. Por lo visto los Camisas Negras se proponen hacer pagar a otros el asunto de los Jocotán. Sin embargo, ahora se les oye gritar cuando agarran a alguno: «¡Este es enemigo del gobierno, jodámoslo!» O bien acusan: «¡Ese carajo es un comunista, jodámoslo!»

—La cosa es muy seria, compas —habla Moncho sosegadamente— pero yo no estoy de acuerdo en tomar una determinación extrema. A fin de cuentas seremos los campeños los que paguemos todo. —Y recordando las palabras de Pachán Roca, prosigue:— Este es un problema colectivo y no lo solucionaremos con un refuego. Hoy podemos acabar con esos Camisas Negras, pero mañana tendremos encima y por todas partes las escoltas del gobierno. Nuestro lío con los gringos y el gobierno no lo resolveremos así, hoy. ¿Me comprenden, compas?

—Usted tiene razón —le dice el hombre serio y maduro, dueño de la iniciativa de violencia.— Las consecuencias podrán ser mayores, pero de no hacerlo así, esos carajos van a acabar con nosotros desarmados, así como han matado a don Florentino y a los otros. Yo comprendo lo que el compa Moncho quiere decir y le doy la razón, pero esta noche no queda más camino que defendernos como machos o esperar a morir amarrados.

—Yo tengo muchos años de vivir en los campos —dice Moncho aún convencido de que marcha contra la corriente y que no le atenderán.— Yo he sido testigo de miles de injusticias y de crímenes, yo los he sentido en carne propia. He perdido amigos y parientes. Pero yo digo que este camino, no es el mejor para nosotros...

—Compa —le pregunta el indio Geño— dígame: ¿es que le ha entrado canillera?

—Usted sabe que soy campeño y que un mero campeño nunca se raja ante el peligro, pero...

Los campeños saben, y Eugenio Plata mejor aún, que Moncho no es cobarde, pero están en desacuerdo con él. Afuera andan sueltos como demonios los Camisas Negras de Cirilón y ellos están quietos en el *cuzul*, esperando que se vayan para salir a enterrar los muertos. No, es imposible seguir soportando más.

—¡Vamos, compas! ¡Qué diablos! —es el ayudante del bombero que dice la última palabra:— ¡Para morir hemos nacido!

—¡Vamos, compas!

Hay un movimiento en el *cuzul*. Los hombres toman sus machetes de labor, sus puñales, sus navajas. Algunos tienen revólveres como el que dio la iniciativa. Es, precisamente él, quien encabeza los grupos y los envía a buscar un lugar donde ubicarse y mientras otros hombres van de un barracón a otro, donde no están actuando los Camisas Negras, con el fin de reclutar más campeños para la pelea. Cirilón y sus secuaces anda por el lado de las champas y se oyen sus blasfemias y sus carcajadas de borracho. Moncho sale con Geño y siguen a uno de los grupos, callados, con los machetes en las manos. Algunos se llaman en las sombras y muchos hombres bajan de los barracones y *cuzules* sigilosamente. A veces se ve el relámpago de un machete. Los campeños se han resuelto a actuar.

Todos atienden al ayudante de bombero que es hombre de iniciativa y serio. Aparecen unas doce pistolas y quién sabe de dónde, un par de escopetas de caza. La noche está oscura sin más luz que la de las lejanas estrellas. Algunas puertas de cocinas que estaban abiertas son prestamente cerradas. Se sabe ya que los campeños del campo Finca 17 van a enfrentarse a la escolta. Por todos los barracones hay calma y los capitanes se han encerrado. Muy suavemente, vienen de la oficina del Mandador notas de música yanqui de un radio-receptor.

Cirilo, personalmente trae del pelo a un hombre descalzo y bajito que gime sin alzar la voz. Dos más son empujados por soldados. Estos fueron encontrados en una champa de manaca, escondidos. Los llevan hacia los barracones donde han quedado los muertos y los prisioneros atados en polines. Cirilón se entera de la quietud y la total oscuridad de los barracones, ordena a sus secuaces que hagan salir a las gentes y que enciendan luces. Los tres pobres hombres han sido tirados a tierra como fardos. En ese momento, Cirilo nota que no toda la gente se ha encerrado. Se observan sombras. Los llama.

—¡A ver, todos los que están allí, vengan rápido antes que dispare y los quiebre!

—¿Qué quiere, Coronel..?

Es el hombre moreno, ayudante del bombero que se acerca lento.

—¡Quiero que todos se den cuenta de cómo vamos ahorcar a esos bandoleros!

—¿De veras, Coronel? ¡No me lo diga!

Hay tal ironía en esas palabras, que Cirilo pone atención. Quizá un poco retrasado, se da cuenta instintivamente de las intenciones de esas sombras humanas. Cirilo es hombre fogueado en peleas de contrabandistas. Para probar, dispara hacia el suelo y al instante retumban otros disparos cuyos fogonazos y el silbido de los plomos le dicen, claramente, que han sido contra su persona.

—¡Aquí, mis muchachos! ¡Me quieren matar! ¡Fuego contra todo el que asome la nariz!

Una metralleta lanza fuego al azar y se oye que en la pared de lata de un *cuzul* han echo blanco. Cuando alguno alumbra con su lámpara, tiene que apagarla al momento porque las balas salidas de varios ángulos les llevan el mensaje de muerte. Los Camisas Negras están al descampado entre los barracones y las champas. A los gritos de Cirilo han regresado corriendo los soldados que hacían levantarse a la gente y los que guardaban los prisioneros junto a los muertos. Dos de ellos no regresan: el filo de machetes salidos de las sombras les dejan mordiendo la tierra desyerbada.

—¡Puta! ¡Nos están atacando!

Se elevan los gritos. El tiroteo de la escolta es a ciegas, al azar, contra todo, mientras que los ralos disparos campeños van directo a sus objetivos. Los célebres Camisas Negras están rodeados. Cirilo se da cuenta de que está en una ratonera. Para romperla deben buscar hacia las champas de manaca alejándose de la línea férrea. Los campeños los acechan y el cerco se va cerrando, inexorable. Relámpagos plateados de los machetes siguen a las rojas explosiones de los disparos de las metralletas. Son cortos minutos, aunque a Cirilo se le antojan sin fin. Comprende que es necesario huir, porque en las sombras no se puede acertar y ni siquiera se atreve a encender su lámpara porque vio que su lugarteniente, al hacer eso, recibió un tiro de escopeta en la cabeza cayendo sin un quejido.

—¡Atrás, perros! ¡Yo soy Cirilo Cirilón! ¡Témanme! —grita pretendiendo intimidar.

Una sombra humana se adelanta hacia él. Cirilo dispara con el afán de detenerla. Y en efecto, el hombre se para y martilla un revólver sin que salga el disparo: o no tiene parque o se ha encasquillado. Cirilo se ríe alto y le hace fuego tres veces, con celeridad. La sombra avanza dando saltos. Ya está a tres pasos. Cirilo dispara de nuevo pero el hombre prosigue. Le ve el relámpago del machete. Es un gravísimo peligro dejarle aproximarse y apuntando con meticulosidad, aprieta el gatillo. El hombre-sombra lanza un ay y cae en tierra, pero antes de que lo remate se incorpora y avanza. Cirilo retrocede disparando nervioso. Por primera vez siente temor.

—¡Muchachos, aquí estoy, me matan!

Dispara y dispara y hace una ráfaga de cinco. Nada. Ese hombre es como fantasma. Vuelve a tirar del gatillo y la automática no responde. ¡Maldición! Debe cambiarle el chifle al instante. Lo saca mientras retrocede, pero ya no le es posible introducir el otro cargador porque esa sombra está de nuevo al frente. Le puede ver los ojos como dos brazas, y nada más. Algo ha sucedido en su cabeza y en el mundo porque sin comprender se ve cara al cielo donde hay infinidad de estrellas que se van haciendo un solo manto rojo y en su cabeza hay como un hilo de hielo que le hiere más allá del alma.

—¡Tris-trás! ¡Tris-trás! ¡Tris-trás!

Como cuando los hombres chapean los yerbales en las plantaciones, así se oye el canto del machete que entra y sale rítmicamente de la carne alcoholizada del Coronel Cirilo Cirilón. Los soldados, espantados, huyen por entre las champas de manaca, perseguidos por los campeños. Se meten al bananal, se tiran al *quinel*, arrojan las armas para correr mejor. Detrás de ellos van las sombras calladas y los relámpagos plateados de los machetes desmonteros. En el campamento hay un apretado interrogar del silencio.

Al amanecer de aquella noche sin nombre, Moncho y Geño Plata recorren el campo. Habían quedado quince muertos, nueve de los cuales eran soldados Camisas Negras, inclusive su jefe. Junto a éste, con el machete en la mano está el cadáver de aquel señor ya de edad que era ayudante del bombero y que iniciara la insurrección en el *cuzul*. En su cuerpo hay ocho heridas de balas de automática. Algunos heridos están siendo curados en los comedores y cocinas y los que pueden caminar, porque son leves las heridas, se van retirando del campo. Aparecen metralletas y revólveres tirados en la tierra junto a los Camisas Negras muertos, que aún tienen en los cuellos los pañuelos con cruces y calaveras.

—Compa Geño —dice Moncho— creo que debemos tomar nuestro camino como Pachán Roca. ¡Quién sabe cómo irá a pasar este otro día en esta finca!

—Si, compa, de quedarnos aquí nos podemos ver en más líos con otras escoltas. Hoy van a mandar todo un ejército.

—O a lo mejor, de algo les sirve la lección.

—Y usté que no quería...

Moncho va a su cuarto y poco después baja con su maleta. Eugenio no lleva nada porque sus cosas cayeron en el incendio de la champa. Toman por el quinel, apartándose de la línea férrea. Moncho dice:

—No es por aquí el camino. Esta ruta es equivocada, compa Geño.

El indio Plata, sorprendido, se detiene atisbando en las plantaciones y el camino carretero. ¿Cómo se van a equivocar si conocen tan bien todas las plantaciones? Pero luego, viendo a Moncho comprende.

—Pachán tiene razón: hay que buscar la organización, el sindicato, nuevos métodos de lucha.

—Si, pues, pero lo hecho, hecho está, compa. Nadie resucita a los muertos...

Y los dos campeños, antes de salir el sol, ya van a pasos largos cada vez más lejos de Finca 17, donde los trabajadores se amarraron los pantalones contra la dictadura del General Pedrozo en una noche de espanto, de coraje, de sangre; una noche de relámpagos plateados por los machetes chapiadores campeños.

Machetes reivindicadores
Cuarta Parte

1

La hacienda Las Marías del general Crisóstomo Pedrozo, ha progresado mucho aun cuando se prosigue con los mismos métodos semifeudales de explotación de la tierra y de los hombres campesinos. El viejo terrateniente, que ahora es un gran hombre de Estado, nunca se ha preocupado por utilizar la maquinaria en la agricultura, ni modernizar la ganadería. Ha comprado varios sementales holandeses y los ha perdido porque el mayordomo y administrador don Amindo Carranza ha querido sustentarlos así como sustenta las vacadas, sin ninguna atención especial y comiendo solamente zacates. Tres de los sementales han muerto por descuido y otros seguirán igual destino. Lo único nuevo en La Hacienda es la carretera, un tramo que la conecta con la carretera del sur y que ha sido construido por el Estado, con reos políticos traídos de la Penitenciaría Central de Tegucigalpa. La utilidad que presta es solamente a la propiedad del general Pedrozo.

Lo que sí ha logrado don Amindo es aumentar las caballerías de tierra de La Hacienda, a costa del despojo de varias aldeas y pequeñas propiedades campesinas expropiadas por deudas. Mayor es el número de peones y sus familias que se acumulan en los hatos y en los cerros vecinos al Cerro de Las Lajas donde también se han afincado nuevas familias sin tierras. Aprovechándose de la posición del General, el administrador es más despótico con los mozos. Por eso también ha ganado todos los pleitos que ha venido entablando contra comunidades. La justicia está en manos también del General, es decir, de don Amindo.

Muchos han muerto de aquellos campesinos compañeros de Ezequiel Jocotán, pero nuevas generaciones, también analfabetas y sumisas, ocupan su puesto en la servidumbre del padrino. Este viene muy poco a su hacienda, a veces tarda hasta un año, pero cuando asoma es seguido de un cortejo de automóviles y camiones que llevan mucha gente armada. Los que llegan más consecutivamente son sus hijos, a pasar los fines de semana con otros profesionales de la capital y con muchachas. El que continúa entendiéndose de todo es don Amindo, cuya indiscutida autoridad ha crecido. Según dicen ha sabido sacar partido de su administración. Se sabe que tiene comprada en Tegucigalpa una buena vivienda y una hacienda en Santa Bárbara, de donde es oriunda su esposa, la madre de Chabelita, única hija del matrimonio. Chabelita hizo sus estudios en el colegio María Auxiliadora de Tegucigalpa, recibiendo el título de maestra y, un año más tarde, se casó con un joven capitalino, según decían, de buena familia. Chabelita ya tiene tres hijos y ha venido a pasar unas semanas al lado del padre, mientras la madre atiende a los nietos y al yerno en la capital.

Chabelita es alta y delgada, tiene un diente de oro que le queda muy lucido según la opinión de las campesinas, pero, quizá por las maternidades tan seguidas, se ve marchita y ajada. Tiene fama de bondadosa y en La Hacienda son muchos los que la recuerdan con cariño. Desde el día en que ha llegado, se ha puesto a ayudar a su padre en la trucha que ahora está mejor organizada y es una verdadera tienda. También han sido ampliadas las instalaciones de la quesería, lechería y demás. Las ideas de Chabelita en comparación con las de su padre, son muy progresistas. Ve el retraso de La Hacienda y llega a la conclusión de que su padre no es capaz para estar al frente de esa propiedad marchando al ritmo de los nuevos tiempos. Allí se necesita un hombre que sepa agricultura y ganadería, y su padre sabe menos aún que lo que saben los campesinos siervos. No se utiliza ninguna maquinaria y todo se hace como en los tiempos de la colonia.

—¿Papá —le pregunta una noche después de cerrar la tienda— qué piensas hacer con tantas tierras sin producir? ¿Tienes algunos proyectos agrícolas de producción?

—Pues como decir proyectos en serio, ninguno. Claro, se puede hacer mucho, pero se necesita mucha plata.

—¿Y La Hacienda no la produce?

—Claro que sí, hija. Esta hacienda es un chorro de plata, pero, hay que mandarle dos terceras partes a la familia del General y con la otra tercera parte arreglármelas yo aquí para mantenerlo todo, incluso mis propios honorarios.

—Oye, papá: yo conozco en San Pedro Sula unas haciendas ganaderas que da gusto verlas. Claro, sus propietarios se preocupan en mejorarlas. Tienen buenas razas de ganado y hasta el ordeño es con técnica y máquinas.

—¿Con qué..?

—Técnica, papá: téc-ni-ca. —Da la impresión de que la maestra está en una aula escolar.— Los establos son una belleza y muy higiénicos; en cambio aquí, son asquerosos y los productos de pésima calidad.

Don Amindo calla. Si fuera otra persona quien le dijera esas cosas, ya sabría él cómo contestar; pero se trata de Chabelita, de su hija tan querida. Piensa que, a lo mejor, ella tiene razón y finalmente se justifica:

—Quizá sea como tú dices, hija de mi alma, pero he de manifestarte que en esta zona no hay otra hacienda más grande y próspera.

—No me diga, papá: en lo grande, tal vez, pero en prosperidad, no. Allí no más baje usted por Choluteca y se encontrará con las haciendas de los alemanes Siercke. Esas son haciendas, papá —y cambiando de tono—, pero claro, ellos sí utilizan maquinaria y métodos modernos. Eso es, papá: los métodos empleados. Usted todavía usa la *guizuta*. ¿Por qué no compran tractores para arar?

—¿Y quién los manejará? Porque yo creo que ellos solos no trabajan. No, hija, sería un gasto inútil. No creas que tu padre no piensa en todo eso, pero cuesta mucho y en cambio, con los métodos viejos se obtienen buenas ganancias con el mínimo de gastos. No hay que menospreciar lo viejo, hija de mi alma.

—Qué ideas las tuyas...

—Yo te pruebo con hechos que tengo razón. Fíjate: ¿cuánto cuesta un tractor? No menos de mil quinientos o dos mil lempiras. Luego la gasolina, el aceite y pagar un conductor especial que no cobra como los demás mozos y, además, lo quiere al contado. En cambio tú mandas cincuenta o más mozos de aquí, que los hay a montones y muchos sólo necesitan la comida, y te remueven la tierra con *guizuta* en dos *monazos*. Y todo no te viene costando ni cien lempiras. Además a los montunos no les gusta manejar plata y prefieren llevar mercaderías de la tienda.

—No es que prefieran eso, papá. Yo te conozco bien, lo que pasa es que siempre están argollados con tus célebres deudas.

—¡Ah, muchacha, muchacha más *alebrestada*, no se te olvidan las cosas del pasado!

Don Amindo ríe queriendo hacer gracia, pero no le resulta así. En su interior le molesta ese modo crítico de su hija. Bueno está que venga a pasar unas semanas a su lado y que le ayude en la tienda, pero eso de venir a censurar su manera de dirigir y administrar La Hacienda, eso no es correcto y si ha de estar buscando lo feo a todas las cosas, pues lo mejor es que regrese a la capital en donde debe haber mucho de moderno. Allí en La Hacienda, ¡maldito para lo que le hace falta la técnica! ¡Bendito Dios que después de hacerse maestra a costa suya, se casara y se quedara a vivir en Tegucigalpa! ¿Qué hubiera sido de su vida si esta loquilla presumida se hubiera venido a La Hacienda? Sólo de pensar eso ya sentía depresión en su ánimo.

Nada de sus pensamientos afloró en sus palabras y luego se enfrascaron en otro tema: la política. Ella cuenta muchos sucesos ocurridos, obras del régimen, hechos que se ven todos los días y que la generalidad reprocha y condena en voz baja, porque si lo dicen alto reciben palos y cárcel. Nadie tiene derecho a hablar. No hay libertades y matan a muchas personas, incluso maestros, estudiantes y mujeres.

—¡No, esas son calumnias, hija, calumnias de los *colorados* y los comunistas! ¡Yo leo la prensa, yo estoy al día aunque me veas vivir en el monte! ¡Yo sé cómo marcha todo en la nación!

—¡Aténgase a la prensa oficial! ¿Qué van a decir esos serviles? Sólo *cobas* y mentiras. Fíjese que hace poco un fulano del norte decía en un telegrama que publicó la prensa: «¡Listo para defender a nuestro semidios! ¡Siempre fiel como un perro!» ¡Eso es no tener dignidad, papá!

—Bueno, hija de mi alma, dime una cosa: ¿es que tu marido es de la oposición?

—No es de la oposición porque mi marido trabaja en una oficina pública; pero mi marido y yo y toda la gente honrada no tienen los ojos cerrados. ¿Quién no ve que están hundiendo al país y desmoralizando al pueblo?

—Cualquiera diría que eres enemiga del gobierno. Eso es un desagradecimiento para mi General y su familia. Está bien que otros hablen, pero tú, la hija del administrador y gran amigo de don Crisóstomo, no debes hacerlo, hija.

—No decirlo sería una complicidad con los malandrines, pero ya que no te gusta la verdad dicha por tu hija, me callo. ¿Te parece?

Todo eso hace que don Amindo mantenga cierto rencor íntimo para su propia hija y culpa de ello a la enseñanza, que a pesar de haberla obtenido en colegio religioso le habían metido ideas tan libertinas. Pero el mayor culpable debe ser el marido. Siente desilusión porque su hija tenga pensamientos tan atravesados. ¿Será eso la mentada moderna? ¿Por qué los hijos de ahora no son como lo fueron ellos los de su generación y la de sus padres y abuelos? Aquellos sí que eran buenos hijos, obedientes y respetuosos con sus padres. Entonces había moral cristiana. ¡Cuándo un hijo iba a ponerse a darle lecciones de sabiduría a su padre..! ¡No! Algo anda mal en este pícaro mundo y don Amindo ve en ello un gran peligro para la sociedad. ¿Qué moral es la que tienen las generaciones del presente? Los jóvenes se consideran igual a sus mayores, incluso superiores, y no respetan ni a Dios. Razón tiene el gobierno de tratar a los jóvenes estudiantes a la baqueta porque de otra manera no entienden.

—Papá, ¿quién es esa tal Lucinda que trabaja de campisto?

—¿La has visto? —En los ojos de don Amindo aparece un hilillo luminoso que no pasa desapercibido a Chabelita.— ¡Es una mujer extraordinaria! No puedo decirte de ella nada porque ni yo ni nadie en La Hacienda sabe más de ella. Apareció un día pidiendo trabajo. Yo creí que no podría desenvolverse en el campo y para no decirle no, se lo propuse. Me equivocaba: aceptó inmediatamente y después no ha querido dejarlo. Es una mujer dura como hombre. Hace todo bien, pero es como muda. No habla más que lo necesario. A veces da la impresión de que odia mucho, pero en el fondo es una mujer extraordinaria. ¡Y qué bien pega con el revólver! ¡Y cómo monta a caballo! ¡Lucinda es magnífica! A veces, hija, me parece que es alguien a quien he conocido hace mucho, alguien de confianza... no sé.

—Ten mucho cuidado con esa forastera, papá.

—¿Por qué? No hace mal a nadie y trabaja bien. De seguro has hablado con las mujeres del Hato. ¡Bah, supersticiones! No la pueden ver porque dicen que tiene en el cuerpo un espíritu malo. Cuando nombran a «La Forastera» hasta se persignan. ¡Tonterías!

—Yo aún no he oído nada de ella, pero la vi, le hablé y no me gustó. Esa mujer, como tú dices, odia mucho y es capaz de todo. ¿Quién sabe lo que oculta por dentro?

—Es misteriosa sí, pero no es mala. ¿Sabes lo que hace? Compra aquí provisiones y cosas para irlas a regalar a los campesinos de esos cerros. ¡Chifladuras!

—Es interesante lo que dices, pero sigo creyendo que es muy peligrosa —y con malicia— sobre todo para los que quieren acostarse con ella...

Don Amindo sonríe captando el sentido de la advertencia de su hija. ¡Las mujeres tienen unos alcances..!

Tarde se acostaron, mientras en los potreros se oían los mugidos y el tropel de las vacadas y de cuando en cuando el relincho de un caballo en brama. Para Chabelita este ambiente rural hace renacer muy vívidos los recuerdos de sus años de infancia. ¡Cuán lejanos parecían y qué cercanos en sus sentimientos!

2

Nicanor Faroles, aquel mozo guerrillero que fue ascendido a capitán por el General Pedrozo, vive en un rancho miserable al pie del Cerro de Las Lajas junto al riachuelo que seca sus aguas en verano. Sin ser un anciano, ya lo parece debido a las canas, cuyo contraste con su faz morena es más notorio. Más allá hay otros cinco ranchos de familias campesinas que no tienen una pulgada de tierra donde sembrar un frijol, pero que La Hacienda tiene a su disposición, como todos los campesinos de la zona, para cualquier trabajo que necesite ya que todos están atados por los lazos invisibles, pero férreos de las deudas y los contratos personales. En todo ese sector del Cerro de Las Lajas viven muchas gentes, unas en las colinas, otras en las hondonadas. Les permiten residir en sus ranchos y a veces sembrar alguna mancha de maíz, pero las tierras son estériles como el vientre de las mulas; necesitarían muchos abonos para hacerlas producir.

Las lluvias han provocado erosiones sin cuento. El viejo caminito de los Jocotán se ha perdido. En el lugar donde estaba el rancho sólo se ven algunas ruinas de los basamentos de bahareque; donde era el patio crecen espinos y algunos pinos jóvenes. Las lluvias y el tiempo han pasado un borrador por la vivienda de los Jocotán.

Nicanor ha regresado del trabajo en La Hacienda. Ha llegado un poco temprano para ver junto a los suyos la salida de la luna que ha poco fue luna llena. Sentado en el patio se saca garrapatas de las piernas restregándose con tabaco que, de cuando en cuando, mete también en la boca y mastica agregándole saliva con la que ataca los molestos arácnidos parásitos. Su mujer está vieja. Varios hijos suyos ya trabajan en La Hacienda y sólo está en la casa una hija menor y varios nietos, varones todos, que corretean por el patio bajo la clara luz de la luna. De pronto se oye el galopar de un caballo. Los chicos corren y gritan jubilosos:

—¡La Forastera! ¡Es La Forastera! ¡Viene La Forastera!

—¡Muchachos malcriados! —llama Nicanor— ¡Ya les he dicho que no la llamen Forastera: hay que decirle su nombre: niña Lucinda!

Las mujeres asoman la cabeza desde la cocina. Más allá se oyen otros gritos mencionando a La Forastera con la misma simpatía de los muchachos. Aquí en el Cerro de Las Lajas y sus alrededores no temen a la extraña mujer campisto que trabaja en La Hacienda como vaquera. En el Hato de La Hacienda las mujeres dicen muchas cosas malas de ella y hacen las cruces al mencionarla; pero aquí, no. Al contrario, la esperan como una bendición.

—¡Hola, cipotes! —Saluda una voz de mujer, y el jinete que llega frena su cabalgadura en el patio.— ¿Que tal, don Nicanor? ¿Y las mujeres qué se hicieron?

—Todos bien, por voluntá de Dios, niña Lucinda. Siempre en lo mismo. Desmonte si no va de paso.

Antes de que Nicanor la ayude a desmontar, la mujer salta ágilmente del caballo, haciendo tintinear las espuelas al pisar la tierra. Ata al animal que viene muy sudado y remuerde el freno con espumarajo. Las mujeres salen de la cocina, limpiándose las manos en las enaguas sucias para saludar a la visitante. Esta viste pantalones y camisa azul arremangada en los brazos; un sombrero empalmado en la cabeza sostenido con barbiquejo. Al cinto lleva un revólver. Su pintoresco aspecto es simpático y sus formas femeninas resaltan sobre la vestimenta viril.

—Les traigo unas cositas para los chigüines —dice y suelta de los jinetillos unas alforjas de cuero—. ¡Y también para los mayores! —Agrega con una sonrisa.

—Muchas gracias, niña Lucinda, usté siempre protegiéndonos. No sé cómo pagarle tantas bondades.

—Con sólo que sean mis amigos, basta. Por allá hay mucha gente que no me puede ver. ¿Por qué? Nunca les he hecho ningún daño. Allá ellas y su conciencia. Hasta me creen, sin duda, como hija del diablo.

—Malas criaturas son, niña Lucinda, pero los malos con Dios la pagan, tarde o temprano.

La mujer se ha sentado en una piedra junto a la hoguera. El sombrero le cae en la espalda prendido del barbejo y se le ve el pelo recortado, medio jilote, atado atrás con una cabuya. Al verle el rostro costaría mucho averiguar qué edad tiene, especialmente cuando se presenta seria y con unas arrugas en la frente. Pero como ahora, cuando conversa amigable y sonríe, parece más joven y aunque de manos duras como hombre de campo y de piel tostada, es agradable. Hay en su mirada cierta dulzura triste cuando dice:

—Lo que me duele mucho es que inculquen a los cipotes ese miedo y terror a mi persona. He oído que para atemorizarlos dicen: «¿No te vas a acostar, chigüin zamarro? ¡Pues ya viene La Forastera!» Y con eso los cipotes se acuestan calladitos, temblando. Me tienen horror tal como si meramente fuera yo una diabla.

—Mala gente, niña Lucinda. Pero acá también hay otras que agradecemos de corazón.

—¿Y cuándo salen de esta choza? —pregunta Lucinda para evitar que Nicanor, como siempre, alabe su amistad.

—Pues no sabemos, niña Lucinda. He hablado con los demás y nadie quiere dejar su ranchito. Es una grosería sacarnos de aquí.

—¡Un crimen, don Nicanor, un crimen!

Mientras las mujeres sacan los víveres y unas ropas de niño, que es lo que lleva en las alforjas, la mujer campisto, con paso rápido va al rancho más próximo donde es recibida con alegría. Unos días va a unos ranchos y otros al resto, pero siempre su ayuda va por orden y esto se debe a la capacidad de sus ingresos.

Efectivamente, el nombre de protectora que Nicanor le da,

es justo y es verdad también que en este lado nadie la malquiere. A veces, cuando llega por la tarde, suele montar en el caballo a los muchachos y los lleva a los alrededores. A veces suben al Cerro de Las Lajas, hasta el picacho. Lucinda, La Forastera, siempre anda al galope por los caminos como si tuviera miedo o permanente prisa, de día o de noche. La equitación la emociona y el trabajo con las vacadas parece que le sirve para olvidarse de su propia vida o de algo que la tortura. Unos dicen que es salvadoreña, otros que es nicaragüense, algunos la creen tica y no pocos guatemalteca, pero nadie sabe la verdad. Y como no habla de su pasado ni de su presente tampoco, muchas gentes especulan dando rienda suelta a su imaginación. Se tejen leyendas de ella, unas hermosas y otras terribles. Y lo que más contrasta es que la mujer se dedique exclusivamente a trabajos de hombre y viva en las habitaciones que en La Hacienda sirven a los hombres. Allí ninguna mujer se ha dedicado a campisto. Vuela en los caballos lazando vacas y toros, caballos y yeguas como el mejor campisto. Pone fierros a las bestias chúcaras y cuando se necesita, también las doma. Anda con revólver y dispara y hace blanco como cualquier tirador. Es sin miedo. Cruza los caminos en noches oscuras, pasa por los cementerios a cualquier hora, no teme a los aparecidos como es normal en el lugar. Algunas gentes dicen que no reza y que en las noches de los viernes se entrevista con el propio Lucifer. Todos estos cuentos datan desde recién llegada a La Hacienda cuando unos hombres encontraron la horma de sus zapatos.

«Si anda de noche, que se atenga a las consecuencias» dijeron algunos valentones. Y una vez, mozos del Hato en estado de ebriedad se dispusieron a atropellarla y gozar de su sexo, viniendo ella por el camino de Texíguat. El proyecto les salió mal, porque La Forastera no llevaba el revólver sólo por lujo: se defendió de toda la cuadrilla de pícaros y le quebró una pata a uno de los más entusiasmados en gozarla. Después de eso nadie se atrevió a tocarle un pelo. El asunto quedó en secreto y el herido, temeroso de ser acusado por la mujer, se curó a escondidas. Pero todos aquellos que sufrieron la derrota se vengaron, haciendo circular las más extraordinarias y extravagantes cábalas en torno a la campisto, metiendo miedo y horror en las personas humildes que eran tan supersticiosas. Lucinda, por su parte, nunca trataba de contrarrestar los cuentos y su silencio ayudaba más a los chismosos calumniadores.

Con los compañeros de trabajo Lucinda es silenciosa, pero muy consecuente y humana. Colabora en todo lo que puede y cuando ve a alguno en dificultades, trata de ayudarle solucionándole el problema, pero siempre hermética y taciturna. Los campistos la respetan y la temen desde que hirió al hatero. Don Amindo trata de atraerla y la ha invitado a que viva en una pieza de La Hacienda y no en las barracas de los vaqueros. Todo inútil. Jamás don Amindo ha visto en el rostro de Lucinda una sonrisa, jamás una mirada de amistad, y eso ha sido como un estímulo para que el viejo se apasione como muchacho de quince años por los favores de la mujer. Ni siquiera le responde sus saludos, pero él se muestra cada vez más cariñoso y está dispuesto a acceder a cualquier petición que ella haga. Mas La Forastera, nada pide, nada desea, nada acepta de don Amindo y no le oculta su antipatía y malquerencia.

—Ya le pasará —dice el administrador vitalicio.— Ya le pasará a Lucindita ese mal genio y entonces, otro gallo cantará...

Después de conversar con sus amigos del otro rancho, Lucinda regresa donde la familia Faroles y continúa cambiando impresiones mientras la luna va elevándose en un cielo sin nubes. Don Amindo y los hateros se sorprenderían viendo a Lucinda en estos ranchos con un carácter tan diametralmente opuesto a como es en La Hacienda. Al fin toma sus alforjas vacías y las ata en los jinetillos de la albarda. Se despide cariñosamente.

—Voy a volver por acá cualquier noche de éstas que esté un poco descansada. —Y ya sobre el caballo, como si hasta ahora se acordara, pregunta a Nicanor:— A propósito, ¿les han dado tierras para las milpas de este año?

—Nada, niña Lucinda. ¡Afigûrese usté que maldá de don Amindo! El quiere que sembremos aquí en este *chiribital* donde sólo hay lajas. ¿Qué vamos a poder sacar de aquí? Yo me acuerdo del compa Quiel Jocotán, el que vivía allá arriba cerca del pinar: trabajaba como un burro con sus hijos y su mujer y nunca sacó más que maíz *cipeado*, guate para las bestias del patrón.

—Dígame, don Nicanor: ¿qué se hizo esa familia Jocotán? ¿No se sabe de alguno de ellos?

—Pues, vera usté niña Lucinda, es un misterio en todo. Yo no soy muy creído de las cosas ocultas, pero lo de los Jocotán no tiene cómo entenderse. Cuando nos fuimos a la guerra con don Crisóstomo, iba Quiel y su hijo Floriano entonces muy cipotón, pero ya hombre derecho. El hijo mayor, el tal Merejo, se le había huido con un contrabandista y andaba por la frontera. Ahora dicen que es Jefe Expedicionario y que sabe llegar a La Hacienda, pero yo no lo he visto.

Lucinda le escucha con suma atención conteniendo el caballo que parecía tener prisa por galopar bajo la luna o por estar pronto hartándose zacates en los potreros. Nicanor habla en voz alta como todos los campesinos.

—¡Las cosas que nos pasaron en aquella guerra! ¡Si yo le contara..! A Floriano lo hicieron Coronel y a Quiel y a mí, capitanes *de dedo*. Cuando regresamos, resultó que la Justina, esposa de Quiel y su hija Genara, una muchacha que ya comenzaba a empechar, habían desaparecido de este cerro. Las buscaron por todas partes y nada. Como si un espíritu malo se las hubiera llevado por los aires al fin del mundo. Fue un golpe muy duro para Quiel y su hijo. Después, niña, ellos tuvieron un pleito con don Amindo, nadie sabe por qué, y se fueron como de huida a rodar tierras. Nadie ha vuelto a saber de ellos, si están muertos o están vivos. Es un misterio. ¡Y qué buenos eran los compas Jocotán con nosotros!

Lucinda parece como si no escuchara, como si le importara más la cara pecosa de la luna. Nicanor la observa y al verla en aquella actitud y con cierta cosa acuosa en una mejilla que ella se limpia muy presto con el dorso de la mano, piensa que algún pájaro nocturno le ha hecho una broma pesada, dejándole caer almizcle en pleno rostro.

—¡Pajarracos puercos! —insulta Nicanor buscándolo en el cielo con la mirada.— ¡Amigos como pocos! —concluye.

Lucinda, momentos después se despide y pronto se aleja del rancho al galope con dirección a La Hacienda. Nicanor queda pensativo. ¡Qué rara es La Forastera! Sin embargo, no es mala como muchos la consideran. Es buena, tan buena como la masa de maíz, pero con todo, tiene su misterio. ¿Por qué no cuenta nunca nada de su familia y de su pasado? ¿Por qué con ellos los del Cerro de Las Lajas es tan amplia y bondadosa y en cambio en La Hacienda y el Hato es más cerrada que un *jute* o una *culuca*?

Va a acostarse ya Nicanor y su familia, alegres por los regalos de La Forastera. Han medido los calzones y camisas a los nietos y aunque les quedan un poco grandes, cubren una necesidad imperiosa ya que los cipotes lo más del tiempo andan desnudos porque sus ropitas ya no aguantan los remiendos. Y en cuanto a los víveres, ¡ni hablar! La amiga Lucinda sabe bien, aún sin preguntar, cuál es el grado de su pobreza. Es una noche de alegría en el rancho.

Cuando Nicanor se tira a su tarima percibe voces por el lado del riachuelo. Podrían ser gentes de los otros ranchos. Como allí todos se conocen, Nicanor trata de reconocerlos por sus voces, pero el perro sarnoso en el corredor comienza a ladrar y luego le siguen muchos otros de las demás viviendas. Se amarra de nuevo el cordel de los calzones y por un mirador atisba. La luna da mucha claridad y puede ver a tres personas que están en el patio y que parecen vacilar en llamar o continuar la marcha. Por las ropas comprende que son forasteros. Y anda también una mujer. De afuera se ve la luz y es posible que hayan visto al propio Nicanor junto al agujero del rancho.

—Aquí están levantados —dice una voz femenina.— Llama.

—Buenas noches, amigos —saluda uno de los hombres.

—Buenas noches a los señores —contesta Nicanor y con cierto recelo abre la puerta de varas y sale al corredor ajustándose el cordel— parece que van de pasada...

—Pues sí, y vea usté que nos hemos extraviado quizá. Ya no conocemos estos lugares. Venimos llegando de largo y como es tardecito no encontramos a los lugareños para preguntar.

Nicanor sale hasta el patio seguido por el perro intranquilo.

Parece gente de bien aunque la voz del hombre es dura. Tienen puestas en el suelo sus maletas y no son como las que se usan por allí.

—¿Y para dónde se dirigen los señores si no es ofensa preguntar?

—Pues hasta aquí no más. Somos del lugar pero volvemos desde hace mucho de andar por allá...

Nicanor hace esfuerzos escrutando curioso a la luz de la luna y al ver el rostro del más viejo se pasa la mano por los ojos. ¿Será un fantasma o una realidad? ¡No! Eso que piensa no puede ser. ¡Pero si hacía unos momentos que hablaba de ellos con La Forastera..!

—Oiga, señor —dice de pronto Nicanor con una resolución rara en su temperamento huraño, dirigiéndose al más viejo— si no me equivoco, yo creo que conozco su estampa.

—Puede ser, amigo. Yo viví aquí, yo soy de aquí mismo...

—¿Usté es Ezequiel..? Usté es don Quiel...

—... Jocotán, sí señor, para servirle y bendito Dios por haberlo encontrado.

—¡Pero don Quiel, por Dios Santo! —exclama Nicanor jubiloso— ¿Será posible que no me reconozca?

—Es que de noche... y yo tan viejo...

—Papa —dice la voz recia del otro hombre— ¡Si éste es Nicanor!

—¡Sí, señor, el mismo Nicanor Faroles, para servir a ustedes! ¡Y no hay duda de que éste es el compa Floriano!

La alegría de los hombres abrazándose hace salir de la casa a las mujeres. Son los Jocotán en persona, vivos y coleando, y con Pastora Castro, la esposa de Floriano. Nicanor les hace pasar adelante donde hay luz de ocote. La mujer de Nicanor es también antigua conocida. ¡Cuántos años sin saber de los Jocotán! ¡Y qué casualidad, si todo resultaba como de «cosas ocultas», misterios, pues llegaban en esa noche cuando se había hablado de ellos! ¡Ni que les hubiera traído un brujo!

—¡Si La Forastera se está un rato más —cuenta la mujer de Nicanor alborozada— la encuentran aquí hablando de ustedes!

—¿Y, quién es La Forastera?

—Pues la niña Lucinda, Lucinda a secas. Una mujer muy buena que tiene cosas raras y viste como hombre y hace trabajo de hombre en La Hacienda. Que unos la queremos, que otros no. Con nosotros es muy buena. ¿Ven esos víveres? Ella nos los regaló y también trapitos para los chigüines. ¡Pero, mujeres, vayan a la cocina, hay que hacer algo de comer para los viajeros y para la señora! Deben traer alguna hambrita, pienso yo.

Floriano acepta agradecido. Les presenta a Pastora que es su esposa. Luego, mientras las mujeres preparan comida, ellos se sientan a contar y contar de sus andanzas por esos lugares de la Costa Norte donde manda la Compañía de los gringos. Y luego a preguntar por las cosas del lugar, por los viejos amigos y conocidos. Comen con buen apetito y después Nicanor les ofrece el rancho para que pasen la noche o el tiempo que ellos quieran. Agradecen y se acomodan sobre petates y dan a Pastora una hamaca. Es muy tarde ya cuando se duermen porque aún con la luz apagada han seguido las preguntas y las respuestas.

—¡Al fin —dice Ezequiel dando un suspiro,— nuevamente en mi tierra! ¿Cómo estará ahora la vida por acá? ¿Cómo nos iremos a defender? ¿Qué irá a decir don Amindo Carranza al vernos?

Durmieron profundamente hasta los primeros albores, cuando ya se oían los clarines de los gallos.

3

A partir del día en que Chabelita criticó a su padre por la forma anacrónica de trabajar, éste se hizo un plan con el objetivo de demostrar a su hija que los viejos métodos eran superiores a cualquier innovación en la agricultura y ganadería. Para él el asunto no consistía en los métodos de trabajo, sino en la cantidad de brazos que se emplearan con el menor desembolso. Puso en marcha una idea que a su juicio resultaría más que nueva y efectiva para beneficio de La Hacienda: ampliar los trabajos, desmontar unas cien manzanas en las tierras más próximas, duplicar el cafetal y el cañaveral y ocupar hasta los cerros para sembrar maíz y frijoles. En vez de utilizar tierras fértiles más lejanas, prefirió que se laboraran hasta ésas que los campesinos ocupaban sin poder hacerlas producir. Don Amindo sustentaba el criterio de que su improductividad dependía exclusivamente de la haraganería de los mozos. Las tierras de las aldeas más recientemente despojadas no las tocaría, pues servirían para las vacadas por su distancia. Quería tener cerca a los trabajadores, de manera que no le fueran a robar permaneciendo ociosos, como bien podía suceder al mandarlos más lejos. Además, así se haría más rápido y fácil el transporte de los productos utilizando los patachos de mulas, carretas de bueyes y el lomo de los campesinos.

Como primer paso, personalmente fue con los caporales a ver las tierras. Trazó sus medidas a ojo de buen cubero, haciendo poner estacas y midiendo las leguas por el andar de las cabalgaduras. En cuatro días quedaron establecidos los lugares para las grandes milpas y frijoleras y las ampliaciones del cañaveral y del cafetal. Quedaron incluidos el Cerro de Las Lajas y, cuando los caporales le dijeron que allí sólo se producían piedras, él contestó:

—¡Pamplinas! Yo veo que en otros cerros se levantan milpas hasta en las cumbres. ¿Por qué no aquí? Lo que sí va a desaparecer es esa ranchería del bajo y todos los que están más allá. Estorban. ¡Hay que utilizar hasta la última pulgada de tierra! Ya van a ver ustedes cómo, todo esto producirá millares de lempiras. —Y para sí mismo:— «¡Voy a enseñarle a Chabelita cómo les gano a los Siercke sin necesidad de la mentada técnica!»

La noticia de la inmediata destrucción de viviendas llevada a los campesino del Cerro de Las Lajas por Julio, el jefe de los caporales y hombre de confianza de don Amindo, causó inquietud y disgusto entre las familias afectadas, pero no protestaron. Las tierras eran de La Hacienda, las habían obtenido a costa de ruegos y con el compromiso de trabajar gratuitamente en cualquier labor que don Amindo ordenara. Nada podían hacer los campesinos pero comprendían que era una gran injusticia. Se les había despojado de sus tierras propias en otros sectores y cuando ahora ya tenían años de vivir allí y tener pequeños huertos, sus gallinitas y algún puerco, los venían a sacar de nuevo.

—¿Y dónde se van a meter esos montunos? —preguntó Julio el mayoral a don Amindo— ¿Habrá que mandarlos a otras aldeas? Entonces se perderá su trabajo.

—Despacharlos no. ¡Cómo vas a creer, Julio! No. Pero como vamos a trasladar al sur parte de la caballada, entonces esa gente puede ir a vivir a las caballerías.

—Pero, don Amindo, si esas no son caballerías... ¿cómo va a vivir la gente allí sin paredes y casi sin techo?

—¡Bah, y cómo viven en esos ranchos asquerosos! Que levanten paredes de paja, que concluyan los techos, de todas maneras ellos tendrán que repararlos porque pienso ocuparlos para almacenar el maíz. Tú no tienes una idea de la producción que habrá este año. Bueno, si la gente no quiere, que viva bajo los árboles.

—Son gente, don Amindo...

¡Ya estás con sentimientos de caridad! ¡Bah, La Hacienda no puede hacer más! Con que les estoy manteniendo... ¿o quieres que desembolsemos plata para levantar viviendas en el Hato o hacer uno nuevo? Estás loco quizá, mi querido Julio. Si te oyera mi General, te mandaría a la Penitenciaría por comunista.

—¿Y si la gente no acepta, don Amindo?

—Entonces tendré que llamar al Coronel Merejo que anda con una Montada en la zona oriental fronteriza. ¡Con Merejo nadie da dos brincos, que digo, ni un brinco!

Esmeregildo Jocotán había pasado como Cirilo Cirilón, de contrabandista y bandolero a Coronel y jefe expedicionario mandando fuerzas de represión y castigo del régimen. Lo habían destacado a la zona oriental, precisamente donde había hecho sus truhanerías. Sus procedimientos eran iguales a los del Coronel Cirilón —por algo fue su maestro y jefe—, con la diferencia de que su gente no usaba el tétrico uniforme de las Camisas Negras y los pañuelos con calaveras y cruces. En cuanto a desmanes y crímenes, no le iba a la zaga. De cuando en cuando caían por La Hacienda del General para protegerla de los «enemigos». Don Amindo mandaba, entonces, a destazar las reses más gordas y les mantenía a cuerpo de rey comiendo y bebiendo por cuenta del General. Así Merejo permanecía a la disposición de don Amindo para cualquier emergencia, que no podía ser más que con algún pobre campesino a quien expropiara su parcela. Claro que el administrador tenía no pocos enemigos debido a esos despojos.

Para los trabajos reclutaron a todos los mozos hábiles de todo el latifundio. Julio se encargó de organizarlos en cuadrillas. Tenían que aprovechar el buen tiempo de manera que cuando las lluvias vinieran ya estuviera preparado todo para las siembras y trasplantes. Naturalmente, todas las medidas adoptadas por el administrador avivaron la antipatía y antigua pugna en las relaciones de La Hacienda con el campesinado en servidumbre. Las gentes estaban dispuestas a trabajar en las condiciones tradicionales sin devengar un salario, por el pago de deudas reales y supuestas, y en especie, pero eso de abandonar sus ranchos sin reconocerles una indemnización y tener que irse a meter en promiscuidad a las galeras de los caballos, era demasiado ultrajante para soportarlo callados.

La llegada de los Jocotán alegró mucho a Nicanor Faroles. En las dificultades que cruzaban, expuestos a ser tirados del rancho, significaba un refuerzo para los campesinos afectados. En la mañana les relató el serio problema y les pidió consejo.

—Mal consejo podríamos darte sin conocer las cosas —le dijo Ezequiel.— Lo único que veo al momento es que a nosotros también afectan los mandatos de don Amindo, porque pensábamos pedirle de nuevo permiso para levantar un rancho en este Cerro de Las Lajas. Al fin y al cabo no tenemos otro palo en qué ahorcarnos, después de lo que nos ha pasado en la Costa con la Compañía.

—Pero, tal vez hablando —sugirió Floriano.— En cuanto a lo que nos pide Nicanor, pues, para mí está claro: habría que pelear los ranchos, es de derecho, pero en verdad, así sin conocer bien la cosa puede uno equivocarse.

Pastora, acostumbrada a la agitada vida de la Costa Norte, se sentía incómoda en la calma bucólica del interior; solamente la compañía de su marido, su cariño, hacían que ese ambiente le fuera tolerable. Amaba profundamente a Floriano y fue una felicidad enorme poder unirse a él de nuevo en Santa Bárbara a donde la fue a dejar Pachán después de su oportuna salida de Finca 17 y su permanencia en San Pedro Sula. Floriano había trabajado un par de semanas en un aserradero de un gringo; vendió la automática a un capataz de las minas de El Mochito, y con esos lempiras tiraron hacia el interior ya que los sucesos ocurridos en el campo bananero causaron mucho revuelo y aparecieron nuevas escoltas por toda la Costa, con el objeto de capturar a los atacantes de los Camisas Negras. Era otra zona de trabajo, pero había peligro. Por eso los tres enrumbaron precipitadamente hacia sus viejos lares mientras Pachán y su familia se trasladaban de San Pedro Sula a Puerto Cortés. De los demás compañeros no supieron nada. Y ahora, allí estaba Pastora en el rancho de Nicanor, más o menos contenta de haber escapado a la tormenta bananera, dispuesta a secundar a su marido y suegro en la lucha para vivir.

Como primer paso, Faroles llevó en la mañana a los amigos a visitar a los vecinos. Eran muchas chozas de manaca y tierra regadas entre los montes sin apartarse mucho del riachuelo que corría al pie del cerro. Y más distante, en las colinas, también se levantaban los techos cenicientos de otras viviendas. Muchos conocidos encontraron allí, en cuenta a Pedro Pastor, compañero también en la guerra y al cojo Juancho Morel, aquel pobre al que por haber recibido un tiro en el pie el médico sanguinario se lo cortara con el machete de Floriano.

—¿Ajá, compa Juancho —dijo Floriano en broma— y no le han mandado a poner un pie de palo o de hule, hombré? Yo he visto a muchos así y caminan como si tal cosa.

—¿Y quién me puede hacer ese favorcito, compa? Pero fíjese que ya me acostumbré a una sola pata y me he hecho una muleta de madera de jícaro que ni mandada hacer al extranjero. ¡Véala, compa: un poco feíta y con mugre, pero andadora que ni potro!

Reían todos de las bromas del cojo Juancho, a quien la falta del pie derecho no impedía sacar tareas en los desmontes, en la molienda de caña y muchos otros trabajos que tenía que hacer a don Amindo para vivir él y su familia, aunque los hijos ya grandes trabajaban también.

—Hablando en serio, compa —volvió Floriano a Juancho— ¿no habló a mi padrino para que le arreglaran una pata postiza?

—Oiga, compa Floro: después que aquel maldito doctor, que era más carnicero que doctor, me escapó de matar, cuando ustedes regresaron con las armas, las tropas se fueron a la capital. Los heridos quedamos allí tirados al garete. Si no hubiera sido por la caridad de los lugareños, pues en todas partes hay cristianos de corazón, yo me hubiera muerto engusanado. Y no sólo yo, éramos bastantes. Y vale que ya no volvieron a pasar tropas del gobierno, que si nos encuentran, nos bajan la gallina. Pues lo que es de don Crisóstomo, compa, no recibí nunca ni un centavo partido por la mitad. Como pudieron, mis gentes fueron a traerme. Poco después nos tiraron de aquel rancho y levantamos éste, más largo de La Hacienda. Así es compa: aquí me tiene saltando con una rama de jícaro y allá lo tiene a él como el primer hombre del país. Todas las jodidas son siempre para los pencos.

—Es lo de siempre: ¡cuando nos necesitan nos dicen palabras lindas y cuando han subido al poder, ni ¡muuu! y si te he visto, no me acuerdo! —expresó Pastor riéndose de sus propias experiencias.

—El pago que ahora nos quiere dar don Crisóstomo —contó Juancho acariciando la muleta sucia— es quitarnos estos ranchitos y meternos a las caballerías de La Hacienda.

La conversación siguió sobre el tema fundamental que les habían planteado a todos, el lanzamiento de las viviendas porque allí iban a sembrar. En todos los ranchos ese asunto salía en las conversaciones con los Jocotán. También, de parte de éstos, principalmente de Ezequiel, había un asunto de mucho interés y por el cual hacían preguntas a los viejos amigos:

—¿Y por aquí, no se vuelto a saber de mi gente perdida?

—Pues no, don Quiel, como si hubieran volado sin dejar rastro. Es un misterio como de «cosas ocultas».

—¡Sea por el amor de Dios, qué le vamos hacer..!

Ya para la mayoría de las gentes de La Hacienda aquellos sucesos se los había comido el olvido. Solamente, algunas veces, cuando uno de los viejos contaba consejas de entes misteriosos como el duende, la siguanaba, la sucia, el cadejo, hacían mención de la mujer y la hija de Quiel Jocotán, robadas por los espíritus en el Cerro de Las Lajas.

Floriano encontraba que bajo la preocupación de los mozos por el abandono de sus ranchos, había también una inusitada resistencia a obedecer a don Amindo. Algunos, entre los jóvenes, hablaban claro de sublevarse contra el administrador y sus caporales. ¿En qué confiaban para enfrentarse al patrón don Amindo, que era nada menos que el representante del General? A Floriano le extrañaba esa audacia y pensaba que debía existir alguna influencia nueva, a lo mejor, era la que venía de la Costa Norte, donde los campeños eran ya otro tipo de mozos, capaces de meterle el machete a los propios mandadores gringos.

Por la tarde los Jocotán y Pastora bajaron a La Hacienda acompañados de Nicanor, Pedro, el cojo Juancho y otros jóvenes campesinos. Era necesario verse con el administrador. ¿Cómo los recibiría? De cualquier modo que fuera, pero debían hacerlo porque necesitaban obtener un lugar donde levantar de nuevo un rancho. Y el amo allí sólo era don Amindo Carranza.

En La Hacienda a esa hora no había mucho movimiento. Los campistos andaban en los potreros. Sólo estaban los mozos que fabricaban el queso y la mantequilla y las sirvientas domésticas.

—Buenas tardes, don Amindo.

El administrador se ha quedado prácticamente con la boca abierta como si ante él se hubieran aparecido fantasmas. Inmediatamente pensó en que había mandado al mayoral Julio a una comisión y en caso de que vinieran en son de enemistad, tendría que vérselas sólo con ese Floriano Jocotán, que maldito el deseo que tenía de verlo en La Hacienda de nuevo. Sintió verdaderamente miedo. Allí estaba el hombre, el mismo que le dio aquel planazo con el machete dejándolo a oscuras por un buen rato. Y viene con el mismo machete. Se lo ve y reconoce, porque él mismo se lo vendió fiado en esa misma tienda cuando sólo era una trucha. Se fija en que viene con ellos una mujer joven y guapa que usa zapatos. Luego vio a Ezequiel y al notar su vejez ha pensado que con dificultad ha de sacar las tareas en el trabajo.

—¡Pero, por Dios, vean quiénes están aquí! —Don Amindo se ha esforzado por mostrarse alegre y regocijado. Luego, mientras les estrecha las manos y les abraza— ¡Chabelita! ¡Chabelita, ven a ver quiénes nos visitan!

—De seguro —dijo Floriano sonriendo sin rencor— usted ya nos hacía muertos, pero la mala hierba no muere, don Amindo, y aquí nos tiene de nuevo.

—Siempre para servirle. —Concluyó Ezequiel bondadosamente, comprendiendo que el administrador por el momento no es de peligro.

Don Amindo daba demostraciones de gozo por verlos. Les puso taburetes en el corredor para que se sentaran. Floriano le presentó a su mujer, Pastora, y el viejo se deshacía en cumplidos para ella. Ese recibimiento fue más caluroso de lo que pudieron imaginarse. Nicanor, Pedro y el cojo Juancho sonreían sentados en el patio escuchando el palabrerío del administrador. Chabelita salió después de limpiarse las manos en un delantal y reconoció a los hombres.

—¡Mi amigo Floriano! ¡Qué dicha de verte después de tantos años! ¡Y ya casado! —le estrechó las manos efusivamente, con verdadero regocijo; luego a Ezequiel y a Pastora— ¿Y dónde han estado perdidos tanto tiempo?

—Pues por allá, por la Costa Norte. Trabajando mucho. Viviendo no más, como siempre.

Don Amindo ha sabido fingir, en cambio su hija realmente experimentó satisfacción al saludar a los viejos amigos. ¡Cómo habían sido de buenos compañeros de infancia con Floriano Jocotán! Mientras conversaban saltando temas, ella iba recordando sus aventuras de aquellos tiempos cuando, junto con Floriano, salían a los alrededores buscando conejos, siguiendo ardillas, haciéndolo subir a los árboles para que le bajara nidos de pájaros o le cortara frutos maduros. ¡Ah, cómo habían pasado los años de la infancia! Y ahora les contaba que ya era madre de tres niños que los había dejado en Tegucigalpa con el padre y la abuela.

—Hay que darles café a los amigos —sugirió don Amindo.

—No se moleste, Don —dijo Ezequiel.— Nosotros lo mismo agradecemos.

Pero Chabelita le ordenó a una sirvienta descalza que trajera tazas de chocolate con bizcochos. Los Jocotán eran amigos y amigos antiguos. Aquel asunto del cintarazo que decían le había pegado Floriano a su padre, de ser cierto debía enterrarse en el olvido. ¡Cosas de juventud! Y de suceder, seguramente fue por algo muy serio porque Floriano siempre fue muy respetuoso y formal. Ella podría defenderlo a capa y espada porque lo había conocido íntimamente.

Conversaron de muchas cosas, viejas y nuevas. Chabelita hizo tomar parte en la conversación a Pastora. Le había simpatizado. Terminaron de tomar el chocolate alegremente, haciéndose bromas. Chabelita era muy conversadora. Más tarde, cuando llegaron unos clientes a la tienda, Chabelita dejó a los visitantes y fue a atenderlos. Don Amindo continuó en el corredor conversando. Les preguntó qué planes tenían y si pensaban quedarse en La Hacienda.

—Pues, don Amindo —dijo Floriano adelantándose a su padre— queremos quedarnos aquí. Volver a la tierra. Precisamente nosotros veníamos a conversar con usted de ese asunto, ya que no está mi padrino. Pensábamos que podríamos volver, aunque fuera al Cerro de Las Lajas y levantar un ranchito.

Lo que más sorprendía y chocaba a don Amindo era el modo de hablar de Floriano, con firmeza y siempre viendo directo a los ojos de sus interlocutores. Era notorio que los años vividos en la Costa Norte lo habían transformado. Su manera de hablar parecía de gente instruida o, al menos, acostumbrada a relacionarse con la gente de más amplias entendederas.

—Eso es —secundó Ezequiel— volver al Cerro de Las Lajas y ver de trabajar como antes.

—Pues amigos, me ponen en un aprieto. Yo, con todo gusto accedería, pero, precisamente en estos días el General ha dispuesto utilizar todas las tierras aledañas a La Hacienda para nuevos trabajos y entrará también ese cerro. No es cosa mía —agregó escudándose en una mentira—, es cosa de mi General Pedrozo que, en su último viaje hizo esos proyectos. Yo, por mi parte, no tendría inconveniente, pero ustedes saben que, donde manda capitán no manda marinero.

Un silencio pesado siguió a esas palabras. La negativa estaba razonada. Pero don Amindo continuó como demostrando sumo interés en la solución del problema:

—De algún modo arreglaremos este asunto. A los muchachos que tienen ranchos allá, también el General ha ordenado sacarlos para poner en movimiento esas tierras. Ellos vendrán a esos galerones de las caballerías pues no hay, por el momento, otra solución. En cuanto a ustedes, yo no me atrevería a ofrecerles eso... ustedes son gente de otra categoría... además... la señora Pastora... pero en fin... yo no tendría inconveniente...

—Don Amindo, nosotros no nos queremos meter en los

asuntos que son de La Hacienda. Claro que nos parece un tanto injusto sacar a la gente de sus ranchos para meterlas en un chiquero. No, no me interrumpa, don Amindo —suplicó Floriano viendo que el viejo le iba a cortar la palabra— lo que nosotros buscamos es un lugar para levantar una champa. ¿Dónde? Eso no importa. Ahora La Hacienda ha crecido enormemente.

—Eso es verdad. ¡Y lo que me ha costado hacerla crecer! Bueno, yo digo que por ahorita estaría difícil lo que me piden. ¿Y por qué no se vienen al Hato, donde algún amigo, por mientras les busco acomodo? Créanme que yo, con todo gusto pondré mi mano en favor de ustedes.

—Muchas gracias, don Amindo —expresó Ezequiel.

—Tal vez podríamos encontrar en el Hato, tiene usted razón, pero es que cuando uno está casado, ya con familia, no puede andar arrimado, estorbando a los amigos.

—Eso es verdad.

—Vamos a esperar un tiempo, don Amindo, por mientras seguiremos donde Nicanor.

Se retiraron convencidos de que el administrador no les daría donde levantar un rancho. Había ofrecido, pero el administrador era así, hipócrita hasta dormido. Si había cambiado en su físico y los años le doblegaban, pero seguía siendo el mismo sinvergüenza y maligno de antes.

Fueron a visitar el Hato. Parecía una procesión, como cuando llegaba un santo limosnero de choza en choza, llevado por las gentes. Muchos amigos y conocidos les recibieron con alegría y sorpresa. La noticia de que los Jocotán habían regresado, quizá del fin del mundo, corrió muy rápida por todo el caserío. ¡Habían vuelto después de muchos años de ausencia! ¡Y Floriano hablaba como hombre de ciudad! ¡Y sólo Ezequiel, era el mismo don Quiel del Cerro de Las Lajas, callado y reidor, aunque andaba también calzado!

Les recibían como a un familiar. ¡Las cosas que contaba Floriano! Muchos, hombres ya, habían sido compañeros de juego con Floriano. Eran aquellos con quienes hacían trompos de guayacán, jugaban «el tigre y el venado», labraban machetes de palo para «tirarse tiritos», y cuántas cosas de muchachos en el Hato y los montes. Ahora, muchos de ellos estaban casados, amachinados, ya con muchos hijos pequeños que parecían nacer cada nueve meses uno en pos de otro, sin tregua.

Regresaron tarde al cerro, al rancho de Nicanor con el grupo de amigos acompañantes. Iban contentos: encontrar las viejas amistades, hablar de asuntos que juntos realizaran, sentirse en su propia tierra natal, daba felicidad. Pero también vieron que la vida seguía siendo, quizá peor que antes, miseria en las chozas de tierra y teja, los mismos *moros y cristianos* con plátano en las cocinas humosas, igual las maletas de monte sobre las orejas.

—Claro, aquí el único que prospera es mi padrino.

—Y otros también, compa: don Amindo tiene su propia hacienda y tu hermano Merejo es Coronel, tira mucha plata y también...

—... tiene hacienda. —Concluyó Floriano con seriedad.

4

Ezequiel Jocotan, despaciosamente, sube solo por el viejo y obstruido senderito del Cerro de Las Lajas hacia el lugar donde, en un tiempo se levantó su rancho y donde vivió muchos años con Justina y sus hijos. Aún no ha salido la luna, pero según los presagios, ha de aparecer muy pronto. ¡Qué de pensamientos bullen en la mente del viejo campesino! ¡Cuántos recuerdos surgen vívidos como si los hechos acabasen de pasar! Sucesos, imágenes, conversaciones, todo se atropella en su mente provocándole intensa emoción y una pesadumbre sin límites. Dos palabras afloran imperceptiblemente a sus labios gruesos:

—Justina... Genara... Justina... Genara...

He ahí sintetizado todo el pasado de pobres, pero sinceras alegrías; de trabajos rudos y agobiadores en el cerro estéril, enemigo de los hombres; de largos días al borde del hambre y noches interminables de insomnio sobre las tarimas o hamacas pensando en el nuevo amanecer sin lumbre, rogando piadosamente a Dios un cambio en sus destinos.

Cada pulgada de tierra, cada piedra y hasta algunos árboles que todavía se levantan donde era el patio de la vivienda, tienen para Ezequiel algo suyo, algo que le pertenece y que recuerda más allá de las ideas: con el sentimiento del corazón. Allí en esa roca saliente solía sentarse a descansar, a desgranar maíz o desgranar sueños sobre hipotéticas tierras productivas, tan anheladas como una novia imposible. Allá en ese declive, una vez, lo lanzó a tierra el burro Chingo. ¡Cómo se encolerizó esa vez! Pero el pollino sufrió duro castigo. Acá era el lugar predilecto de Justina para sentarse y esperar el regreso de los hombres cuando iban a La Hacienda. En ese guayabo dormían las gallinas: una noche un tacuacín les llevó una, pero al escándalo de los animales se levantaron con los machetes, persiguieron al furtivo ladrón y lo mataron. La manteca la guardó Justina para las enfermedades. En otro oportunidad, en tiempo de invierno se había cruzado varias noches un tigre tecuán por el cerro. Fue necesario que muchos campesinos se unieran y salieran por las noches en su busca para darle caza. Ezequiel no había perdido nada, pero en La Hacienda había matado varias vaquillas y terneros. Por aquél bosquecillo de pinos y guayabos solían jugar los hijos cuando chicos, hacían potreros para encerrar caballos de palo, vacas paridas y mulas como llamaban a las tibias y vértebras del ganado muerto que algunas veces se descarnaba en los campos. Sí, todo esto había sido suyo, o como suyo: su vida, la de su mujer, la de sus tres hijos. ¿Qué había sido de ellos? ¡Ah, la guerra, la maldita guerra de su compadre fue el vendaval que arrastró a las dos mujeres sin dejar huella! ¿Y el otro? ¿Sería verdad, como contaran, que ahora ya era un hacendado?

Ezequiel se ha sentado en una piedra a rumiar recuerdos. Ni siquiera se da cuenta que por sus mejillas ruedan en continuidad sus lágrimas. Llora el viejo campesino metiendo sus ojos tristes en las siluetas de los cerros y la penumbra de las hondonadas sin percatarse que una claridad de ónix va dándoles cada vez más formas, haciendo visibles los detalles de los árboles y las rocas del riachuelo. Tampoco se percata que sobre él va cayendo la sombra de un pino, porque la luna que ha salido se levanta empujando lejos a las sombras y menguando el fulgor de las estrellas.

—Justina... Genara... seres queridos... ¿qué sería de ustedes?

De pronto da un salto. Se incorpora de la posición en que se encontraba mirando inquieto y azorado. Allí muy cerca suyo está la figura de un hombre al que no ha visto trepar el cerro. Lo ve de espaldas perfectamente, que se agacha y se arrodilla con el sombrero entre las manos. ¿Quién puede ser esa persona? Su hijo Floriano, no es. ¿Será un hombre de carne y hueso o un fantasma? ¿Quién puede venir a esta hora a arrodillarse tan cerca del lugar donde están las ruinas de su viejo rancho? Ezequiel siente renacer en su mente los viejos cuentos de aparecidos y de entes sobrenaturales, él sigue teniendo sus raíces intelectuales a flor de tierra de la superstición campesina.

—No hay duda: es el espíritu de Justina o de Genara. Eso quiere decir que ya son muertas. ¿Andarán penando sus almas? ¡Dios mío, dame valor! —y recapacitando— Pero, ese aparecido es un hombre...

Tiene miedo y, sin embargo, una fuerza extraña lo impele hacia el fantasma. Paso a paso, avanza. Se siente volátil, etéreo, como si sus grandes pies no tocasen la tierra ni las hierbas. No hay duda: es algo del otro mundo. Y Ezequiel se deja llevar por la fuerza irresistible que tienen las cosas del más allá.

—¿Quién es el penitente..? ¿Es de esta vida o es de la otra..?

Eso ha pensado o dicho Ezequiel, no sabría definirlo porque, debido a su miedo, sus miembros, sus músculos, sus nervios actúan al margen de su voluntad.

—¡Jeeey! —dice una voz femenina pero un tanto enronquecida y el hombre sorprendido en aquella posición salta; al ver al viejo se lleva instintivamente la mano al revólver— ¿Qué pasa? ¿Quién sos vos?

—¡Justina... Justina... soy yo, Ezequiel tu marido..!

La voz del viejo se quiebra por la emoción y el vapor. Pero el hombre-fantasma da varios pasos rápidos hacia él como queriendo ver su rostro más de cerca. Se lleva las manos al pecho y dice palabras que Ezequiel oye mal o no comprende.

—Yo no soy Justina —dice claramente el hombre con voz femenina.

Ezequiel sale de su atolondramiento, vuelve a la realidad y ve que está frente a un ser vivo. Se percata de la diferencia que hay entre su voz femenina y su indumentaria de hombre. Al instante recobra su aplomo y siente vergüenza de su actitud pusilánime. Recuerda que Nicanor les contó de una mujer hombruna a quien llaman La Forastera. Esa debe ser, sin duda.

—¿Quién es usté, pues, que viene a este lugar a estas horas? ¿Conoció acaso a los que vivieron aquí? Yo soy Ezequiel Jocotán, para servirle a usté, esto era mío, o como quien dice mío. Sí, he vuelto siquiera a ver lo que ha quedado.

El hombre afeminado se aproxima más hasta rozar al viejo. Da demostraciones de agitación, de sorpresa y luego con una voz extraordinariamente cariñosa, dice:

—¡Papa, papa Quiel! ¿No me reconoce? ¿Ya no se acuerda de su hija..? ¡Yo soy Genara!

La sorpresa de Ezequiel rompe todos los límites. ¿Genara? ¿Su hija? ¿Pero, por qué vestida de hombre y con revólver? ¿Por qué viene de noche a arrodillarse a ese lugar? ¿Por qué los campesinos nada saben de ella? ¿Será que viene llegando de muy lejos y como él ha querido volver a ver el lugar donde pasó su niñez? ¿Dónde está Justina, entonces? Una gran esperanza salta en Ezequiel como una luna llena sobre los cerros oscuros y las hondonadas en tinieblas. La mujer abraza con fuerza a Ezequiel y éste la observa a la luz de la luna, palpándola tembloroso como si temiera verla desaparecer de nuevo como fantasma. Se convence de que no sueña, que no se engaña: es ella, aunque ha cambiado mucho al pasar de chigüina a mujer hecha y derecha.

—¡Genara, mi hijita Genara! ¡Bendito sea Dios que te hallo! Pero, dime, cuenta, ¿dónde has estado? ¿Dónde está tu mama?

Ella solloza en sus brazos como una niña. Luego se desprende y se repone. Se limpia las lágrimas y ve hacia los alrededores como temerosa de haber sido sorprendida en aquella actitud. Toma de la mano a Ezequiel y lo lleva al lugar donde ella se arrodilló antes. Lo invita a ponerse de rodillas junto a ella y señalándole un montón de piedras, murmura, queriendo de nuevo irrumpir en llanto:

—Aquí, papa Quiel... aquí está mi mama Justina...

Todo es tan inesperado, tan extraño, que Ezequiel teme de un momento a otro ver desaparecer a la mujer, despertar de esa pesadilla, porque eso debe ser y no otra cosa. ¡Todo es tan extraordinario! ¿Se habrá quedado dormido sobre la piedra? Para convencerse de que no duerme y sueña, se pellizca la pierna y muerde los labios hasta hacerse daño.

Cuando se levantan vuelven al lugar donde estaba sentado Ezequiel. Se sientan juntos en silencio.

—¡Habla, por Dios, hija, si es verdad que estás viva, si no eres un espíritu aparecido! ¡Cuenta porque si no me vuelvo loco!

Ella sonríe con tristeza, le pone su mano sobre la suya y explica:

—Yo soy Genara, papa Quiel. Estoy viva, tan viva como usté y Floriano y Merejo. La que murió en aquellos días de la guerra fue mama Justina.

—¿Estás segura que murió? ¿No te habrán informado mal?

—Yo misma, con estas manos, la enterré allí, papa, y le puse ese montón de piedras. ¡Ay, papa Quiel, qué terrible fue todo aquello! A veces quisiera no recordar nada y tener mi mente como si ahora mismo naciera.

—¡Pero, cuenta Genara, cuenta, hija..!

—¿Dónde está Floriano? —pregunta sin tomar en cuenta la dolorosa premura de su padre— Oí decir que había regresado al Hato.

—Allí está en el bajo en casa de Nicanor Faroles con su mujer. Anoche llegamos. ¡Pero, vamos, cuenta..!

—Prepárese a escuchar algo que le va a causar espanto.

—¡Pero, hija..!

—Mi mama Justina y yo estuvimos trabajando en la lechería de La Hacienda varias semanas, después que ustedes se fueron a la guerra. Un día mi mama, muy brava después de una conversación con don Amindo, dispuso que regresáramos al cerro.

—¿Por qué? ¿Qué fue lo que conversaron con don Amindo?

—Yo no lo supe. Pero mi mama venía furiosa y ni siquiera sacó las provisiones que habíamos ganado. Llegamos aquí. Ella andaba callada y por todo se enojaba, le echaba pestes a todo el mundo y a la guerra. Nada sabíamos de ustedes, sólo se hablaba de grandes combates y de muchos muertos. La gente, en su mayoría, andaba huyendo. Los ranchos vecinos estaban solos como muertos parados. Daba miedo vivir aquí. Una noche, no sé qué horas serían, pues ya me había dormido, el perro comenzó a ladrar furioso. Mi mama se puso de pie rezando en la oscuridad. Me despertó y las dos nos rejuntamos a ver qué pasaba. Decían que los *colorados* andaban haciendo pillerías.

—¿Y qué pasaba?

—Tocaron la puerta y dijeron que abrieran en nombre de la autoridad. Me acuerdo que en ese momento el chucho chilló como si le pegaran. Luego se fue callando, callando como llorando. Yo sentí que me saltaron las lágrimas, no sé si por el miedo a la autoridad o por el chucho, pues pensé que lo habían matado. Y no me equivoqué: lo habían matado de un machetazo. Mi mama abrió la puerta y un grupo de hombres entró atropellando. Yo no me acuerdo cómo pasó todo. Yo sólo vi al hombre que agarró a mi mama por un brazo y los otros le ayudaron porque ella se resistía como hombre y me gritó: «¡Huya, hija, huya de estos malvados!» Yo corrí por la puerta de atrás, me metí al monte y me fui corriendo por el pinar. Mi mama gritaba: «¡Auxilio, auxilio que me forza ese bandido de Amindo Carranza... me mata Amindo Carranza... me viola..!» Y nada más.

Ezequiel, callado, escucha con la vida en un hilo. Oír eso es más duro y cruel que cuántas desgracias le han caído en la vida. Su garganta reseca no puede pronunciar palabra. Su hija calla también y como él, pone su mirada en la tierra como queriendo escarbarla con furia para sacar de ella fuerzas imponderables. Genara prosigue con voz recia:

—Los hombres se marcharon más tarde. Eran caporales de La Hacienda los más. Yo temblaba escondida en los *buruscos* del pinar. Volví a la casa a juntarme con mi mama. —Hace una pausa y mira señalando las ruinas de la choza donde era la sala, cuarto y despensa—. Estaba allí tirada en el suelo, muerta, papa. Le habían metido dos puñaladas para que no hablara después del ultraje. Usté nunca podrá tener una idea de lo que sufrí en esa noche. Y, sin embargo, me salieron fuerzas raras y coraje. ¿De dónde? ¡Sepa Dios o el demonio de dónde! ¡Estaba loca! ¡Hablaba, lloraba e insultaba en voz alta para que se me fuera el miedo! Allí, junto a ella, me encontró el día. Afuera estaba el perro degollado. Me di cuenta que era tarde hasta que los zopilotes en el patio se comían al chucho. ¿A quién buscar cuando las gentes que no estaban en La Hacienda andaban en la guerra o huyendo?

—¡Ay, hija mía, pobrecita Justina! ¡Qué Dios la tenga en su reino!

—Tomé una pala. ¿Se acuerda de aquella pala vieja que se le rajó trabajando y que don Amindo se la hizo pagar como nueva? Con ella escarbé un hoyo. Yo sabía que nadie me podía ayudar. Ir a La Hacienda me dio miedo, pues me podían matar a mí también.

—¿Y tú la enterraste? ¿Tú solita..?

—Yo sola, papa. Le eché tierra y le puse piedras y hasta una crucita de palos. Esa noche no comí ni dormí, la pasé aquí en esta misma piedra. Nadie por los montes, sólo el burro en el rastrojo. Al día siguiente me dio hambre y me puse a gritar. Cuando vino la otra noche sentí mucho miedo y salí corriendo de estampida por los montes. Yo no sé cómo viví, ni cuánto tiempo. Anduve por cerros y cañadas, bebía agua en los ríos y en los charcos, comía frutas y hojas, o no comía. Algunas veces salí a hatos, pero le tenía miedo a la gente y me volvía al monte. Una vez me topé con un grupo de hombres y mujeres y hasta unos chigüines. Quise huirles, pero me agarraron como a un bicho del monte. Eran gentes forasteras que le iban huyendo a la guerra. Me fui con ellas, mejor dicho, me llevaron a Nicaragua. Trabajé en varias haciendas y fui rodando hasta Costa Rica. En los llanos guanacastecos me hice campisto por necesidad.

—Don Amindo Carranza, don Amindo Carranza... —quién sabe qué ideas surgían en la mente del campesino en ese instante— ¿Y hasta ahora regresas?

—No. Los primeros años pensé en no volver. Tuve un marido. Hombre bueno y trabajador, campisto también. Murió de la cornada de un toro cimarrón. No quise volver a tener hombre. Luego pensé que debía venir a cobrarle a don Amindo lo que me debía, a buscarlos a ustedes. Llegué a La Hacienda y ese canalla ni siquiera me reconoció. Claro, ya no era una cipota y hasta las viejas gentes conocidas no se acordaron. Dije llamarme Lucinda y los hateros me clavaron La Forastera.

—Ya, ya, ya. —Afirma Ezequiel con la cabeza.— Hace rato

me acordé de la mujer vestida de hombre y con revólver de que me contara Nicanor. Voy comprendiendo todo.

—He cambiado mucho por fuera y por dentro, papa. Desde el día que llegué a La Hacienda pensé en matar a don Amindo: está sentenciado. Si todavía vive, es porque he querido averiguar quiénes fueron sus acompañantes aquella noche. No he conseguido nada hasta ahora, pero tengo sospechas de que el mayoral, un tal Julio, puede estar medito en el asunto o que, al menos algo sabe. Me preocupaba no saber nada, ni siquiera si ustedes vivían. Pero tenía esperanzas de encontrarlos algún día. Mis proyectos eran que, al terminar mi asuntito aquí, tiraría para la Costa Norte donde se suponía que andaban ustedes. ¡Ah, le cuento que he encontrado a Merejo! Algunas veces viene a La Hacienda. Tampoco me reconoció. Es un bandido, papa: me quiso forzar pero le puse la pistola en la hoyita y no volvió a intentarlo. Son uña y carne con don Amindo.

—Dios los cría y el demonio los junta, hija. ¡Ni en sueños me hubiera imaginado todo lo que me cuentas! ¡Qué vida la nuestra más infeliz y a contrapecho de todo! Y nosotros que pensábamos quedarnos aquí, levantar un ranchito... ¿y ahora qué?

—Ahora, yo arreglaré mi asunto con don Amindo. Ustedes no se metan. Es asunto mío. Tengo un plan.

—¿Plan de qué?

—Un plan. Aquí están sucediendo muchas cosas que pronto van a estallar. Don Amindo está matando de hambre y necesidad a la gente. Esa gente se levantará contra él y muy pronto. Yo iré con ellos y esté o no Merejo con su escolta, saldaré la cuentecita, al mismo tiempo que ayude a los compas. Esa Hacienda quedará en cenizas y de ese canalla, ni los huesos. Lo he jurado allí sobre las piedras que cubren el cadáver de mi mama Justina. ¡Ya va a ver usted, papa, ya va a ver!

—Vamos, Genara, hay que contar esto a Floriano.

Ezequiel seguido de Genara, la falsa Lucinda, bajaron del Cerro de Las Lajas hacia el riachuelo y pasaron al rancho donde Floriano y Pastora, conversaban con la familia Faroles sentados en el patio.

5

—¿Te gustan estos lugares, Pastora?

—Me gustan, Floriano, aunque la vida de las gentes es demasiado mansa y muy triste.

—Todo es distinto a la Costa Norte —y recordando:— Pachán decía que es la diferencia entre el capitalismo y el feudalismo.

—Pachán sabe mucho y es muy bueno, ¿verdad?

—Gran amigo Pachán Roca, gran camarada. ¡Quién sabe cuándo nos volveremos a juntar!

—Ay, Floriano: ¿qué hará en estos momentos mi madre?

Floriano, al ver a Pastora entristecida, le acaricia la cabeza. Están sentados en el patio del rancho recibiendo la luz de la luna. La familia de Nicanor escucha sin tomar participación en la plática de ellos. Nicanor todavía no ha regresado de visitar a Pedro Pastor y Ezequiel ha ido al lado del cerro a distraer los pensamientos.

—¿Floriano, y cómo vamos hacer para vivir sin tener dónde meternos?

—Ya tendremos —afirma Floriano.— Y te digo que, si no fuera por la querencia de tata Quiel a estos lugares, nos iríamos a Danlí o a Choluteca. Hay más vida por allá. Aquí se vive al descuento, de fiado, cuesta mucho verle la cara a los lempiras. No es como en la Costa que uno trabaja, y aunque el trabajo es matador y con un capataz pegado en el trasero, pero al menos recibe su salario efectivo el día de pago.

—Tu papá es muy raro: yo lo veo alegre, contento de su regreso y al mismo tiempo lo noto muy sentido, con sufrimiento, que no se halla.

—Es el pasado, Pastora. Mi papa ha sufrido mucho.

Callan. Para el lado de los ranchos se oyen gritos prolongados que suben hacia los cerros haciéndose imponentes. Pasos precipitados se perciben sobre el cascajo de la orilla del riachuelo. Debe ser Ezequiel. En efecto, es él, pero seguido de otro hombre. Las mujeres lanzan exclamaciones de júbilo, cosa rara en ellas.

—¡La niña Lucinda! ¡La niña Lucinda está aquí!

Floriano y Pastora poniéndose de pie, observan a los que llegan. Una mujer vestida de hombre en la Costa Norte o en Tegucigalpa no causa ninguna sorpresa a nadie, pero en La Hacienda resulta insólito, extraordinario. Floriano no ha puesto atención a la fisonomía de la mujer, pero Pastora sí y ha sentido inquietud. ¿Qué hay en esa mujer que la impresiona? Al instante Pastora tomándole el brazo a su marido le dice al oído:

—Esa mujer se parece contigo. ¿La ves?

Hasta entonces Floriano detiene su mirada en el rostro de la mujer. Esos ojos, esos rasgos, en verdad no le son ajenos. Mira a Ezequiel que sonríe bonachón y a la mujer a quien han llamado Lucinda.

—No te devanes los sesos, hijo. ¿No la reconoces? ¡Es ella!

—¿Genara..? ¿Qué..?

—Sí, Floro, pero comprendo que no me reconozcas porque ya no soy una chigüina. ¡Qué hombrazo te has hecho!

Es emotivo el encuentro de los dos hermanos. La familia Faroles está sorprendida aún. ¿Cómo es que la niña Lucinda, La Forastera, resulta siendo la hija de Ezequiel Jocotán? ¿Por qué se habrá cambiado de nombre y por qué ellas no la han reconocido a pesar de que la conocieron cuando estaba cipota? ¡Oh, hasta ahora van comprendiendo muchas cosas relacionadas con ella y su misteriosa presencia! Su tristeza cuando se ponía a contemplar el Cerro de Las Lajas, sus insistentes preguntas sobre los Jocotán, sus bondades para con los campesinos de los alrededores. Las cosas se van poniendo claras, pero, ¿por qué estar de incógnito cuando hay gente que por no saber de dónde viene ni quién es, la consideran mala y con relaciones demoníacas? La alegría de las mujeres es tanta como la de los Jocotán.

Ezequiel les conduce más allá del patio y Genara relata a su hermano y su mujer lo que hace un rato contó a su padre: la muerte de Justina. Floriano escucha en silencio, cabizbajo y sin hacerle ninguna interrupción. El viejo y Pastora, que conocen la irascibilidad de Floriano temen la resolución que pueda adoptar al enterarse del crimen cometido en su progenitora, lo más seguro es que quiera ir a reclamar a don Amindo y a pelear con su machete.

—¡Qué hipócrita! ¡Qué víbora tan repugnante! ¡Hay que aplastarle la cabeza!

Ha dicho esas palabras como para sí mismo, sin alteración, casi con un murmullo. Todos están de acuerdo en eso.

—Y todavía el desvergonzado nos abraza, nos llama queridos amigos y nos brinda chocolate.

A los ojos de los Jocotán, don Amindo ha disminuido a la categoría de un sapo, con perdón de los nobles sapos que son inofensivos a pesar de su fealdad. Un odio sin par se levanta de aquellos corazones quemados por la pena, un odio acumulado que busca escape como volcán. Ya no es solamente por la perversidad antigua del administrador contra los campesinos, ya no solamente por los robos descarados en la tienda con su sistema de deudas, ya no es solamente por ser el representante de la iniquidad del padrino, despojando de tierras a las aldeas y esclavizando a los hombres y sus familias de la zona: es también el odio que produce el crimen impune cometido en Justina Jocotán y guardado tantos años en la sombra.

Cuando Nicanor regresa de los otros ranchos, viene agitado, tanto que al ver a La Forastera, va a ella directamente casi rogando:

—¡Han llegado, niña Lucinda! ¡Han llegado y están sacando a las gentes de los ranchos!

—¿Quién? ¡Cuenta, hombre, cuenta!

Nicanor explica que han llegado de La Hacienda los caporales y a la fuerza lanzan a los campesinos de sus ranchos. Las familias están sacando sus cositas y quedan en los patios llorando, suplicando inútilmente. Los hombres están callados, pero por dentro llevan una tormenta que puede estallar en rayería. Así cuenta Nicanor y espera que La Forastera les pueda ayudar en algo. ¿No podría hablar ella con don Amindo en favor de ellos? Nicanor dice que no han de tardar en llegar a su rancho los caporales y ellos también tendrán que salir con sus pertenencias. ¿Y para dónde se puede ir la familia Faroles? Nicanor da muestras de desesperación. No puede permanecer en pie en un solo lugar y lanza miradas hacia el camino de los otros ranchos. Las mujeres están como aleladas y los cipotes callados, junto a ellas, sin comprender la tragedia que está por caer sobre todos los campesinos de los ranchos.

—¿Será posible? —se pregunta Ezequiel.

—Don Amindo es capaz de todo.

Se oyen voces altas y carcajadas. El trote de bestias y el tintineo de espuelas. Nicanor se ha dejado caer sobre una piedra con la cabeza entre las manos. Es el acabóse. Cinco jinetes se detienen en el patio. Andan armados de revólveres y llevan largas fustas de campistos. Los caballos cocean y cabecean protestando por los frenos.

—¡Nicanor Faroles! —Es la voz de Julio el mayoral— ¡Ya estás enterado de la orden, pues a cumplirla! ¡Hay que desocupar las tierras del General Pedrozo! —y con burla cínica:— ¡Hay que ir a echar pulgas a otra parte, Nicanorcito; quien se viste de lo ajeno en la calle lo desnudan!

—Oye, Julio —dice Genara adelantándose antes que Nicanor conteste— ¿Por qué buscan la noche para tirar a la gente de sus viviendas?

Los hombres callan sorprendidos de encontrarse allí con La Forastera, a quien temen desde que le quebró un pie a un mozo atrevido. Es un mal encuentro. El jefe de los caporales, al que ha llamado Julio, carraspea la garganta antes de contestar y cuando lo hace es ya sin la insolencia de antes.

—Yo no sé nada. Yo cumplo las órdenes de don Amindo Carranza. Yo no soy dueño, yo trabajo, no más. Me gano la vida, usté lo sabe.

—¿Te ganas la vida jodiendo a los humildes?

—Cumplo órdenes. El que es mandado no tiene culpa.

—También las cumples cuando los acogotas en las tareas, ¿no?

De nuevo el silencio. Los caporales no se atreven a actuar. Nicanor está callado, indeciso, nervioso. Ezequiel y Floriano se han colocado junto a Genara. Ambos están sorprendidos de la arrogancia viril de la mujer. ¡Lo que ha hecho de ella la vida y los golpes! Si es como un hombre, no en balde lleva puestos pantalones.

—Bueno —dice ella plantada retadora— lo mejor es que regresen a La Hacienda. Nicanor y su familia no van a salir así como perros. ¿Lo oyes, Julio? ¡No-sal-drán! Aquí estamos los Jocotán para poner las cosas en su lugar. Oyelo y no lo olvides, Julio: ¡los Jo-co-tán! —y acentuó las sílabas con una fuerte entonación de orgullo.— Y otra cosa: tampoco van a salir los demás campesinos de los ranchos de abajo. Ahora mismo voy yo a ayudarles a meter los cativaches.

—¡Pero... si es una orden, niña Lucinda!

—¡Qué orden ni qué «niña Lucinda»! ¡Yo no soy Lucinda ni niña! ¡Soy Genara Jocotán, hija de Ezequiel y Justina Jocotán y hermana de éste que ven aquí, que es Floriano! ¿Comprendes, Julio?

La sorpresa es enorme, no sólo para los caporales y su mayoral, sino para Nicanor Faroles. ¿Qué no es Lucinda, La Forastera, sino Genara Jocotán..? Pero, por Dios, ¿qué es lo que está pasando en esta hacienda? Julio ha quedado indeciso y perplejo. Esto es mucho más serio que el lanzamiento de los mozos de los ranchos. Jamás pensó en este tipo de contrariedades: encontrarse con que la misteriosa mujer, que sabe disparar tan bien, es nada menos que la hija de Ezequiel, la que se creía muerta hace muchos años...

—Es que son órdenes, niña —dice sin calor, por contestar algo.

—¿Quién las va a cumplir? ¡Vamos: que comience!

Hay en esas palabras un reto franco de la mujer. Hasta entonces los Jocotán han permanecido observando y ahora Floriano, rápidamente, entra al rancho y sale con el machete envainado en la diestra. Lo han visto los caporales y disimuladamente van retirando sus caballos porque es más saludable estar a cierta distancia de ese hombre. Ya antes de ir a la Costa Norte dicen que era bragado, contaban de su valor en la guerra y que una vez le pegó un planazo al propio administrador. Los que vienen de la Costa Norte siempre vienen cambiados y a las primeras palabras se fajan con cualquiera.

—Dime, Julio —pregunta con cierta intención Genara— ¿hace mucho que trabajas de mayoral en La Hacienda? ¿En tiempos de la guerra aquí estabas, no? ¿Desde cuándo eres hombre de confianza de don Amindo Carranza?

—Tanto como hombre de confianza no soy, niña Lucinda, digo niña Genara. —Hay en esas palabras un tono de humildad, de temor esquivo.— Yo no tengo nada que ver con don Amindo. El es él, yo soy yo, un pobre mayoral, nada más, y no hace mucho tiempo de esto.

—Bueno, ya veremos eso más adelante. Ahora, vayan a La Hacienda y cuenten a su amo lo que ha sucedido.

Los caporales, sin atender cualquier orden que pudiera darles el mayoral, se alejaron del patio. Julio, callado, va detrás de ellos. Cuando desaparecen en el monte, Genara corre hacia el riachuelo y regresa montada en el caballo que allá tenía atado. Viene en carrera y frena en el patio haciéndole relinchar.

—¡Ahorita vuelvo, voy a los ranchos!

—¡Voy contigo! —dice Floriano y de un salto monta a la grupa del caballo que, ante el sorpresivo peso, quiere corcovear pero el freno lo contiene.

Los dos hermanos van al galope por el camino sinuoso agachándose para no chocar con ramajes. Los campesinos están en los patios con sus pobres haberes amontonados bajo la luna en menguante. Han sido lanzados y no tienen para dónde tomar nuevo rumbo. Al oír el trotar del caballo creen que vuelven los caporales, pero luego, al reconocer a la mujer, lanzan gritos de júbilo porque saben que ella les puede ayudar. La rodean. Ven a Floriano, el recién llegado de la Costa, que es hombre resuelto. Sienten cierta esperanza.

—¡Metan sus cosas de nuevo! ¡Nosotros respondemos! ¡Si han de salir que sea de día y previo pago de las mejoras y del valor de los ranchos! ¡Ya se fueron los caporales, tal vez regresen, pero entonces pelearemos!

Esas palabras son más que una esperanza. Las gentes se miran unas a otras a la luz de la luna y sonríen. Es como un milagro. ¿Ah, si don Amindo fuera como La Forastera? Las mujeres son las primeras en obedecer y comienzan a meter de nuevo sus pertenencias en los ranchos destartalados y sus críos que duermen en brazos. Se hace una algazara. Ríen, hablan alto como es su costumbre, sienten valor. La presencia de La Forastera y de Floriano les estimula la resistencia. Los hombres recobran el valor porque no están solos. Es lo que debieron hacer cuando los caporales llegaron: resistir y, si necesario era, también pelear su derecho a vivir en los ranchos que construyeron con sus propias manos.

Los campesinos agradecen a la niña Lucinda. Aún no saben que es la hija de Ezequiel Jocotán, pero Pedro Pastor, a quien contó Nicanor la extraordinaria noticia, la hace circular a gritos, de rancho a rancho con un júbilo montuno.

—¡Compa: La Forastera a quien llamamos niña Lucinda, no es otra que la hija del compa Quiel Jocotán: la Genara! ¿Se acuerda de ella?

Las gentes se quedan mudas de la sorpresa. Luego se contentan y encuentran más lógicas sus bondades por cuanto ella es de la misma tierra, de los mismos montunos, de los mismos despojados y tiene el ombligo enterrado en la estéril tierra del Cerro de Las Lajas.

—¡Alabado sea Dios: qué cosas suceden!

Entre tanto, el mayoral, seguido de los caporales a galope tendido regresan a La Hacienda. Una media docena de perros les salen al encuentro. Se ve todavía luz en las habitaciones de don Amindo. Julio llama y el administrador, metido en un camisón de dormir y con gorro de algodón en la cabeza, asoma por la ventana. Bien podía dejar para el día siguiente el informe sobre el desalojo de los mozos en el Cerro de Las Lajas.

—¿Todo arreglado, Julio?

—Hay contratiempo, don Amindo. —Parece como avergonzado ante su patrón a quien extrañan las palabras del mayoral. Nada dice pero queda esperando la explicación.

—Nosotros fuimos a tirar a la gente, pero al llegar a la choza de Nicanor Faroles...

—¡Ah, comprendo: se han encontrado con los Jocotán! ¿No es eso?

—¡Eso es, patrón: con todos! —y repitió acentuando estas palabras simples:— ¡Con todos!

—¿Qué? ¿También Esmeregildo?

—No, don Amindo, ése no. Con Genara... la otra hija... aquella cipota... ¿se acuerda?

Don Amindo queda suspenso. Su semblante, a pesar de la poca luz del quinqué en su dormitorio, aparece cambiado, empalidecido. Mira hacia adentro, temeroso de que hayan escuchado. Rápido cierra la ventanilla y luego sale por la puerta, así con la bata antigua, el gorro y descalzo. Su figura es estrafalaria en el corredor. Los caporales han desmontado y quedan aparte mientras don Amindo y Julio conversan en voz baja.

—¿Estás seguro de que ha vuelto con ellos la hija de Justina..?

—Seguro, patrón, y agárrese bien porque lo que viene lo va a dejar turulato. —Parece que Julio gozara con la sorpresa y el visible temor de don Amindo— Genara ha vivido aquí, junto a todos nosotros y mucho tiempo.

—¿Cómo? ¿Yo no la he visto? ¿Dónde ha estado?

—Aquí en La Hacienda, patrón, y usté hasta se la ha querido llevar a su cama. ¡Es La Forastera!

Julio le previno. De no haber un poyo cerca, don Amindo hubiera caído al suelo desmayado. La noticia era mayor que sus fuerzas, que su voluntad. Todo su vigor y altanería de amo se ha derrumbado ante una sola palabra. Pero es que esa palabra es el pasado, su pasado negro, su acción sádica que ha permanecido en secreto y que solamente sabe Julio el mayoral. Los otros o están muertos o muy lejos de La Hacienda. Don Amindo ve levantarse una negrura después de tanto tiempo. Si Genara se ha reunido con su familia, debe haberles relatado todo lo de aquella noche. ¡Y no haberla reconocido antes para silenciarla sin escándalo! ¿Por qué ha sido tan ciego? Se justifica porque Genara ya no es una niña sino una mujer, ¡qué bah, un hombre de revólver y malas intenciones! Ahora comprende el por qué de aquellas miradas de odio. ¡Y él, incauto, que buscaba hacerla su amante!

—Esto es peligrosísimo —dice don Amindo después de escuchar todo el relato de Julio.— Ahora, más que nunca es necesario que venga el Coronel Merejo y ponga orden en esto.

—Oiga, patrón: ¿y no cree usté que la presencia de Merejo puede más bien empeorar las cosas? Acuérdese que Merejo es también Jocotán.

—Sí, pero es otro hombre. Merejo no tiene conciencia. Para Merejo no hay padre ni madre.

—Yo evitaría traerlo. Mejor ver la manera de aplacar a éstos de una vez, aunque sea venadeados.

—¿Podrías tú solo? No, Julio. Los Jocotán son bravos. Déjame actuar con cabeza. Los haremos que se maten ellos entre sí. ¡Ya verás, por algo soy Amindo Carranza!

Se separaron. Don Amindo entró a su vivienda, pero por mucho que hizo por tranquilizarse, ya no fue posible. El sueño huyó y la figura de Genara y sus familiares se presentaba de pie, incorporando el cadáver de Justina. Aún se levantó otra vez y sacó de un baúl una pistola cuarenta y cuatro. La puso bajo la almohada, pero tampoco así reconcilió el sueño.

Los caporales se fueron a dormir, sorprendidos de que don Amindo no los enviara de nuevo a quemar los ranchos. Podía suceder que el administrador, como ellos, temía enfrentarse a los Jocotán.

Una hora más tarde, siendo ya más de la medianoche, el mayoral Julio dejó sigiloso la habitación que ocupaba en La Hacienda, cerca del administrador. El caballo aún estaba ensillado y atado fuera del patio. Sacó una maleta y la amarró en los jinetillos. Tomó el caballo de la brida despaciosamente, para no provocar ruido, se dirigió hacia el Hato. Montó con precaución y sin llegar a las casas, tomó por la ancha carretera. Iba huyendo. Su complicidad con don Amindo en aquella noche lejana en el Cerro de Las Lajas, dejaba de ser negocio productivo y se hacía un peligro inevitable. El único camino era huir antes de que llegara la tormenta de los Jocotán.

—¡Qué pague ese viejo cabrón que fue quien gozó a la finada! —dice Julio con cinismo— ¡A mí no me alcanza ni el machete de Floriano ni las balas de esa diabla!

Y rápido desapareció en la primera curva de la carretera.

6

Al día siguiente amaneció nublado, triste, como presagio de desgracia. En el rancho de Nicanor Faroles no han dormido, han estado en vela como en los otros ranchos, en espera del retorno de los caporales. Genara se quedó allí previendo un acto de violencia contra los campesinos. Es la única que tiene revólver. Los demás solamente sus machetes desmonteros. Si llegan los caporales, defenderán sus derechos como sea necesario, salvo que, como aconsejó Genara, La Hacienda reconozca y pague las mejoras que han hecho y los ranchos. Toman café caliente. Las neblinas se levantan con pereza y el sol se abre paso finalmente. El rocío cubre las hojas y la tierra humedecida. Vuelan pájaros a montones y se oye el grito altanero de las oropéndolas en los altos ceibos y tempisques. Los pericos, volando muy arriba, cruzan en parejas conyugales hacia sus distantes comederos. Los Jocotán y Nicanor bajan al riachuelo y se lavan los rostros y las manos. Hacen gárgaras con el agua fresca y limpia. Están soñolientos. De regreso, Floriano se pone a limar el machete.

Observa que la hoja está ya angosta y delgada. Son muchos los años que lo ha utilizado para todo. Ha tenido que cambiarle la cacha varias veces. Tendrá que comprar otro dentro de algún tiempo. Mientras afila, recuerda aquel lejano día en que su padre lo sacó al crédito en la trucha de La Hacienda. También recuerda el apoyo que le prestó Chabelita, que entonces era una muchacha de quince años y a él le gustaba como ninguna otra del Hato. Y el estreno del machete en el desmonte del cañaveral bajo las órdenes de Cirilo Cirilón, el que advino en esbirro y murió a machetazos por un campeño la noche en que lo buscaba a él y a su padre para fusilarlos. ¡Cuántas cosas han pasado desde aquel día en que se hizo de su machete desmontero! ¡Lo que ha hecho con él! ¡Ah, si fuera posible recoger todos esos hechos ocurridos durante los cuales ha sido su inseparable compañero... eso sería recoger lo más interesante de su vida de hombre, y de la vida, en gran parte, de su padre, y la vida en parte también, de muchas gentes trabajadoras! Todos los días ha permanecido en fraternal compañerismo con su machete que va adelgazando, disminuyendo, haciéndose inútil como sucede al cuerpo de un hombre.

Floriano piensa que un machete, que ese machete suyo, es como un trabajador del campo, son días buenos y días malos. Trabajando y trabajando para poder obtener los frijoles y las tortillas, algunas veces encolerizándose, cargado de odio, sirviendo para matar hombres como en aquella guerra a la que los llevó su padrino Crisóstomo. El machete ha sido su salvación y ayuda: para ganar el sustento cotidiano, para vengar algún agravio, como cuando peleó con aquel campeño Consuegra en la noche de su casamiento o para salvar la vida como un arma maestra, como un apéndice de sus puños. Sí, para Floriano ese machete *tres clavos* es como una mujer muy querida y fiel a la que se trata con ternura, con mimos, con amor. ¿Qué es un hombre campesino sin su machete? Un monigote, un palo cualquiera, no es ni la mitad de un hombre.

—¿Qué estás como hablando solo, Floriano?

Pastora con voz dulce, cariñosa, lo saca de sus disquisiciones macheteras y de sus recuerdos. El sonríe y la vuelve a ver de ese modo peculiar con que se ve a la mujer propia, a la compañera de vida que se ama. Hay en sus pupilas un regocijo que Pastora descubre. Eso sirve para distraerla de sus pensamientos sombríos, porque Pastora, desde los sucesos de la noche, se encuentra preocupada y temerosa. Había creído que al dejar los campos bananeros dejaba atrás la desgracia, el peligro, y ahora, recién llegando a La Hacienda y ya está allí el peligro y la desgracia amenazando a su marido, a su suegro, a ella misma. ¿Será que no hay un lugar en donde se pueda vivir en paz, sin sobresalto? ¿Por qué sucede esto en su país? ¿O será que en todas partes la vida es así como un caminito montañoso al borde de los precipicios y donde hay que pasar con mucho cuidado para no resbalar y caer al fondo destrozados? Pero con todo, ese relámpago de alegría y amor en las pupilas negras de Floriano le da también regocijo, se siente amada y eso significa felicidad compensadora de los infortunios.

—Mañana veremos para dónde nos vamos —le dice suavemente.— Hay que ganarse la vida. Mira, Pastora. —Le muestra el filo del machete lustroso—. Está envejeciendo, pero con él ganaremos más dicha para todos. Este machete tiene su alma propia, como hombre. ¡Es mi hermano!

—¡Tonto! —dice Pastora revolviéndole el cabello rebelde con sus dedos trigueños—. Un machete es un machete; nada más que un fierro con cacha y filo.

—Sí, un machete es un machete, como un hombre es un hombre, y nada más.

Genara les interrumpe. Su rostro serio aún no se amolda a la sonrisa; está quemado, adusto y con un perenne gesto de insatisfacción y desconfianza. Pastora piensa que su cuñada debe haber sufrido mucho para poder llegar a ser así, como un ser de piedra, por fuera y quizá por dentro.

—Haces bien en afilarlo —dice— puede que hoy lo necesites como en los tiempos de la guerra.

—No pasará nada —afirma Floriano, pero más por no inquietar a su mujer que no oculta su sobresalto al escuchar a Genara. El sabe que puede ser un día malo para todos, porque, se han juntado sus propios problemas con los problemas de los demás campesinos ¿o es que han sido siempre los mismos?

Genara va de un lado a otro preocupada, atisbando el sendero de La Hacienda. Espera lo inesperado. Juega con los nietos de Nicanor. Lleva el caballo al río y quitándole la albarda y los peleros lo baña con esa afectuosidad propia del campisto para su cabalgadura. Lo vuelve a ensillar. Al mediodía va a dar una vuelta por los ranchos. Los hombres no han salido y esperan también. Saben que algo decisivo vendrá de La Hacienda con los caporales. De manera que avanza el día las gentes se tornan mustias, más serias y calladas. Parecen disgustadas. Tienen los oídos atentos a todos los ruidos de los montes. Hay como miedo en todos los corazones, pero también una firme determinación. Con ellos están los Jocotán y eso les da valor para esperar, aunque por dentro la impaciencia muerde. La espera acumula desesperación y pone los nervios de punta.

Y *la cosa* que tanto esperan, llega por la tarde. Pero llega de manera inesperada e imprevista. Y los campesinos de más lejos no se enteraron, sino por la palabra temblorosa de Nicanor Faroles, que vino a llevarles precipitadamente.

El Coronel Merejo, tan temido y odiado en todo oriente llegó con su escolta bien armada en buenas bestias. Parece que el jefe iba ebrio según habían dicho algunos. Llevaba las órdenes de arrasar con los ranchos y poner en cintura a los mozos en caso de que éstos protestaran. El Coronel Merejo era excelente para las expediciones punitivas contra los hombres del campo. Hatos y aldeas enteras había dejado en cenizas. Su fama en ese sentido iba muy lejos. Los terratenientes y hacendados de la zona lo mimaban y le pasaban honorarios extras. El Coronel Merejo era el terror de oriente y, como consecuencia, se había hecho hacendado.

—¿Está el tal Nicanor Faroles por aquí?

El Coronel Merejo en el patio del rancho, rodeado de sus soldados, tenía presencia de valiente. Nicanor salió de la choza.

—Ahora mismo sacas todos tus *maritates* porque voy a meter fuego al rancho. ¿Me estás oyendo? Te doy diez minutos.

En ese momento apareció Genara que venía en el caballo, con Floriano a la grupa. Al verla, Merejo le dijo:

—¿Eh, con que de campisto se ha transformado la Doña en protectora de haraganes, según dicen?

El caballo de Genara logró aproximarse al de Merejo, pero otro se interpuso presto.

—Nicanor ni nadie saldrá de sus viviendas —dice la mujer.— Esto no puede ser. Hay que pagar las mejoras a los mozos.

—Altanerita la Doña, ¿eh? Bueno muchachos, aplacaremos a la Doña.

Se oyó un disparo. El caballo de Merejo se dobló un poco pero el Coronel saltó presto con la automática en las manos. Estalló otro disparo que lanzó de su mano el arma a un par de metros de distancia. Genara tenía una puntería maravillosa. Floriano se tiró del caballo con el machete y se enfrenta a Merejo. La respuesta de la mujer fue tan rápida e inesperada, que hubo confusión y los soldados más atendían a sus cabalgaduras inquietas que a la rebelde campisto. Ezequiel viene al momento armado de su machete, pero se interpone entre Floriano y Merejo antes de que un soldado meta su caballo. Nicanor, en el primer momento, queda perplejo, pero pronto va por su arma y sale en ayuda de los Jocotán. Las mujeres chillan y Pastora corre hasta su marido con una palidez cerámica. Es el desastre, es *la cosa* que han esperado desde en la noche.

—¡Hijo, evita, no pelees con tu hermano Merejo!

Ha sido el grito del viejo metiéndose entre sus dos hijos. Merejo con los ojos inyectados de sangre por la cólera ve cómo Floriano se apodera de su automática, pero él siempre lleva dos para casos de emergencia. Suena otro disparo y Genara gime doblándose en el cuello del caballo. Uno de los soldados ha disparado a quemarropa. La bestia se encabrita y evita que el hombre le haga el otro disparo. Nicanor agarra el animal que va de estampida metiéndose al corredor. La mujer cae a tierra y su revólver ha rebotado sobre una piedra. Merejo ha reconocido a su padre y a Floriano.

—¡Son hermanos! —grita Ezequiel— ¡No se maten por la memoria de Justina!

Ninguno de los hermanos retrocede. Pastora corre en ayuda de su cuñada que tiene el gesto fiero y los ojos cerrados. La herida es en el pecho y la camisa está empapándose de sangre.

—¡Afuera del rancho! —grita un esbirro— ¡Afuera del rancho!

—¡Espera! —ordena el Coronel sin dejar de encañonar a su hermano que también le apunta, luego llama: — ¡Cundo, que nadie dispare!

La orden de Merejo calma la tensión por un momento. Floriano que tiene su cuchillo en la izquierda, piensa que el que da una tregua en un momento de esos, ha perdido la iniciativa que es la mitad de la acción. Da un suspiro de alivio pero sin bajar la automática que apunta al pecho de su hermano.

—¡Floriano... tú..!

—¡Soy yo, Merejo, y mi tata y Genara!

—¡Genara! —exclama sin darle crédito— ¿Dónde está Genara?

—La ha matado uno de tus esbirros.

—¿Esa? ¿La Forastera? —pregunta incrédulo.

—¡Ella es! —Afirma Ezequiel acercándose— ¡Metan las armas, hombres! ¡Hablemos para entendernos!

El Coronel Esmeregildo Jocotán, por primera vez en su trayectoria de Jefe Expedicionario hace esa concesión de envainar su pistola sin haberla utilizado. Varios soldados echan pie a tierra y guardan las espaldas del jefe. Merejo se aproxima a Genara que, un tanto repuesta, intenta incorporarse. La observa de hito en hito. Se inclina y le abre la camisa viendo la herida.

—No es grave —dice a Ezequiel.— Acuéstenla en una tarima. Hay que atajarle la sangre. Cundo: ayuda con tu botiquín. —Y volviéndose a Floriano, viéndose la mano en la cual tenía la automática que recibió el disparo de Genara, comenta: —Brava salió la chigüina. Los tiene rayados como de hombre.

—¡Es Jocotán! —dice Floriano con sequedad.

Merejo le contempla un momento. Ya no es un muchacho como era la última vez que lo encontró en los tiempos de la guerra, cuando fueran a trasladar el armamento de contrabando. Las facciones de Merejo se suavizan. Ve a su padre, ya viejo y canoso, pero siempre con esa serenidad en el rostro que tanto respeto infunde.

—¡Qué cosas! No sabía que habían regresado a La Hacienda.

—¿No te dijo don Amindo?

Merejo niega con un gesto de cabeza. Está pensativo. ¿Sabía don Amindo que los Jocotán estaban en el rancho de Nicanor? ¿Por qué le recomendó con especialidad que a ese campesino lo lanzara sin miramiento y le incendiara el rancho «pasara lo que pasara»? ¿Sabría don Amindo que se encontraría con su padre y sus hermanos? Merejo se hace esas preguntas, pero luego comienza a recriminar a Ezequiel por participar en un acto de desobediencia e insubordinación de los montunos. Habla y habla en voz alta, como para silenciar la voz interior que se rebela. Es como si quisiera que sus soldados no vean en su actitud una blandura de su parte. Pero, un rato más tarde, se aproxima a su padre y en voz baja le pregunta:

—¿Y mama Justina?

—Muerta, hijo. Hace muchos años, cuando la guerra, allí en el cerro nuestro está enterrada.

El rostro de Merejo está impasible. Por su fisonomía no puede saberse cuál ha sido la reacción de la noticia y es hasta cuando Floriano habla, cuando se denota su reacción.

—¡La mataron en una noche, un grupo de bandidos!

—¿Matada? —En esa expresión, dicha con fiereza, había una legítima manifestación humana— ¿Quiénes? ¿Los *colorados* o los *azules*?

—Don Amindo Carranza —concluye Floriano con parquedad.

Merejo levanta la cabeza como un potro picado por tábanos. Floriano miente. ¿Cómo puede ser eso verdad? ¡Imposible! Don Amindo es su amigo. Siempre ha sido amable, cariñoso y le tiene en gran estima. Incluso es de los que le paga honorarios extras. Eso no puede ser. Pero Ezequiel y Floriano porfían en la extraña afirmación. ¿Y por qué la iba a matar?

Ezequiel lo lleva aparte de los soldados y le cuenta a grandes rasgos y con voz reposada el crimen del Cerro de Las Lajas. Allí está Genara que fue testigo presencial. El Coronel está callado. Ese rostro suyo es como de piedra y no se ven sus emociones. Es como el de Genara. Vuelven al patio. Primera vez que Cundo tiene que curar a una persona herida por sus compañeros. El y todos los demás están muy sorprendidos por lo que ha pasado. Por lo visto ya no habrá incendio de los ranchos ni flagelación de mozos. ¿Será que el Coronel está envejeciendo y se ha vuelto sentimental? Es el colmo tener que curar a uno a quien debían dejar inmóvil cara al sol para pasto de zopilotes. No hay duda, el Coronel Merejo ya necesita relevo. Pero luego Cundo y los otros se dan cuenta de lo que pasa, del encuentro de los hermanos, del gran lío inesperado y comienzan a comentar.

Merejo anda por el patio como desorientado, con los pulgares metidos en el cinturón de los revólveres. En su interior se libra una batalla: lucha el Jefe Expedicionario de la dictadura contra Esmeregildo Jocotán el hijo de Justina. Ambos aducen argumentos poderosos a su favor: «Hay que cumplir con el mandato expulsando a los campesinos, quemando los ranchos.» Y otra voz dice: «Hay que tener sangre de hombre y hacer justicia a la madre que fue vilmente asesinada.» Merejo no encuentra salida a su problema moral; porque eso es: un problema moral que se ha metido como un puñal en la sucia conciencia del bandolero oficial. Si cumple, estará sirviendo al asesino de su madre. Si no cumple, traicionará al General y al Partido que lo tiene allí para resguardar los intereses de los terratenientes. Jamás se ha puesto en duda la lealtad del Coronel Merejo. Pero, ¿cómo va a ser leal con un bandido que después de asesinar a su madre le estrecha la mano y lo elogia y le paga para que lo defienda? Y qué buscaba don Amindo al enviarlo este día a lanzar a Nicanor Faroles «costara lo que costara» sabiendo que se toparía con sus familiares? ¿No sería una maniobra bien pensada por medio de la cual se vería libre de los Jocotán, evitando así que un día le reclamasen la muerte de la madre?

¡Ay, Esmeregildo Jocotán! ¿Es que ya olvidaste aquellos años de tu infancia al lado de tus tatas en el Cerro de Las Lajas? ¿Es que puede más en ti la carne adobada, el guaro y los lempiras que te brinda ese hombre hipócrita, bandido enmascarado, que la sangre que llevas en tus venas y que te la dio tu mama, por él ultrajada y matada? Esas voces internas van haciéndose más altas en el Coronel Merejo y se van sintetizando, concretándose en una disyuntiva de fuego:

—¡Con mi mama! ¡Con don Amindo! ¡Con mi mama! ¡Con don Amindo!

Floriano y Ezequiel lo ven y comprenden su pelea interna. Al fin, el Coronel Merejo llama a Cundo y le ordena que le dé su caballo porque el que él montaba se encuentra con una herida a causa de la bala de Genara. Le ordena:

—Quédate aquí, Cundo, cuida a esa mujer que es mi hermana. Tú respondes por su vida, «pase lo que pase».

Cundo no comprende bien este problema, pero responde afirmativamente y sonríe cuando recuerda que el Coronel, un día quiso hacer suya a La Forastera por la fuerza, y ahora resulta que: ¡son hermanos! Para Cundo este asunto no está del todo claro. Le entrega la cabalgadura.

Merejo ordena a su escolta montar. Ha triunfado sin duda el hombre sobre el Coronel, el campesino hijo de Justina Jocotán sobre el Jefe Expedicionario de la dictadura, al menos así lo interpreta Floriano que, al momento toma el caballo de Genara y sigue a Merejo.

—No vayas, Floriano —dice Merejo autoritario.— Quédate con el tata y la hermana. Puede pasar algo y ellos necesitarán de ti. —Y cambiando de tono con cierta sonrisa, la primera, en el rostro severo:— ¡Y también necesita tenerte cerca tu mujercita!

—Voy —dice Floriano insistente— yo también soy hijo de Justina.

—¿Y qué sabes tú para dónde voy y a qué?

—No necesitas decírmelo. He comprendido. Yo esperaba que se arreglara este asunto de los mozos primero para ir a cumplir lo mío en La Hacienda.

—¡Tienes razón Floriano, pero el asunto **es nuestro**!

La tropa, con los Jocotán a la cabeza, toma el camino de La Hacienda. Pastora queda en el patio viéndoles partir como si se fueran a la muerte. Dos gruesas lágrimas ruedan por sus mejillas pálidas, pero al darse cuenta que Ezequiel la observa, las seca con la mano y disimula.

—Volverá Floriano, hija, no te aflijas. El peligro ya pasó.

—¡Dios le oiga, don Quiel, Dios le oiga!

En una tarima en el interior del rancho, Genara se ha quedado adormecida después de la curación que le hizo Cundo, el encargado del botiquín de la escolta punitiva.

Después de esto Nicanor marchó a los otros ranchos, hasta los más alejados para concentrarles y esperar juntos lo que ahora podría sobrevenir. Por eso vienen precipitadamente, muy atentos escuchando los relatos que les ha hecho Nicanor.

Al parecer y por el momento, han ganado la partida y se ha hecho una tregua para la solución de su problema. La fiera tan temida ha sido desviada en sus zarpazos contra el campesinado y es posible que se haya colocado contra don Amindo por el problema personal de los Jocotán, que también le incumbe directamente.

Ahora discutirán qué hacer, porque Floriano se ha marchado a La Hacienda con la escolta y nadie sabe lo que sucederá más tarde.

—Yo creo —dice Pastor— que es mejor no movernos de aquí. Además, como tú dices, la niña Lucinda, digo, la niña Genara se encuentra herida. Debemos atenderla.

—¡Pobrecita! —lamenta Juancho Morel, caminando con ayuda de su muleta de jícaro— ¡Nos ha defendido exponiéndose a morir! ¡Qué buena es!

—¡Claro, si es de los nuestros, si es de los Jocotán del Cerro de Las Lajas!

—¡Quién hubiera creído que aquella chigüina que apenas empechaba, ya grande fuera tan *pencona*!

—Por eso, compa, malo es menospreciar a los cipotes: ellos van pa'arriba y nosotros pa'abajo. ¡Es la ley!

Saltando con su muleta va adelante del grupo Juancho Morel al que, en la guerra, un improvisado doctor le cortó el pie sin necesidad.

7

—No es que me estorbes, hija, eso no. ¿Cuándo me has estorbado? Soy tu padre y te quiero como a mi única hija que eres. Pero hoy debes obedecer. Prepárate pronto, en ese camión que lleva el queso para Tegucigalpa, te llevarán.

—Pero papá, yo he venido a pasar tres semanas, aún me falta una. ¿Qué es la prisa por despacharme de improviso? Los niños están con su padre y con mi mamá. Así que yo no veo el por qué salir como de huida.

—No hablemos más, Chabelita. Tú te vas ahora mismo, anda, yo te ayudaré a hacer las maletas y si algo queda, después te lo enviaré.

Chabelita no comprende la insistencia de su padre. ¿Quiere que se vaya porque anda allí la escolta del Coronel Merejo? ¡Bah! Es autoridad y además son amigos de antaño. ¿No es hermano de Floriano? Pero bien, ya que es forzoso salir, pues se irá. Ese afán de su padre debe ser por alguna otra cosa, quizá por sus ideas sobre política. No importa: se irá. Pero Amindo Carranza debe saber que nunca más tendrá la visita de su hija. ¿Despacharla así? Es una ofensa imperdonable. Bien, hay que arreglar su valija y partir. ¿Qué se ha creído su padre? ¿Que ella no tiene dignidad y que no ve el desprecio? ¡Ya lo verá!

El camión sale por la tarde. Lleva los quesos del día. Bastante carga. Junto al chofer se sienta Chabelita y sin decirle adiós siquiera al padre, parte hacia la capital. Casi va llorando, pero no se doblega; si él tiene su carácter voluntarioso y autoritario, ella también es persona de carácter firme. Y que sepa que nunca más volverá a visitarlo.

—Hasta luego, hijita, hasta luego. ¡Saludos a la familia!

Don Amindo no recibe ni contestación. Siente pena, pero tiene miedo de que las cosas se pongan malas y que su hija pueda recibir algo inconveniente. Por eso la ha despachado. Hoy anda con botas y lleva prendido al cinto su revólver cuarenticuatro. Ha enviado al Coronel a sacar a los campesinos de los ranchos, pero tiene cierto presentimiento vago y se ha preparado. Ha armado a los caporales y los tiene allí vigilantes. La desaparición de Julio, su hombre de confianza, el único que sabe su secreto, le preocupa mucho. ¿Qué hablaría con los Jocotán el día antes? ¿Por qué se marchó sin decirle nada? No podía ser por miedo a él pues era más que su amigo, un protector. Si se había marchado así era por miedo a los Jocotán, porque quizá ya sabía que ellos iban a actuar en venganza de aquello. Recuerda que Julio estaba en contra de mandar a llamar al Coronel Merejo y de darle la misión de desalojar a los mozos de los ranchos, sin duda temía el encuentro con la familia, podían entenderse. ¿Y si eso sucedía y el Coronel tomaba partido al lado de los demás Jocotán?

Para eso, él, don Amindo, debía estar preparado. Quizá sería bueno pedir refuerzos a Choluteca, al propio General Pedrozo, pero ya era tarde, había dejado pasar el día. Lo único que ha logrado es despachar a su hija. Ella nada tiene que ver en aquel asunto. Se ha ido disgustada pero es necesario, él no podía confiarle sus temores. Sabe que si alguno de los Jocotán viene a reclamar, habrá que pelear, que matar. Y él no quiere quedar quieto quebrado a balazos o a machete. Su temor es mayor ante el recuerdo de la agresión de Floriano cuando era muchacho. Cierto que ayer conversaron como amigos, lo cual quería decir que ni siquiera sospechaba lo de Justina, pero las cosas pueden variar de un momento a otro. Luego, ese asunto de venir a trabajar La Forastera, es muy sospechoso, pues si es verdad que ella es la hija de la muerta y ha venido con nombre supuesto, ello tiene un significado oculto que ahora se puede comprender con claridad. ¡Cuánto daría en esos momentos por saber qué ha sucedido en el Cerro de Las Lajas!

Temprano cierra la tienda. Se pasea en el patio al atardecer mientras los caporales armados están allí haciéndose bromas y la gente del Hato sigue su vida como siempre. ¿Y si tomara él también el camino de la capital? Pero eso no. El es el administrador, el responsable y tiene que esperar el retorno de la escolta que él mismo ha enviado a castigar campesinos. Después que regresen podrá, quizá, pedir un permiso al General Pedrozo y retirarse de La Hacienda por algún tiempo, por mientras pasan los malos vientos, por mientras se van los Jocotán. Y pensando más despacio, ¿por qué no pedir mejor su relevo definitivo de la administración? ¿Cuántos años tiene de estar al frente de la propiedad de Crisóstomo Pedrozo? ¿Qué espera para ir a ponerse a la cabeza de su pequeña hacienda en Santa Bárbara? Esto sería mejor, lo más conveniente. Y, sin embargo, al pensar en esta perspectiva, siente nostalgia de abandonar ese puesto y esos lugares donde, por tantos años, ha sido el verdadero amo.

Siempre ha sido todo de acuerdo a su voluntad, todos los vientos han soplado a su favor, de todo se siente satisfecho. Lo único que fue una estupidez, una locura suya, fue aquello en el Cerro de Las Lajas. ¡El demonio que se le metió en la época de la guerra! Ella no quería; era mujer honrada, pero estaba sola y él debía aprovecharse. Con otras mujeres campesinas hacía lo mismo y no pasaban de un lloriqueo la primera vez. Después se acostumbraban y ya no resistían ni lloraban. Fue mala suerte que ella gritara y que se violentara tanto hasta tener que silenciarla. Eso fue lo malo. Pero de no haberlo hecho, al regresar los Jocotán de la guerra, le hubiera armado tremendo lío. Por lo demás, todo, según él, estaba hecho con mucho cuidado: se había desprendido poco a poco de sus cómplices. ¿Y si ahora sus temores no fueran más que una alucinación influida por los temores del mayoral? ¿Si La Forastera resulta que no es la tal Genara, y aún siéndolo, si no supo quiénes entraron aquella noche a la choza? ¿Si todo no es más que una infundada sospecha?

—Don Amindo: ¿no va a tomar su cena? Hace rato que está servida.

—Voy, voy, muchacha.

Va al comedor, pero no prueba los alimentos. Se toma unas copas de aguardiente y eso le sienta bien, incluso le aleja los presentimientos. Vuelve al corredor y se recuesta en la hamaca. Los caporales están tirados en el patio, despreocupadamente. Llevan revólveres y escopetas de dos cañones. Don Amindo tiene allí un par de ametralladoras que le dejó el General, pero como no ha permitido que los caporales aprendan a manejarlas, y como él mismo tampoco sabe, resultan ahora trastos inútiles. También hay en el patio otros campistos que, sin olfatear el peligro, se han venido a divertirse con los caporales. Esta noche la luna sale más tarde y ya no es redonda: ahora parece un gran pedazo de zapote maduro. Es noche serena, de apacibles vientos, de muchos claroscuros. Todo está igual: las vacadas en los potreros, los terneros en los corrales, los mozos en el Hato, donde se escuchan los gritos de los muchachos jugando «el tigre y el venado».

—Vienen montados —dice un caporal poniendo atención a la noche.

—Debe ser el Coronel Merejo y su gente —supone el administrador, sentándose como con desgano en la hamaca, pero está nervioso. Enciende un puro y lanza humo denso.

En efecto, el trepidar de los cascos en la tierra es ya muy perceptible y luego se ven los jinetes que vienen al trote largo sin precipitación. Son ellos. Los ojos de don Amindo buscan a los hombres. Allí viene el Coronel con su pañuelo azul al cuello y su sombrero de fieltro. Allí vienen los soldados con sus fusiles a la bandolera. Nada hay de particular y sin duda sus temores han sido extremos.

—¿Está don Amindo todavía levantado? —pregunta el Coronel Merejo desde el otro lado de la puerta *de golpe* del patio.— Si se acostó, llámenlo al momento.

Nada hay tampoco de particular en la voz del Jefe Expedicionario. El administrador contesta con su aguda voz afeminada:

—Aquí estoy, Coronel, esperaba su regreso para enterarme.

—Me alegro, ¿No podría venir acá un momento? Tenemos que hablar.

—Con gusto, Coronel, pero deben bajar y pasar al comedor a cenar. Deben venir muy cansados. ¿Qué tal una copita para hacer hambre..?

—¡Qué copita ni qué cena, carajo! —reniega el Coronel ya impaciente— ¡Necesito hablarle, venga acá rápido antes que me baje!

Es una orden. Don Amindo siente un vago temblor en las aletas de la nariz. Deja la hamaca y se palpa el revólver. Algo debe andar mal para que el Coronel haya cambiado. Se acerca a la puerta pero no la abre. Afuera están todos los soldados a caballo: su actitud no es agresiva. Con el rabo del ojo mira a uno que viene sin sombrero y reconoce en él a Floriano Jocotán. ¡Chispas! ¡La cosa anda peor! Los caporales están atentos, observando, pero sin tomar una actitud defensiva pues se trata de la autoridad. Don Amindo no les ha comunicado sus temores, temiendo cometer un error.

—¡Baje, Coronel Merejo, pase adelante, está usted en su casa!

Merejo vacila, pero luego desmonta. Detrás de él van sus guardaespaldas como siempre. Floriano queda sobre el caballo. El Coronel abre la puerta del cercado con el pie. Ya don Amindo, disimuladamente, está tocando el mango de su arma de fuego. No se dejará sorprender: él también es hombre y aunque tenga miedo, es el representante del General Pedrozo, jefe supremo de todos los coroneles y las escoltas del país.

—¡Don Amindo: es usted un hijo de sesenta mil putas!

—¿Y eso? ¿Por qué me ofende, Coronel? —y haciéndose el sorprendido, retrocede varios pasos cautelosamente— ¿No hemos sido siempre amigos y correligionarios? ¿Qué chisme..?

—No hay ningún chisme. ¿Se acuerda usted de la noche en que fue con varios caporales al Cerro de Las Lajas..?

—¿Yo..? ¿Cuándo, muchacho? Casi no conozco ese tal cerro. Hace mucho que no voy por esos lados, ni solo ni acompañado.

—Ya tiene mala memoria. —La palabra de Merejo es lenta y sin apasionamiento, como una conversación cualquiera— ¿No recuerda que en tiempos de la guerra usted fue allá una noche estando sola Justina Jocotán, mi nana, y una cipota que era mi hermana? ¿No se acuerda que Ezequiel Jocotán y Floriano andaban con el padrino don Crisóstomo exponiendo el pellejo en la revancha, mientras usted aquí asaltaba su rancho?

Los caporales están callados y escuchan aquellas recriminaciones con la boca abierta. Unas sirvientas que han puesto la cena para el Coronel y venían a dar el aviso, quedan quietas escuchando. ¿Será un pleito de verdad o estará bromeando el Jefe con el patrón?

—¡Chismes, chismes, todos chismes, Coronel! ¿Cómo va a creer que yo sea capaz de semejante crimen? ¡No, hombre! ¡El General Pedrozo garantiza mi reputación de..!

—¿Se acuerda de lo que hizo a Justina Jocotán? —prosigue Merejo, como si no le hubiera escuchado— ¿Se acuerda de la cipota que estaba aquella noche con mi nana? ¿No se acuerda tampoco de La Forastera que ha trabajado aquí tanto tiempo? ¿No ha notado que La Forastera no sólo se parece con aquella chigüina, sino también con Justina? ¿No recuerda quién la ultrajó y después la mató?

La acusación de Merejo deja como sonámbulos a los caporales, campistos y criadas de la cocina. ¿Don Amindo cometió un crimen? Otras mujeres vienen y se asoman a las puertas con ojos asustados. El viento sigue refrescando y haciendo murmurar los ramajes de los naranjos del patio. Don Amindo nada contesta, pero su diestra agarra con fuerza el mango de la pistola. No encuentra palabras para contestar. Piensa que mejor hubiera huido con su hija en el camión del queso. Ahora es tarde. ¿Qué irá hacer el Coronel con su persona? Si lo pusiera preso y lo llevara a Danlí o a cualquier pueblo, estaría salvado, porque el General lo sacaría inmediatamente.

—Y hay algo más, don Amindo —prosigue la voz sorda de Merejo.— Usté sabía ya que mi tata y mi hermano estaban en el rancho de Nicanor y que también estaba allí mi hermana. Y hoy, usté nada me dijo de eso y me mandó a sacar a los mozos y quemar sus ranchos. Usté quería que yo matara a mi familia y que ellos me mataran a mí. Pensó en deshacerse de todos los Jocotán de una sola vez, sin ensuciarse las manos.

—¡No, no, no! ¡Eso es mentira! ¡Yo ignoraba..!

—¡Silencio! —ordena rudamente Merejo irrumpiendo en cólera ofensiva— ¡Ahora mismo vas a pagar todo: asesino de mujeres!

Inconcebiblemente, don Amindo lanza una carcajada histérica, artificial e inoportuna. Da la impresión de que ha perdido la razón.

—¿Tú, Esmeregildo Jocotán, me llamas asesino, a mí que he sido hombre honrado toda mi vida..? ¿Tú, un contrabandista, un bandolero, un ladrón de caminos, un bandido, a quien pagamos por quitar del camino a cualquier persona..? ¿Me puedes acusar? ¡Se necesita una gran irresponsabilidad y desvergüenza para hacer tal! ¡Yo soy hombre limpio ante la sociedad! ¡No tengo nada de qué avergonzarme! ¡Me acusas calumniosamente por chismes de malos querientes! ¡Yo..!

—¡Cho, cabrón!

—Deja, Merejo —interviene Floriano desde el lomo del caballo.— No es chisme ni calumnia. Merejo Jocotán puede ser todo eso que usted dice: un bandido. Pero es tan bandido él como el que le paga para que cometa tropelías. ¡Usted no es honrado! ¡Es un cínico, un criminal que no tiene valor para responsabilizarse de sus hechos! Si hubiera encontrado algún desalmado, bien que le hubiera pagado para que cargara con la muerte de mi nana y poder escapar. Pero usted, no escapará. ¡Le va a caer la justicia! ¡Lo vamos a meter en una cárcel!

—¿Qué dices? —la voz con que Merejo se dirige a su hermano es atronadora— ¿Qué este bicho va a ir a una cárcel? ¡No, Floriano! ¡Es mucha ofensa para una cárcel! ¡Jodidos como éste deben ser ahorcados! ¡Cierto que yo he matado a gentes que estorbaban a éste y a otros dones, y si he manchado mis manos antes, no veo por qué no he de limpiarme un poco quitando este animal dañino!

—Tan calma —aconseja Floriano bajando del caballo con el machete en la diestra.— Dije que lo meteremos en la cárcel y así será. Tu trayectoria de sangre, Merejo, ha terminado. ¡Capturen a don Amindo y asunto concluido!

Merejo va hasta el caballo más próximo y quita de los jinetillos una soga de campisto. Ya puede Floriano decir eso, pero allí quien manda es él, el Coronel Merejo y contra viento y marea va a colgar de un árbol al asesino de su madre. Ojo por ojo, diente por diente. Así lo ha aprendido en la vida, así se lo han enseñado hombres cultos como Amindo Carranza y Crisóstomo Pedrozo.

—Dame acá ese lazo, yo lo voy a atar —dice Floriano.

—¡Nada, yo soy el Jefe Expedicionario! ¡Yo mando aquí!

De largo le tira el lazo a don Amindo y lo atrapa del tórax y los brazos. Le da un fuerte tirón que hace trastabillar al administrador y lanzar un ¡oh! de sorpresa a los mozos de La Hacienda. Sin embargo, nadie interviene en favor ni en contra. Merejo lo lleva hacia un guapinol cercano y en su ira se olvida que don Amindo lleva prendida su cuarenticuatro. Tira la piolera a una rama.

—¡Déjalo, Esmeregildo! —le grita Floriano yendo hacia ellos.

En ese instante repercute ronco el disparo que ha salido del revólver del administrador que se ha caído y, desde el suelo, ha hecho fuego sobre su agresor.

—¡Hijo de sesenta mil..!

Merejo siente el golpe rudo en el pecho. Algo caliente baja por su estómago mojándole la camisa de seda. Está de espaldas en la tierra y de sus manos ha saltado la piolera. Tarde comprende que subestimó al viejo. Saca su automática mientras, haciendo un gran esfuerzo, se pone de rodillas. Presiona el gatillo y brama el arma lanzando toda la carga del chifle. Parece metralleta. Calla y aún Merejo sigue apretando el gatillo con la mano derecha y con la izquierda se apoya en el suelo. Con los dientes muerde y aprieta los labios como para detener algo invisible, que se le escapa desde muy adentro. Pero ha visto que don Amindo se ha doblado allí cerquita de sus ojos y se ha quedado quieto con los ojos abiertos. El también siente una gran quietud y no se entera que cae casi sobre la cabeza del administrador.

—¡Hijo de se..!

La boca tiembla imperceptiblemente y queda abierta, muy abierta, como si el insulto se le hubiera quedado atragantado como un fierro. Pero aún Merejo, sin mover ningún miembro, agita su pensamiento como una borrasca y se ve niño, un muchacho descalzo corriendo por el patrio del rancho con Floriano y Genara, mientras la voz de Justina le grita: «Merejo... Merejo... muchacho holgazán, ¿a dónde has llevado a los cipotes? ¡Anda, trae las charamuscas pa'la comida! ¡Merejo..!» Y la mira como a través de la lluvia, con la cabeza atada con un pañuelo. El quiere decir algo, pero es como si se fuera quedando dormido en ese patio y que se fuera haciendo de noche.

—¡Se han matado! ¡Se han matado don Amindo y el Coronel!

—¡Virgen purísima de Concepción!

El revuelo en La Hacienda no tiene límites. Lo sucedido es algo increíble. Las gentes del Hato corren hasta las viviendas de los patrones y se les paran los pelos cuando ven la tragedia. Los soldados, los caporales, los campistos y los sirvientes hacen rueda a los muertos y cuentan y contestan las preguntas todavía con la impresión del lance inesperado. Y las mujeres hateras se persignan y rezan para alejar al demonio que ha estado allí hace un poquito.

—¿Cómo ha sido esta desgracia?

—¡Cómo todas, comadrita! ¡Véalos: están muertecitos!

—¡Ay, don Amindo Carranza, Dios lo haya perdonado!

—¿Pero, qué es lo que ha pasado aquí?

—¡Dos cristianos que se metieron plomo!

—¡Jesús, ya lo decía yo: esa tal Forastera traerá desgracia!

—¡Si no es La Forastera..!

—¡Pero es el maleficio de su presencia!

—¡Malrayo parta a esa endemoniada con calzones!

—¡Debemos sacarla de aquí: que se largue a su tierra!

—Pero, mujeres, qué están hablando: ¿todavía no sabe quién es La Forastera?

—¡Saber sí: la hija del propio Coludo!

—¡Cállese: ella es la hija de don Quiel Jocotán, la que se había perdido! ¡Hermana del compa Floriano y de ese Coronel..!

—¡No me lo diga, compadrito, porque no se lo creo ni que se me hinque y me jure! ¡Cómo va a ser la cipota Genara..!

Esta noche hay dos velorios en La Hacienda. Floriano se ha escapado para los ranchos llevando la noticia de sangre.

8

Los sucesos sangrientos de La Hacienda del general Pedrozo han provocado conmoción hasta en Tegucigalpa. Dos correligionarios han muerto en circunstancias lamentables. Un hombre magnífico como don Amindo Carranza y un militar pundonoroso como el Coronel Esmeregildo Jocotán, ambos miembros incorruptibles del partido gobernante y amigos personales y subalternos de confianza del General Pedrozo. Así aparececió una extensa nota necrológica en los periódicos oficiales pero no daban detalles de las causas de la tragedia.

El General Pedrozo se trasladó inmediatamente a su propiedad con la viuda de Carranza. Carros militares, llenos de tropas precedían, acompañaban y seguían a don Crisóstomo, así como era habitual cuando por casualidad salía de la capital. Unos decían que era para hacerse respetar y otros que por temor a que el pueblo hiciera con él lo que deseaba hacer Merejo con el administrador. Chabelita, la hija de don Amindo, no fue porque se quedó con sus hijos. Ahora, comprendía que ya su padre esperaba esos hechos y por eso la hizo salir precipitadamente. A pesar de su hondo resentimiento, lo perdonó y no fueron pocas lágrimas las que el dolor filial le hizo derramar.

Las investigaciones que correspondían al juez del crimen, las hizo personalmente el General. Interrogó a todos los presentes y ausentes en los sucesos. Mando traer a todos los campesinos de los cerros y Genara fue llevada en hamaca pues todavía estaba sin poder andar ni montar a caballo. Con humildad y con miedo se presentaron al General, pero informaron de todo lo relacionado con los intentos de lanzamiento de los ranchos. Y los Jocotán, en una entrevista a puerta cerrada con guardias armados por fuera, revelaron todo lo concerniente al crimen de don Amindo, que diera como consecuencia la pelea con Esmeregildo.

Este era un asunto muy delicado y el General quiso influir para que ellos silenciaran la verdadera causa. No convenía que el público se enterara. Era una sombra muy negra sobre la memoria del muerto y no sólo para él, sino para La Hacienda, para el propio General, para su partido y el gobierno. El enemigo era muy inescrupuloso y se aprovechaba hasta de lo más pequeño y sin importancia para echar lodo al régimen. Era pues, una cuestión política. Los Jocotán no aceptaron la propuesta del General. Y éste, un tanto disgustado, les recriminó ese comportamiento, llegando hasta el grado de considerar esa versión de la muerte de Justina como una fantasía, una mentira con el fin de ensuciar el nombre de Amindo Carranza, que era ante la sociedad un dechado de virtudes ciudadanas.

—No, compadre, yo no puedo hacer lo que me pide, sería estar contra la pobre Justina.

—¡Don Amindo no era ningún virtuoso, padrino! ¡Era un hipócrita y un malvado! ¡Yo misma lo hubiera matado de no haberme herido un zamarro de la escolta!

—Se ve que ni muerto lo perdonan. Sin embargo, aún no puedo aceptar como verdad evidente esas acusaciones. Para que haya crimen debe haber cuerpo del delito. Mi comadre Justina desapareció de todo esto. Si murió, que Dios la tenga en su reino, debe haber sido allá largo donde tú estuviste, Genara. Porque según dicen, tú has corrido mucho mundo y muy a prisa.

—Padrino: ¿se atreve usted a dudar de mis palabras? —preguntó la muchacha herida.

—Eres mujer, y una mujer apasionada es capaz de cualquier cosa. Incluso de mentir e inventar. No es la primera.

Los ojos de Genara fulguraron con aquellos relámpagos de odio que asustaban a las gentes. Se repuso y solamente dijo:

—Manden a escarbar allá, tata, donde nos hincamos juntos aquella noche. Allí encontrarán el cadáver de mi nana Justina. Si sus huesos no están allí, mándeme a fusilar por calumniadora, padrino.

Y el General Pedrozo aceptó. Era una salida. Habían pasado tantos años que, aún siendo verdad, no encontrarían ni los huesos. Después del entierro de los cadáveres en el cementerio del Hato, en donde un secretario del General pronunció una oración fúnebre con muchos lamentos, elogios y promesas, Ezequiel y Floriano fueron al Cerro de Las Lajas llevando al juez del crimen. Muchos campesinos les acompañaron pues se trataba de comprobar si la Justina había sido muerta y enterrada en aquel lugar como afirmaba su hija Genara. Allí jamás se había exhumado un cadáver por lo que se consideraba un gran acontecimiento, sobre el cual llovían los comentarios.

Levantaron las piedras y escarbaron la tierra cascajosa. No hubo necesidad de ahondar mucho. A unos dos pies de profundidad encontraron la osamenta de un ser humano. Los huesos estaban amarillentos, pero junto a ellos estaba todavía un trozo de tela de vestido femenino y la cabellera aparecía completa. La historia de Genara se comprobaba con el encuentro de esos restos y la acusación contra don Amindo se mantuvo en pie. El General, torpemente derrotado, no encontró manera de poder defender la memoria de su administrador, pero, antes de marcharse, les suplicó que no hablaran tanto de aquello que era, también, una deshonra para su muerta.

El General comenzó a reorganizar la administración de su Hacienda. Nombró un nuevo administrador, hombre de su confianza también. Ratificó en sus puestos a los caporales, uno de los cuales pasó a ocupar la vacante del mayoral Julio. En cuanto a lo demás, no necesitaba reorganización, ¿para qué? Así marchaba bien La Hacienda y así tenía que continuar. Sin embargo, estando en estos menesteres, llegaron los campesinos de los ranchos del Cerro de Las Lajas y de los otros sectores, incluyendo los del Hato. Los encabezaba su ahijado Floriano. Centenares y centenares de montunos, descalzos, desnutridos, semidesnudos, estaban frente a La Hacienda acompañados de sus mujeres y de sus hijos. El General, ni siquiera les conocía, ya que ahora había dejado el hábito de encompadrar. Todos los ahijados eran hombres de edad y sus hijos ya trabajaban en la labores campesinas. En principio el General, acostumbrado a las ovaciones, consideró que se trataba de una manifestación de apoyo a su persona. Pero luego se dio cuenta de que nada de eso había. Un tanto desconcertado puso en alerta a sus tropas por cualquier cosa que pudiera suceder de parte de los enemigos, que en todas partes estaban.

—Vamos a ver, vamos a ver: qué quieren las buenas gentes de mi Hacienda, a ver, esos mis ahijados y compadres, acérquense sin miedo. ¡Y, caramba, ya ni siquiera me piden la bendición!

Ninguno de los ahijados, que ya eran hombres, ni los compadres y comadres que estaban viejos, respondió al llamado del General. Esa desatención le hizo arrugar la frente. Fue Floriano Jocotán el que habló sin encogimientos ni vacilaciones. Tal desenfado desagradó al terrateniente y político. Esas no eran normas de buena conducta.

—General: me han comisionado todos los campesinos aquí presentes para que hable a usted en su nombre.

—Está bien, pero, muchacho, ¿qué modo es ése? Ni siquiera la bendición me pides como si yo fuera un extraño.

—Padrino, yo lo respeto; a usted lo respetamos todos, grandes y cipotes, ahijados y no ahijados. Es lo que cada persona puede pedir de sus semejantes. En cuanto a que los ahijados no nos vengamos a poner de rodillas como era la costumbre de antes, eso, padrino, y perdóneme usted, es cuestión de dignidad personal. Ya somos hombres y pedir la bendición al padrino, es cosa de chigüines. Yo creo que a usted tampoco le gustaría ver a un hombre hincado, diciéndole «bendiga».

—¡Huyhuyhuy, cómo hablas Floriano, cómo hablas! Esa Costa Norte te ha enseñado más de la cuenta. No te creas que no sé lo que hiciste por allá. Acuérdate que estás debiendo eso. Mídete para hablar. Yo soy benévolo, pero tanto va el cántaro al agua, que al fin se quiebra.

—Yo no puedo hablar de otro modo. Yo no le falto el respeto. Lo justo es lo justo y las palabras claras no quieren vuelta de hoja. —Y como el padrino callara, prosiguió:— El asunto que nos trae es éste: queremos que nos facilite tierras para trabajar. Claro que pagando el arrendamiento. La Hacienda tiene tierras en barbaridad; quizá usted ni siquiera las conoce. Don Amindo supo expropiar a las aldeas en provecho de La Hacienda.

—Fue un excelente administrador. Yo estaba tranquilo con Amindo aquí. Era muy inteligente.

—Ya lo creo: usted no se preocupaba por lo que él hacía. Pues aquí están todos los mozos, que hablen ellos y le dirán sobre el maltrato y la inhumanidad que les daba. Era un verdadero explotador.

—¿Qué, qué? ¡Esas palabrejas no son muy santas! ¡Mídete al hablar!

—Las palabras claras no quieren vuelta de hoja, padrino. Yo sé lo que digo. Repito que necesitamos tierras pero que sean propias para hacerlas producir y no como las que nos dieron a nosotros los Jocotán en el Cerro de Las Lajas donde sólo se producen piedras. A usted le conviene darnos buenas tierras porque así, le pagamos con plata y con trabajo como hasta ahora.

—Bueno, bueno, yo nunca he negado mis tierras a nadie. Si algo hubo de malo... culpa fue de Carranza.

Floriano y otros sonrieron. Ahora ya admitía que su administrador, tan virtuoso, tenía culpas.

—Tenemos otra petición, padrino. Aquí todos los mozos hemos vivido siempre atados por las deudas. Don Amindo era mañoso y aún cuando se pagaran con trabajo y especie, nunca se salía de la deuda. Era un robo. Se pagaba hasta cinco veces una misma cuenta. Para evitar eso, ¿no cree usted, padrino, que sería mejor pagar los jornales en dinero contante y así nosotros pagar contante las deudas que pudiéramos tener en la tienda?

—Eso está interesante, Floriano, pero habría que estudiarlo. Daré mis órdenes al nuevo administrador. Y acuérdate que aquí no estamos en la Costa. Yo no soy tan rico como las compañías.

—Pero puede, padrino, además, ¿a dónde iría ese dinero? A su tienda, a su Hacienda, porque aquí no hay otra parte donde comprar nada.

—Sí, sí, ya lo estudiaré.

—Y por último, pedimos que no quite las viviendas a los campesinos y si La Hacienda las quita, que se reconozcan las mejoras y se dé algún dinero por ellas, para que, por lo menos puedan comprar frijoles mientras levantan otro. Y, otro ruego, que por favor no manden jefes expedicionarios tan crueles como el finado Esmeregildo, que era un bárbaro con la gente humilde.

—¿Y lo dices tú siendo su hermano?

—La verdad es la verdad, padrino y hay que decirla clara para que mejor se entienda.

—Muy bien, caballerito, estoy enterado de todo. El nuevo administrador se encargará de esos problemitas. Y ahora, yo quiero decirte a ti y a todos algunas palabritas.

Hubo un rápido murmullo y luego todo quedó en profundo silencio para escuchar las palabritas del General. ¿Qué tendría que decirles? ¿Estaría para reventar otra guerra y necesitaba que fueran a defenderlo? ¿O se trataría de elecciones?

—Díganme: ¿qué es lo que está pasando aquí? ¿Qué vientos están soplando para que se pierdan las buenas costumbres aldeanas de nuestros mayores? ¿Por qué hay tanta insolencia hasta el grado de oponerse a las órdenes de La Hacienda?

—Aquí no pasa nada, General. Lo único es que la gente ya no aguanta esta vida de sólo meter el lomo sin ningún provecho; ya no aguanta ser tratada como bestia de carga. Ayer mismo, ¿sabe usted lo que pudo suceder por la orden de don Amindo de quemar los ranchos? Pues eso hubiera dado como resultado que los compas se insurrecionaran y dieran su merecido al administrador y a sus caporales. Quién sabe hasta dónde hubieran llegado las cosas de no pasar lo que pasó. Ahora hemos convenido todos en no tomar las cosas a la brava, pero mantenernos unidos como un solo hombre para reclamar nuestros derechos.

—¡Ajá, eso es: nuestros derechos... nuestros derechos..! Esas son palabras de la Costa Norte, caballero Floriano. Tiene un olorcillo extraño. ¿Me puedes decir, dónde hallaste valor para hablarme así?

Floriano quedó viéndole. En sus ojos apareció un hilillo de sorna y picardía. No tardó en contestar:

—El valor no se halla en los caminos, padrino Crisóstomo. ¿Acaso tuve que pedirlo prestado cuando fui a la guerra para subirlo a usted a donde está?

El General tragó saliva. Su ceño manifestaba disgusto, pero quedó como cohibido. Ese ahijado estaba totalmente cambiado. Era increíble que de un mozo analfabeto y bruto saliera un hombre tan peligroso y leguleyo como Floriano. Había salido de La Hacienda y había conocido más de la cuenta. Era mejor acabar de una vez la conversación porque, de prolongarla, quién sabe las cosas que podría decir adelante de los demás mozos y se vería en la necesidad de castigarlo.

—Bien —dijo poniéndose de pie con lo cual indicaba que había terminado la audiencia.— Estoy enterado de las peticiones. Las tomaré muy en cuenta. Ya daré instrucciones al nuevo administrador de manera que mis compadritos y ahijados queden contentos. Yo sólo pido que tengan paciencia, todo se arregla en este mundo. Sepan todos que yo siempre estaré dispuesto a protegerlos, tanto desde arriba en el gobierno, como aquí de propietario de mi Hacienda. Yo no olvido mis deberes de padrino, aunque algunos pollitos se nieguen a pedir bendición como lo manda Dios. Así pues, ya pueden irse tranquilos con la seguridad de que yo me desvelo por todos. ¡Eso sí, cuidadito con hacerme enojar, cuidadito con hacerme desórdenes!

Terminó y por un momento esperó que irrumpieran en aplausos como era costumbre en todas partes que pronunciaba discursos como ése, pero no los hubo y, un tanto contrariado, entró a la casa limpiándose el sudor mientras los campesinos hacían sus comentarios. La personalidad de Floriano Jocotán había crecido tanto a los ojos de los mozos, como la propia del General. Le había hablado de tú a tú sin temor y con palabras como rocas de los cerros.

El General entró a su dormitorio y cerró la puerta. Se paseó agitado, golpeando los ladrillos rojos de la antigua casona colonial. No estaba contento, por el contrario, estaba disgustado, especialmente con Floriano Jocotán. Pero no cometió la tontería de hacerle sentir su poder, sino que se puso a meditar sobre los cambios operados en las gentes, en su determinación a reclamar lo que ellos llamaban «sus derechos» y tuvo el alcance también de comprender que las relaciones de su administrador Carranza habían llegado a tal extremo que probablemente de no ocurrir la fatalidad con Merejo, se hubiera hecho un incendio. Y esto no convenía de ninguna manera. El país pasaba por una situación crítica, de agitación y amenazas de revolución, cualquier pequeño incendio podría hacer estallar una gran catástrofe en la que no estaba seguro de poder salir airoso.

Con esos pensamientos llamó al nuevo administrador y se puso a darle instrucciones sobre la forma de comportarse con los campesinos, de hacer respetar y hacer favores de manera que ellos siempre estuvieran agradecidos y no pensaran en rebeldías. Había que ser recto y sacar adelante La Hacienda. Hacer favores, no quería decir hacer caridad. En cuanto a las tierras, bien podían arrendarse por cuanto sus propiedades eran muy extensas. Había que darles en aquellas partes que era monte cerrado pues así ellos realizaban los desmontes. Mejor sería si cada año o cada dos años les cambiaba parcelas mientras iba convirtiendo las tierras limpias en plantaciones o pastales. En fin, hasta muy tarde el General Pedrozo estuvo orientando a su administrador para evitar que le sucediera lo de don Amindo.

Al día siguiente, hizo su regreso a la capital con todo su cortejo.

Antes de partir, el juez del crimen fue a visitar a Ezequiel y sus hijos, muy atento y respetuoso. Fue una sorpresa inesperada. Pronto supieron a qué se debía. El juez, que era abogado, les recordó que por ley ellos eran los herederos legítimos de Esmeregildo Jocotán y que la hacienda y demás bienes que ahora estaban en manos de la que era su concubina, una mujer de mala vida llamada Marina, les correspondían. El, como abogado podía hacerles el trabajo de la declaratoria de herederos y ponerlos en posesión de los bienes. Los honorarios saldrían de esos mismos bienes.

—Oiga, señor Juez, esas tierras son malhabidas. Merejo quitó esas propiedades a los aldeanos, según dicen. Nosotros no nos metemos en esos asuntos.

—¿Y qué? Los bienes —afirmó el abogado— cuando nos llegan así ni se debe preguntar por sus orígenes. Ustedes no tienen ninguna responsabilidad. El dinero es el dinero venga de donde venga.

—Usted puede pensar como guste —dijo Floriano— sobre esas cosas. Nosotros pensamos de otra manera. Merejo era ya familia aparte desde que salió del Cerro de Las Lajas. Esa mujer que usted dice de mala vida, hace mucho que estaba con él. Ella es la heredera. ¿Por qué vamos a meternos en eso? No señor Juez, ese negocito no va con nosotros.

—Siendo así, nada tengo que decir. Allá ustedes...

Y el juez se alejó riéndose de los Jocotán por su ingenuidad:

—«Dios da muelas a quien no sabe masticar.»

Conclusión

Floriano Jocotan anda hecho unas pascuas desde que Pastora le reveló el gran secreto de que se encuentra embarazada, de que va a ser madre. Como si fuera poco la gran victoria obtenida en La Hacienda, de la que ya les dieron parcelas en arrendamiento y en tierras que no son malas, viene a coronarlo todo este acontecimiento, que será de tanta trascendencia en su vida. ¡Va a ser padre! Con el machete en la mano, anda de rancho en rancho, siempre silbando como antes no lo hacía. Se siente tan contento que se deshace por ayudar a las gentes, por trasmitirles a los demás su propia felicidad.

Genara se está recuperando de la herida. Ya anda en quehaceres ayudando a la familia Faroles, en cuyo rancho han logrado acomodarse todos. Las atenciones de Cundo, que ya no quiso continuar de soldado, han cooperado mucho para la curación. Cundo sabía muchos remedios campesinos para curar a la gente. Las propiedades medicinales de las plantas las había aprendido de un abuelo suyo que había sido curandero y que decían *no era solo*, que conocía muchas cosas misteriosas. Ahora, entre Genara y Cundo ha aparecido una amistad que algunos bromistas, como Juancho Morel, el de la muleta de jícaro, dicen que va «más adentro de la amistad». Cundo ha sido muy solícito con Genara y vive en el rancho de Pastor.

Al atardecer, Floriano le dice a su padre:

—¿Estamos listos, tata?

—Listos, Floro. Mañana comenzaremos la roza muy temprano.

—¿Ha visto las tierras?

—Son buenas aunque hay mucho monte alto; tendremos que meterle hacha de lo lindo. Las tierras son como aquellas que nos pertenecían y que perdimos en el pleito con mi compadre.

—No importa el monte alto. Como vamos a trabajar *a mano vuelta* con los demás compas, resultará fácil y alegre. Y en cuanto a las tierras que eran suyas, un día las recuperaremos. ¡Ya verá usted!

—Tal vez sea así, si Dios quiere.

—Nada de meter a Dios en eso. Será nuestra de nuevo porque nosotros la recuperaremos; ya va a ver, tata, cuando los compas vayan abriendo más los ojos y tirando el monte de las orejas... ya verá lo que pasará al padrino con sus latifundios y a todos los acaparadores de tierra del país. ¡Los vamos a meter aquí! —Y Floriano le muestra la mano empuñada— ¡Aquí y para siempre!

—No sueñes, después la despertada causa amargura.

—Oiga, tata, oigan ustedes mujeres. No es sueño solamente. Ahora no forzamos más al padrino porque todavía estamos como Juancho, cojeando. Vamos a organizarnos todos los campesinos a las chitas callando y, como dice Pachán Roca, haremos un sindicato, ¿verdad, Pastora?

—Así decía Pachán.

—Y cuando seamos un puño cerrado y por las otras haciendas salgan otros y otros puños más, entonces, tata Quiel: ¡será la reforma agraria!

—¿Nosotros solos? —pregunta Nicanor dudando.

—Todos los campesinos que trabajamos y con nosotros los compas de la Costa Norte y de las ciudades los compas obreros.

—¿Crees tú mismo eso que dices, Floriano? —pregunta Genara.

—Te lo estoy anunciando yo, y esto no es como cuando viene el cura y después que has dado limosna te dice: «irás al cielo derechito, verás la gloria eterna.»

—¡No seas tan demonio! —critica riendo su hermana.

—No soy demonio porque no soy dueño de hacienda, ni administrador ni mandador gringo.

Y todos ríen haciendo preparativos para comenzar los trabajos al día siguiente.

Muy temprano parten dando gritos muchos campesinos de los ranchos hacia donde les han arrendado pequeñas parcelas en un monte espeso lleno de árboles. La tierra es oscura y húmeda. Forman cuadrillas de chapiadores que se colocan en línea larga. Harán el trabajo en conjunto, *a mano vuelta*. Al concluir con esa parcela seguirán con las otras hasta concluirlas todas. Sembrarán así también y las cosechas serán del mismo modo.

—¡Todos para uno y uno para todos!

Este es el lema que levantan ahora y en el cual Floriano confía muchas cosas para el futuro. Se oyen los gritos jubilosos y comienzan la tarea, apoyando fuertemente los machetes con sus manos duras.

—¡Tris-trás, tris-trás, tris-trás!

Es la antigua canción de los machetes desmonteros. Floriano sigue siendo formidable para batallar con el monte. Se ha quitado la camisa y el sol le lame el dorso reluciente por el sudor. La pelusilla le va cubriendo la epidermis. De cuando en cuando se da una palmada y aplasta un mosquito impertinente. Las gotas de sudor van cayendo sobre las hojas y ramas cortadas y sobre la tierra sedienta.

—¡Adentro, mano Pedro!

—¡Apriete, que ya me le voy adelantando!

—¡Ujuleee!

Los montes ceden ante el empuje brioso de los hombres y sus machetes. Hoy trabajan con alegría porque lo hacen *a mano vuelta* y porque anida en ellos la esperanza de romper la miseria y el hambre.

Cuando el sol ha llegado a medio cielo y los macheteros se van comiendo la parcela con la roza, dejando en pie los árboles que necesitan filo de hacha, bajan por el caminito recién abierto las mujeres de los ranchos. Se oyen sus voces altas. Floriano reconoce la palabra de Pastora y lanza un nuevo grito.

—¡¡Almuerrrzooooo!!

Y los mozos sudorosos, con gran apetito, salen del abra para ir al encuentro de las mujeres. Por los aires cruzan los pájaros chillando.

Otoño de 1959

Glosario

A

AGARRADO: tacaño, avaro.
ALCANTARIADO: persona enloquecida por un maleficio. Embrujado.
ALEBRESTADA: avivada, pispireta.
A MANO VUELTA: ayuda mutua en el campo.
AZULES: Los miembros del Partido Nacional. *Cachurecos*.

B

BARBA—AMARILLA: víbora de mordedura letal.
BOCA: fruta o bocadillos para acompañar la bebida de licor.
BOTON — RETRATO EN: pequeñas chapas con retratos para prenderse en el pecho.
BURUSCOS: montículos.
BUTUCOS: Una especie de plátano, guineo.

C

CABEZA DE TEOCINTE: fruto de una especie de palmera comestible.
CABUYA: cordel, cuerda.
CACHIMBA: pipa.
CACHURECO: Conservador, reaccionario. *Azul*.
CAITES: sandalias rústicas que usan los campesinos pobres.
CAMA DE PERRO: agujero que hacen los perros en la tierra para dormir y descansar.
CAMPEÑO: llámase así a los obreros agrícolas en las plantaciones bananeras en Honduras.

CAMPISTO: pastor de ganado bovino. Vaquero o vaqueano.
CAPITAN: capataz en las plantaciones bananeras.
CATIVACHES: cosas pequeñas y diversas. Chunches.
CAYUCO: barquichuelo de un solo tronco de árbol. Canoa.
CIPEADO AL JILOTEAR: maizal marchito al fructificar.
COBAS: elogio interesado e hipócrita. Adulación.
COLORADOS: miembros del Partido Liberal. *Cheles*.
COLUDO: el demonio.
COMISARIATO: tiendas que monopolizan el comercio en los campamentos bananeros, impuestos por las empresas yanquis.
CORTE — CORTERO: faena de cortar los racimos de banano. El trabajador encargado de esa labor.
COYOLES RAYADOS / TENER: quien tiene valentía. *Güevón*.
CUCUYOS: coleópteros americanos que despiden luz en la noche.
CUIDAR LA MILPA: resguardar los intereses. Vigilar.
CULUCA: una especie de quelonio pequeño.
CUMBA: corteza del fruto del jícaro / *crescentia cujete*. Se utiliza como vaso. *Jícara*.
CUMBO CEÑIDO: corteza del fruto de una calabacera, estrecho por el centro y sirve para llevar agua.
CUTACHA: navaja. Despectivo refiriéndose al machete.
CRIQUES: pantanos. *Suampos*.
CUSUL: cuchitril formado bajo los barracones. Pocilga.
CUSUSA: aguardiente de caña de fabricación clandestina.

CH

CHANES: guía en los montes.
CHANCE: oportunidad.
CHAPIAR: roza. Desyerbar las plantaciones.
CHARAMUSCAS: leña menuda de ramillas.
CHICHA: bebida indígena, fermentada de maíz.
CHIRRIBITAL: tierras estériles y pedregosas con poca vegetación.
CHIVO: dado. Juego de azar con dos dados pequeños.

D

DE DEDO: grado que se otorga a los guerreros en campaña por voluntad de los jefes, señalándolos con el dedo.

E

ECHAR PENCA: pelear, reñir.
EL TIEMPO/DAR: despedir a un obrero del trabajo.
ENCAITADO: que usa *caites*.
ESCOPETAS: tubo con pascón regulador para regar el caldo bordelés en las plantaciones de bananos.
ESTANCO: tienda de venta de aguardiente.

G

GALLO PINTO: plato compuesto de frijoles y arroz.
GARRAPATAS: diminutos arácnidos que, pegados a la piel, succionan la sangre.
GOLILLERO: fanfarrón, provocador, pendenciero.
GORGUERA: rico. Persona de importancia.
GRENCHOS: apodo de los estadounidenses. *Gringo*.
GRINGO: estadounidense.
GUACAL: cáscara del fruto de una calabacera o del jícaro que sirve de plato. Calabacino.
GUARA: papagayo.
GUARO: aguardiente de caña muy fuerte.
GUATE: las plantas de maíz destinadas para forraje del ganado.
GÜEVONAZO: hombre muy valiente.
GUIZUTA: rejo de madera resistente para remover la tierra.

H

HACER GÜEVOS: resistir esforzadamente. Hacer valor.
HATO: caserío de una hacienda. Aldehuela.
HORA EN QUE CAPARON A JUDAS: la hora más cálida del trópico.

J

JICARA: corteza del fruto del jícaro. *Cumba*.

JUMA: borrachera. Estar *bolo.*
JUTE: molusco gasterópodo comestible, que se encuentra en los ríos.

L

LA CULTA: llaman así a la capital en los poblados del interior.
LA MONTADA: caballería irregular organizada por las tropas, utilizando como cabalgaduras todas las bestias que encuentran a su paso.
LA SILLA: la presidencia de la República.

M

MACANUDO: excelente.
MANACA: hojas de una palmera muy abundante en Honduras.
MANCHA: parte reducida de un sembrado o bosque.
MANTECA: trampa para cazar animales.
MARITATES: pertenencias personales de un indivíduo.
MAZACUATA: boa.
MIXTELA: refresco a base de miel con poco licor.
MONAZOS: obrar con rapidez, al instante.
MONTUNO: que vive en el monte. Campesino.
MOROS Y CRISTIANOS: arroz con frijoles.

N

NACATAMALES: empanada grande de maíz muy popular. *Tamales*.
NENEQUERIAS: niñerías, ridículas timideces.
NO TENER VUELTA DE HOJA: ser incondicional. No tener ningún impedimento.

P

PANELA: azúcar negra en trozos. *Rapadura*.
PAPADA – PAPO: tontería. – Tonto.
PATACHO: recua.
PELO JILOTE: cabello que tira a rubio o rojizo.

PERICO: apodo que dan en las fincas bananeras a los trabajadores que riegan el *veneno*. Loro.
PIJUDA: excelente. *Macanuda*.
PINOL: harina de maíz tostado para hacer una bebida caliente.
POZOL: maíz hervido y reblandecido.
PUJAGUANTE: barreta. *güizuta* con punta de hierro.

Q

QUINEL: canal central de irrigación.

R

RAJARSE: acobardarse.
REVANCHA: guerra civil en Honduras.
RIENDAZO: sorbo grande de licor.

S

SOCOLA: desmonte en lugar arbolado.
SUAMPAL: lodazal, pantano.
SUICHE: enlace de dos ramales de línea férrea.

T

TABANCO: desván en los ranchos que sirve como despensa y para dormir.
TABARDILLO: insolación.
TALIN: funda de piel para portar el revólver.
TAPADA: emboscada.
TENER GÜEVOS: tener valentía.
TOTOPOSTE: Pan duro de harina de maíz muy duradero, que se ablanda hirviéndolo y sirve para largos viajes.
TOZUDO: vigoroso, enérgico.
TUNCA: machete al que se ha roto parte de la hoja.
TURULATO: atontado, alelado.

V

VACADIA: sitios en los ramales secundarios del ferrocarril en donde se acumulan los racimos de banano, se lavan y cargan en carros para transportarlos a los puertos.

VENENO: caldo bordelés para atacar la enfermedad del banano llamada sigatoka.

Y

YARDA: patio de las oficinas y chalets de los jefes y empleados de las compañías bananeras en las plantaciones.

Z

ZAMBUMBIA: instrumento musical indígena.

Impreso en los talleres de
Editorial Guaymuras,
Tegucigalpa, Honduras,
en el mes de agosto de 2003.
Su tiraje es de 2,000 ejemplares.